LA RAISON DES FEMMES

Toxicologue, expert auprès de la NASA et de diverses grandes entreprises, Andrea H. Japp est née à Paris en 1957. Elle s'est lancée dans l'écriture de romans policiers en 1990 avec *La Bostonienne*, qui remporte le Prix du festival de Cognac en 1991. Cultivant deux veines bien distinctes, la comédie policière et le suspense, *La Femelle de l'espèce*, Masque de l'année 1996, et *La Parabole du tueur*, le premier thriller mettant en scène Gloria Parker-Simmons, l'ont consacrée comme révélation française de ces dernières années.

Paru dans Le Livre de Poche :

La Parabole du tueur

La Femelle de l'espèce

Dans l'œil de l'ange

Autopsie d'un petit singe

Le Sacrifice du papillon

ΠP

ANDREA H. JAPP

La Raison des femmes

ÉDITIONS DU MASQUE

Pour Andrée, Élizabeth, Josée, Yvette.
Et pour Hélène, Alix, Dominique, Anne, Viviane,
Patsy, Maud, Monique, Carole, Linda, Éva, Janine,
Yvonne et les autres.

« L'odeur du sang
ne me quitte pas des yeux. »
Eschyle.

San Francisco, Californie
4 août

Ramper... tout doucement. Ramper sous le lit. Se cacher, devenir impalpable, poussière. La poussière rejoint la lumière.

Personne ne saurait.

Le moindre bruit pouvait tuer.

Finalement, les cris n'étaient rien. Rien qu'un futur mauvais souvenir. Comme tant d'autres. D'autres mauvais souvenirs. Ceux d'avant, d'hier, de demain, de toujours.

Faire cesser ces cris. Ils ne servaient à rien. Il fallait le savoir. Les cris, les larmes ne servent jamais à rien. C'est une bêtise de les proférer, de les laisser couler. La victime devient coupable. Pourquoi emmerde-t-elle le monde avec ses hurlements qui ne servent à rien ?

Il faut tuer. Oui, mais il faut avoir le courage. Ça doit être difficile de tuer.

Ne pas faire de bruit, surtout pas. Respirer à peine. Ne pas décrocher ce téléphone, cela ne sert à rien.

Pas la mort. Le bruit peut tuer. Engendrer cette envie de mettre à mort.

Ne pas respirer. Comme cela, tout sera fini. Il suffira de réparer.

C'est presque fini. Le reste commencera, après.

Waltham, Massachusetts
5 novembre

Bob Da Costa, du Boston Police Department, s'écarta pour laisser passer un des fantômes en combinaison intégrale blanche du laboratoire. Il contempla encore un instant les cacahuètes qui avaient roulé dans toute la pièce, faisant comme de petites verrues beiges sur le gris anthracite de la moquette.

L'agitation se calmait peu à peu. Les photographes étaient repartis et l'assistant du légiste bavardait tranquillement dans la cuisine avec un des experts du labo de balistique.

Da Costa se rapprocha de la forme légère agenouillée. Il aimait bien cette fille. Au début, lorsqu'on la lui avait collée dans les bras, il avait tiré la gueule. C'était pas parce qu'il était à deux ans de la retraite qu'il devait jouer les nounous, surtout les nounous d'une fille. Mais elle avait su le toucher parce qu'elle voulait tout apprendre, parce qu'elle était si infatigable qu'elle lui faisait parfois oublier son propre épuisement, et parce qu'elle avait un don particulier pour mettre les pieds dans le plat au plus mauvais moment, et que cela le faisait rire.

Et puis surtout, Da Costa retrouvait chez elle un peu de ce qui l'avait fait presque trente ans plus tôt : la conviction qu'une lutte individuelle peut changer la face du monde, que le Bien n'attend qu'un chevalier de plus pour terrasser le mal. Quelle connerie ! Elle comprendrait, comme les autres, comme presque tous ; ou alors elle finirait dans une contre-allée, la tête explosée par une gamine de dix ans, alcoolique ou camée.

Il faudrait qu'il lui explique, avant de partir, qu'elle ne pourrait pas changer le monde, pas plus que lui ou n'importe qui, mais que l'important était qu'il ne la change pas. Bien sûr, elle ne le croirait pas. Les baffes dans la gueule les plus profitables sont celles auxquelles on ne s'attend pas, parce que ce sont celles qui font le plus mal. Il bougonna :

— Ça va, Squirrel ?

La très jeune femme releva la tête. Les yeux noisette formaient un étrange contraste avec la peau livide de ses joues. La couleur gris cendré de ses cheveux, retenus en une queue de cheval haut perchée, était incongrue pour un visage lisse et presque adolescent. Mais c'est ce qui lui avait valu de devenir la mascotte de la brigade, ainsi que son surnom, et si l'on en croit les zoologistes, les écureuils gris qui peuplent la Nouvelle-Angleterre sont d'origine sibérienne.

— Non, te touche pas les cheveux ! Regarde un peu tes gants avant.

Squirrel, le détective Elizabeth-Ann Gordon, bloqua son geste machinal et ramena sa main à hauteur des yeux. Le Latex d'un blanc jaunâtre qui recouvrait ses doigts disparaissait sous le rouge sombre d'un mélange de sangs.

— Merde ! Merci Bob. Ouais, ça va. C'était ma sortie anniversaire aujourd'hui. Un mois que je suis avec vous. C'est plutôt réussi, non ?

— Tu l'as dit. Deux cadavres d'un coup. Il paraît que c'est un bon chiffre. Tu devrais peut-être le jouer au bingo. Putain, ils n'ont pas fait dans la dentelle.

— Tu crois qu'ils étaient plusieurs ?

— Je sais pas encore, mais s'il était tout seul, c'était un acharné.

Da Costa étira sa carcasse charnue, les deux mains jointes au creux des reins. Elizabeth-Ann demanda :

— Ça sent bizarre, non ?

— Oui, mais va falloir que tu t'y habitues. C'est le mélange du sang et de la laine. Je suis sûr que la moquette est en laine, rien qu'à l'odeur.

Squirrel Gordon se releva. En se tenant bien droite, elle arrivait à peine à la hauteur de l'aisselle de Bob. Elle tourna sur elle-même, mémorisant pour la dixième fois tous les détails du saccage du grand salon.

Les deux victimes étaient de sexe masculin, de race caucasienne, la cinquantaine : Rand Dale, le propriétaire de la maison, et Carl Ritter, son associé. Le ou les meurtriers étaient entrés par la large porte-fenêtre qui ouvrait sur le jardin arrière de la maison. Ils avaient surpris les deux hommes alors qu'ils buvaient un verre de whisky. Carl Ritter avait probablement été abattu le premier et gisait sur le ventre, coincé entre un des deux canapés en cuir havane et la table basse en Plexiglas et acier chromé. La balle avait blessé Rand Dale, sans doute mortellement puisque, selon les premières estimations du légiste, elle avait traversé la colonne vertébrale ; mais trouvant la force de se traîner vers la porte, il avait tenté de fuir, abandonnant une piste de sang qui éclaboussait un guéridon renversé, le home cinéma et l'autre canapé de cuir.

Le regard de Squirrel détailla l'empreinte maintenant presque brunâtre d'une paume, de doigts sur le cuir du canapé et elle vit le grand homme tituber, s'accrocher au dossier pour ne pas tomber et continuer d'avancer désespérément. L'un des agresseurs l'avait achevé en lui tailladant la gorge. Et puis, le saccage avait commencé. Tout avait été retourné, lacéré, abîmé. Le salon gardait les stigmates d'une explosion de fureur, d'une volonté de détruire. Seul le méticuleux inventaire des jours suivants leur permettrait de savoir si quelque chose manquait. Mais, s'il y avait eu vol, il était évident qu'il était secondaire, presque opportuniste.

— Il était marié ? Rand Dale, je veux dire.

— Ouais. Sa femme est à Londres pour quelques jours. Leur fille unique suit des études là-bas.

— Elle a eu raison d'aller courir les soldes.

Da Costa hocha la tête, l'air songeur, avant de poursuivre :

— Si tu veux mon avis, Squirrel, c'est pas vraiment un hasard. On ne voulait pas buter la bonne femme, juste les mecs.

— Tu crois que c'est un règlement de comptes en rapport avec leur association ?

— Je ne parierais pas cent dollars là-dessus parce que je ne les ai pas, mais je le regrette. Dale et Ritter ont monté cette entreprise d'investissement immobilier il y a une dizaine d'années. Certains de ces types finissent par avoir des fréquentations qu'il vaut mieux éviter lorsqu'on veut dormir sur ses deux oreilles.

Elizabeth-Ann demanda :

— Ils étaient maqués avec la Mafia ?

— La Mafia ou d'autres. Je sais qu'il y a eu deux trois trucs louches au sujet de Dale. Je ne me souviens plus quoi exactement. De toute façon, c'était un malin et on n'a jamais rien pu prouver. Bon, ben on ne va pas passer la nuit là. L'institut médico-légal doit embarquer les corps. On en saura plus demain ou après-demain. On se boit un dernier petit café chez *Mo's* ?

— D'ac. C'est ma tournée.

Fredericksburgh, Virginie
5 novembre

Gloria Parker-Simmons se réveilla en nage en dépit de la fraîcheur de cette fin de nuit.

Elle avait fait un cauchemar effroyable. Clare gisait dans l'herbe sombre du parc de Little Bend. Au début, Gloria s'avançait doucement, la croyant endormie, mais la pâleur inhabituelle de sa main l'alarmait. Gloria accélérait l'allure. Elle s'agenouillait à côté de la jeune fille inerte et la retournait. Le visage de Clare avait été dévoré par un animal quelconque. La cavité nue des orbites béait et des lambeaux de chair rouge pendaient des tempes. Il ne restait plus qu'une sorte de magma rouge-brun terrorisant et presque obscène. Et puis soudain le corps trapu de Clare rétrécissait, son dos s'incurvait, son front se rapprochait de ses genoux jusqu'à les toucher. Gloria était parvenue à s'arracher de son rêve au moment où le fœtus frissonnait sur l'herbe, secouée par une nausée qu'elle tenta de calmer en s'asseyant dans son lit.

Les rêves ne veulent rien dire, ou ce qu'ils disent est si déformé qu'il est illusoire d'y chercher une signification, une prémonition. Elle l'avait lu quelque part, dans une revue scientifique, sérieuse. Les auteurs de l'étude affirmaient, expériences à l'appui, que les rêves ne sont qu'une poubelle électrique. Durant le sommeil, le cerveau nettoie ses neurones de leur embarrassant stock d'inutilités, d'influx nerveux superflus. Il ne compacte, range et conserve que les données essentielles ou utiles selon un processus qu'aucun ordinateur, aussi puissant soit-il, ne saura jamais reproduire. Il ne demeure au réveil, de cette expulsion anarchique des parasites de la pensée, que le chaos des rêves.

Gloria aurait aimé que cette magnifique démonstration la satisfasse. Ainsi les choses seraient-elles devenues plates et aisément manipulables. Ainsi aurait-elle pu rechercher la séquence de rangement qui avait enfanté ce cauchemar : lorsqu'elle n'était pas en Californie, elle songeait constamment à Clare qui souvent s'endormait sur l'herbe. James lui avait raconté que, lors de sa première rencontre avec la jeune fille, la proximité du bec du paon de la joue tendre l'avait inquiété. Les paons sont parfois très agressifs, tout le monde le sait.

James était rentré hier soir tendu d'une violente tristesse. Gloria n'avait pas demandé d'explication, parce qu'elle n'y avait pas pensé. Sans doute avait-il cru que c'était par discrétion, ou pis, par pudeur. Mais il n'avait toujours pas compris qu'elle ne tolérait sa vie dans la sienne qu'à des moments très précis, et hier soir n'en faisait pas partie. Par courtoisie, sans doute par amour, il avait cru nécessaire d'expliquer :

— Je ne sais pas comment te dire cela... en réalité, c'est sans doute parce que je ne sais pas comment me le dire à moi-même. Jude Morris a fait un enfant à Virginia Allen. Ils vont se marier.

Gloria l'avait contemplé, étonnée que cette anecdote le touche tant. Le déplaisir que lui avait causé Morris, cette menace qu'il faisait peser sur elle, s'était estompé depuis sa mutation à Washington DC. Il n'était plus qu'un souvenir désagréable parmi d'autres. Elle avait répondu, plus pour soulager James que par intérêt :

— C'est un événement relativement classique dans la vie d'un jeune couple. De surcroît, je n'aime pas cette expression « faire un enfant ». On a toujours l'impression qu'elle sera suivie de « dans le dos », comme s'il était seul à faire quelque chose de répréhensible.

Il avait hésité entre la rage et ce qu'elle avait appris à déchiffrer comme un mélange de désir et de tendresse désespérée :

— C'est exactement cela. C'est répréhensible. Tu ne comprends pas ? Il lui a fait un enfant pour compenser ou se venger du fait qu'il n'en aura pas de toi.

— Personne n'en aura. Clare est de moi, à moi et c'est tout ! Je n'ai pas envie de discuter du cas Morris. Je crois que je préfère encore parler de Richard Ringwood. Où en est-il de son régime ?

— Pourquoi demander ? Tu t'en fous. Je sais à quoi tu penses. Tu ne me vois plus, ni rien d'ici. Tu es déjà dans l'avion qui part demain soir pour San Francisco. Il a perdu cinq kilos. Il est ravi.

— C'est bien.

Voilà. Il suffisait d'admettre que cette série d'instants expliquait la genèse du cauchemar. Son cerveau avait dû, lui aussi, la juger suffisamment inepte pour la balancer. Malgré le soulagement qu'apportait cette déduction à Gloria, la nausée persistait, ramenant avec elle les bribes du rêve.

Elle détestait cet appartement. L'idée de ces vies qui dormaient, transpiraient, mangeaient, faisaient l'amour au-dessus de sa tête, de tous les côtés, la suffoquait par bouffées. Elle avait besoin du calme luxueux et solitaire de sa nouvelle maison de Diamond Heights. Elle avait besoin de se sentir à nouveau étrangère, tout en étant au milieu.

Elle tourna la tête vers l'autre lit. James dormait, parfois agité d'un gémissement. Il n'avait pas aimé l'idée de deux lits jumeaux, mais s'y était soumis. La vision de deux peaux humaines, humides de sueur, s'épousant puis s'arrachant l'une de l'autre dans un bruit de succion, s'imposa à Gloria et elle eut juste le temps de se précipiter dans la salle de bains.

Milton, Massachusetts
7 novembre

Laura Owens examina pour la dernière fois la table du petit déjeuner. Rien n'y manquait, ni les céréales, ni le jus de fruits, ni la confiture. Elle avait déposé, à côté de l'assiette de Charles, le journal du matin que le petit Fred jetait de sa bicyclette dans leur jardin. Il visait de mieux en mieux et le quotidien soigneusement roulé atterrissait de plus en plus souvent sur les marches du perron, à tel point que Mister Mong, le pékinois de Laura, avait pris en grippe le jeune garçon. Fred l'avait involontairement atteint à plusieurs reprises alors que Mister Mong surveillait, arrogant mais teigneux, son territoire du haut des marches. Mister Mong, un des innombrables cadeaux de Charles, possédait les caractéristiques de sa race : tendresse, pugnacité et férocité. Il ravissait Laura, qui lui avait donné le même surnom qu'à son mari : « Poussin. » La confusion qui en résultait parfois lorsqu'ils répondaient tous les deux pour se retrouver devant un précieux os de poulet amusait surtout Charles. Car Mister Mong était distant de nature et un brin prétentieux. Il avait décidé, dès son arrivée dans la maison, que Charles faisait partie des meubles — mais des meubles utiles — puisqu'il lui servait parfois son repas lorsque Laura n'était pas là.

Mister Mong ne débordait de passion que pour sa maîtresse. Le soir, il montait sur l'un des canapés, en dépit des ordres de Charles qu'il toisait d'un regard torve, et se couchait, les pattes allongées sur la cuisse de Laura. Et Charles les contemplait du coin de l'œil, sachant déjà comment se finirait la soirée. Il suivait le lent mouvement de la longue main fine, le scintillement du large saphir rond qu'il lui avait offert et qui disparaissait par intermittences dans le poil du chien. Elle caressait le cou puissant du petit animal, enfonçait son index dans l'oreille jusqu'à ce qu'il secoue la tête. Puis elle passait ses doigts sous ses babines et les ressortait trempés de salive pour recommencer ses caresses. Le chien la fixait, les yeux mi-clos de tendresse. Et le désir venait, prenant Charles d'assaut, le collant à son fauteuil.

Quatre ans déjà. Quatre ans qu'ils étaient mariés et pas une fois Charles n'avait eu envie d'autre chose, pas même d'une pute.

Laura... Laura qui parlait si parfaitement, qui suintait l'élégance au point d'en paraître intimidante et Laura qui se déchaînait, qui devenait folle et perdait toute mesure dans la moiteur du lit. Laura qui l'épuisait jusqu'à l'éblouissement, dans une sorte d'univers qu'il n'avait jamais atteint et qui lui souriait lorsqu'il s'écroulait, apaisé.

Mais il ne fallait pas en parler. Il l'avait appris à ses dépens et n'était pas près d'oublier la leçon.

Un matin, au début de leur mariage, adoptant un ton goguenard parce qu'il était ému, il avait commenté la nuit qui lui laissait les reins endoloris et une sensation de sérénité qu'il n'avait jamais expérimentée. Elle avait blêmi, mais il n'avait pas compris tout de suite et avait persisté. Soudain, elle s'était levée, avait jeté sa serviette sur la table d'un geste rageur et déclaré d'un ton sifflant, les lèvres pincées :

— Je te serais reconnaissante de ne pas déballer notre vie sexuelle à table. Ces choses-là se font mais elles ne se racontent pas.

Le choc et la panique de lui avoir déplu passés, il lui avait été reconnaissant de cette rebuffade. Elle était ce qu'il avait toujours espéré sans pouvoir le décrire. L'épouse parfaite et élégante et la maîtresse passionnée et délirante.

Laura Owens se tourna vers Lucinda, l'employée de maison qui mettait de l'ordre — quelques jours par semaine — dans leurs vies et dans la magnifique maison redécorée, et déclara d'un ton amusé :

— Je suis sûre qu'ils se sont rendormis. Tel père, tel fils. Ils ont un sommeil ces deux-là ! Il faudrait tirer le canon, et encore.

— Voulez-vous que je monte ?

— Non, vous êtes gentille, Lucinda. Je vais y aller et les tirer par les pieds.

— C'est de la médisance pure, mesdames, et je ne veux pas qu'on tire sur mes orteils. Une mouche qui fait pipi me réveille.

Laura embrassa son beau-fils en riant et déclara :

— C'est un sacré gros pipi dans ce cas ! Installe-toi, je vais chercher ton père.

— En douceur, toujours en douceur le matin.

— Oui. Je songe sérieusement à m'offrir un cor de chasse.

— Sadique !

Laura répondit, faussement sérieuse :

— J'ai toujours su que j'avais des tendances. Il serait temps de passer à l'acte.

— Hum, j'en salive d'avance...

Elle rit et gagna le grand hall sur un : « Grossier personnage ! »

Charles Junior regarda la silhouette parfaite de sa belle-mère se diriger vers l'escalier. Mister Mong la précédait, remuant lentement la queue, se tournant de temps en temps pour vérifier qu'il ne la distançait pas. Finalement, elle n'avait qu'une quinzaine d'années de plus que lui. Elle était belle, drôle, intelligente, bref assez géniale. Mais elle aimait son père. Il le savait rien qu'aux regards qu'elle lui jetait parfois, intenses, personnels. Charles Jr, s'il voulait se montrer inconfortablement honnête, admettait que Laura était supérieure à sa mère, décédée six ans plus tôt d'une crise cardiaque. Laura était entrée dans leurs vies doucement, toujours respectueuse de cette femme disparue qu'elle n'avait pas connue mais qui la précédait. Un soir, alors qu'il l'aidait à débarrasser la table, elle lui avait dit :

— Charles ? Contrairement à ton père, je ne souhaite pas que tu m'appelles « maman ». Il croit bien faire, il a besoin d'une famille, c'est vital pour lui, mais sur ce point, il a tort. On n'a qu'une mère, quelle qu'elle soit. Si tu avais dix ans, les choses seraient sans doute différentes, mais tu es un homme. Je ne suis pas non plus une copine. Je suis la femme de ton père.

Il n'y avait rien là-dedans. Aucune promesse d'amour ou même de tendresse pour lui. Les choses étaient ainsi avec Laura : elle donnait, mais attendait en échange. Charles Jr l'avait un peu boudée au début, mais il avait rapidement oublié sa réserve parce qu'elle l'envoûtait. Il avait laissé tomber sa petite amie de cinq ans. Elle était si peu comme Laura. Et maintenant, il voulait une Laura bis.

Charles Owens sursauta et balbutia dans son sommeil :

— Qu'est-ce que c'est, qu'est-ce que c'est ?

— Ta femme qui te mord le pied. Et ça va devenir très méchant si tu ne te réveilles pas immédiatement, parce que je vais demander à Mister Mong de m'aider.

Charles Owens ouvrit les yeux et plaqua contre lui ce corps dont il ne se lassait pas.

— Non, pas lui ! Il est mauvais comme une gale.

Charles s'était déjà fait mordre à deux reprises alors qu'il chahutait avec Laura. Le pékinois n'avait pas compris qu'il s'agissait seulement d'un jeu ou alors, il n'avait pas apprécié. Laura avait tenté de trouver des excuses au chien jusqu'à ce qu'elle aperçoive le sang. Mister Mong n'avait aucun sens de l'humour. Il avait failli mordre Lucinda également, et sa maîtresse lui avait donné une claque sur les fesses. Mister Mong avait boudé ensuite toute la journée, tournant la tête d'un air douloureux lorsqu'elle s'approchait. Il avait fallu tout le charme de Laura accompagné de quelques biscuits pour le dérider.

Charles passa la main sous le soutien-gorge de Laura et elle gigota :

— Non. On ne touche pas ! La dame n'est pas disposée. La dame veut que le monsieur se lève et vienne prendre son petit déjeuner en famille, maintenant.

Elle parvint à se dégager et entreprit de pousser le grand corps épais hors du lit. Mister Mong grognait, prêt à toutes les éventualités. Charles se redressa en riant :

— Je pèse le double de toi, ma chérie. Tu vas attraper un tour de reins et c'est tout.

— Eh bien, ce sera ta faute et tu t'en souviendras parce que je suis odieuse lorsque je suis malade. Je vous ai rendus chèvre tous les deux durant ma grippe l'année dernière, non ? Allez, lève-toi poussin.

Le *poussin* se leva, 1,90 mètre au garrot et 120 kilos de muscles qui commençaient à s'enrober de graisse. Laura l'aida à passer son kimono et le propulsa vers la porte.

Charles Owens attaqua son omelette d'excellente humeur. Lui et son fils buvaient du café, Laura préférant le thé.

Les deux hommes discutèrent un peu du programme de la journée : Charles Jr était le successeur de son père dans la florissante entreprise de matériel de chirurgie dentaire que ce dernier avait montée neuf ans auparavant.

Charles Jr se leva et déclara, comme tous les matins :

— Bon, eh bien je prends la salle de bains avant que mon phoque de père ne l'inonde.

Charles père, comme tous les matins, désigna le journal et demanda à Laura :

— Ça ne te gêne pas si je lis les titres ?

— Non, mon poussin.

Charles parcourut rapidement la première page et son regard tomba sur une nouvelle parmi d'autres : l'assassinat de Rand Dale et Carl Ritter. Il dut lire et relire le titre de l'article avant qu'il ne prenne une signification. Bordel ! Dale s'était fait tirer comme un lapin dans sa villa.

— Quelque chose ne va pas ?

La voix inquiète de Laura lui parvint comme au travers d'un brouillard très dense.

— Si, si.

— Tu es blanc comme un linge, chéri. Tu te sens bien ? Tu as une palpitation ?

— Non. J'ai eu un choc. Je crois bien que je connaissais ce type qui s'est fait descendre avant-hier. À moins qu'il ne s'agisse d'un homonyme. Rand Dale.

— Il est mort ?

— Oui, la police pense à un règlement de comptes.

— C'était un ami ?

— Non, une vague relation de boulot. Ça fait un bail. Et puis, ce n'était pas un type recommandable. Toujours dans des magouilles jusqu'au cou.

— Ceci explique peut-être cela.

— Oui, bien sûr, mais ça fait un choc.

— Mon pauvre poussin. N'y pense plus, ça va te gâcher la journée.

Elle se leva et passa derrière la chaise pour l'entourer de ses bras :

— Concentre-toi sur cet odieux vieux type. Sois zen. Il doit céder sur ces marges bénéficiaires et tu dois t'y employer. Une chose à la fois.

Il gloussa, heureux de la chaleur de ses seins contre sa nuque :

— Tu es zen, toi ?

— Toujours lorsque je vais chez le coiffeur, poussin.

Elle l'embrassa et se dirigea vers la cuisine où Lucinda s'activait.

Merde. Dale. Ça faisait combien ? Dix ans au moins. Charles ne l'avait jamais beaucoup apprécié. Oh, il était marrant, bien sûr, toujours une histoire salée en réserve. Mais au fond, c'était un voyou qui aurait appris à faire bonne figure. Il avait sans doute continué à magouiller comme il en avait l'habitude. Le problème de Dale, c'était une fâcheuse tendance à oublier sa part du marché. Owens en avait fait les frais, ce qui avait mis un terme à la relation des deux hommes, mais il y a des gens moins accommodants. Il y a des gens qui ont les moyens de vous faire savoir à quel point ils n'apprécient pas votre attitude. Charles Owens avait compris cela, très longtemps auparavant. Il avait garé ses fesses vite fait, s'interdisant le genre de contacts juteux mais redoutables dont raffolait Dale. Et il l'avait bien fait rentrer dans la tête de son fils. Somme toute, la fin de Dale n'était pas surprenante. Mais quand même, se faire tirer comme ça !

Waltham, Massachusetts
9 novembre

Bob Da Costa se tenait en retrait, le dos appuyé au chambranle de la porte. Ils avaient décidé d'un commun accord que la carrure d'Elizabeth-Ann impressionnerait moins leur témoin. C'était aussi pour cette raison qu'ils avaient préféré venir lui rendre visite à domicile, plutôt que la faire conduire dans les bureaux du Boston PD.

Belle Dove portait bien son nom. C'était une femme de soixante-sept ans — presque soixante-huit avait-elle précisé coquettement — au visage fin, gentiment maniérée, et à la voix calme et douce. À quelques lenteurs sur les fins de mots et à cette façon qu'elle avait de ponctuer les phrases d'Elizabeth-Ann d'un « hum-hum » de gorge sans ouvrir la bouche, Da Costa devina qu'elle était sans doute originaire du Sud.

Il suivit du regard la ligne de ses maxillaires, l'arête de son nez, la bouche maintenant rétrécie mais qui gardait le souvenir de la courbure de lèvres pleines, et se fit la réflexion qu'elle avait dû être très belle. Pour une femme de sa génération, elle était grande et se tenait assise très droite, laissant imaginer le vertige qu'avaient sans doute causé ses belles épaules lorsqu'un décolleté les découvrait.

Belle Dove occupait le petit appartement d'amis au rez-de-chaussée d'une grande villa, située pas très loin de celle de Rand Dale.

Il s'agissait en réalité d'une grande pièce claire équipée d'une salle d'eau. Da Costa était certain qu'un petit réchaud se trouvait coquettement dissimulé derrière le rideau à fleurs non loin de lui. La pièce était meublée d'un bric-à-brac dépareillé et un peu fatigué, mais pas désagréable.

Belle avait insisté pour qu'Elizabeth-Ann s'installe sur le canapé d'un bordeaux fané dans lequel elle dormait la nuit, et s'était assise sur le fauteuil vert bronze qui lui faisait face. Dans un coin trônait une grosse télévision passée de mode que Belle avait tenté de rendre plus domestique en la recouvrant d'un napperon au crochet retenu par quelques plantes vertes. Tout était méticuleusement propre.

Da Costa mit un moment avant de reconnaître l'odeur qui l'environnait depuis leur arrivée : une odeur d'eau de Javel, de papier d'Arménie et de café mêlés. Elle l'émouvait parce qu'elle faisait partie d'un univers passé dont il avait la faiblesse de croire, dans ses moments de déprime, qu'il était meilleur.

Belle Dove avait appelé le Boston PD samedi. Bien qu'en congé, Da Costa y traînait, parce qu'il n'avait rien de mieux à faire. Le standard lui avait passé la communication d'une dame qui « voulait parler au monsieur qui s'occupait de l'enquête concernant Mr Dale ». Il avait souri au téléphone parce qu'il sentait à son débit qu'elle avait répété ses phrases d'introduction et que c'était sans doute la première fois qu'elle appelait un commissariat central. Elle s'inquiétait. Peut-être la cherchaient-ils ? Elle s'occupait de la maison de Mr Rand Dale et ne savait pas trop ce qu'il convenait de faire en pareil cas, aussi avait-elle appelé.

Finalement, Mrs Dove ressemblait assez à l'idée qu'il s'était forgée d'elle. Même pas, parce qu'il y avait longtemps que Bob Da Costa ne se donnait plus le mal d'imaginer ses interlocuteurs. Disons qu'elle ne déparait pas avec les bribes de souvenirs, les stéréotypes qui avaient effleuré Bob alors qu'il lui répondait au téléphone.

— Vous vous plaisez ici, Mrs Dove ? demandait Elizabeth-Ann.

— Oh, pas vraiment, mon petit. Mais bon, j'ai un toit au-dessus de la tête et du chauffage l'hiver. J'ai connu mieux, beaucoup mieux. J'ai commencé par manger mon pain blanc, comme disait ma mère ; il me reste à avaler l'autre. Les propriétaires de la maison, les MacComb, sont très gentils. Ils me logent pour quelques heures de ménage par semaine et puis je garde la maison lorsqu'ils sont en voyage ou en déplacement, j'arrose les plantes et je m'occupe du chat de Cynthia MacComb. C'est une femme charmante. Lui est plus réservé. Il faut dire qu'il travaille tant qu'il est un peu ailleurs.

— Ils partent souvent en voyage ?

— Oh oui. Cynthia accompagne toujours son mari, enfin autant qu'elle le peut. Ils n'ont pas d'enfant. Je crois que l'un des deux a un problème, mais ce ne sont pas mes affaires. Jerry MacComb travaille dans l'informatique, des choses internationales, mais je ne sais pas trop quoi.

Elizabeth-Ann adoptait une tactique classique avec un témoin timide ou impressionné : parler quelques minutes de tout et de rien pour établir un contact, pénétrer doucement dans le monde de l'autre.

— C'est un couple uni, on dirait ?

— Oui. Cynthia y veille et elle a bien raison. Ils ont à peu près le même âge, 45, 46 ans. L'époque où l'on prétend que les hommes prennent de la bouteille et que les femmes se fanent. Il y a plein de jolies et jeunes requines dehors qui chassent l'homme mûr, financièrement arrivé, déjà rompu au jeu du mariage. Une belle chaussure bien faite. J'en sais quelque chose. Mais je bavarde, c'est l'âge. Vous êtes venus pour Mr Rand.

— Comment avez-vous appris la nouvelle ?

— Au poste, samedi. Je ne travaille pas... Enfin, je ne travaillais pas le vendredi chez Mr Rand. J'y allais en général le lundi après-midi, le mercredi toute la journée et le jeudi matin. Sauf lorsqu'il organisait une soirée et qu'il me demandait de l'aider le samedi. À mon âge, c'est dur de s'occuper d'une grande maison tous les jours, d'autant que j'ai aussi les MacComb.

— Et jeudi dernier ? Les choses se sont-elles passées comme d'habitude ?

— Oui, je n'ai pas grand-chose d'intéressant à vous dire. Je savais que Mr Rand attendait une visite le soir. Il m'avait même parlé de son associé, le mercredi, puisqu'il est rentré juste avant que je parte. Il me prévenait toujours parce qu'ils fumaient le cigare tous les deux et ce genre d'odeur imprègne tout. J'aérais toute la journée d'avant et je lui sortais les bougies anti-odeur, pour qu'il les allume lorsqu'il fumait.

Bob Da Costa se rappela en effet avoir remarqué de petites bougies rouges posées sur les meubles. Elles l'avaient surpris parce qu'elles ne cadraient pas avec l'aménagement ostensiblement masculin du salon, ni surtout avec la boucherie qui s'y était déroulée.

— Mrs Dove, comment décririez-vous Mr Rand Dale ?

Belle Dove blêmit et Da Costa la vit déglutir avec effort. C'est toujours comme cela. Tant que l'esprit peut s'accrocher à des bougies, à des tentures, à ces détails sans importance mais qui mis bout à bout décrivent une vie, l'esprit est paisible. Puis survient la fracture qui le forcera à imaginer, à *se représenter* ; et la peine commence.

Da Costa savait. Il s'était lui aussi perdu, des mois durant, dans ces innombrables incertitudes, dans le dédale de ces hypothèses aussi cauchemardesques les unes que les autres. Il ne pouvait plus en sortir parce que, finalement, il ne le souhaitait pas vraiment. C'était comme un tribut, douloureux et inefficace.

Qu'avait pensé Linda juste *avant* ? Quelles avaient été ses dernières minutes pour accepter de plonger dans le rien ? Avait-elle fermé les yeux avant ou après ? Avant, alors qu'elle venait de finir la bouteille de vodka qui l'avait aidée à avaler un flacon de somnifères, ou après la détonation, lorsque sa main avait lâché le revolver de la table de nuit ? Car elle avait les yeux fermés lorsqu'il l'avait retrouvée, sa chemise de nuit trempée de sang collée à ses cuisses, en rentrant bourré un soir, un autre.

Qu'est-ce qui, dans le changement des détails quotidiens, des petits rites de leur vie de couple, aurait dû lui faire comprendre ce qui se passait dans la tête de Linda ? S'il l'avait fait, il aurait su que sa femme dérapait. Mais les silences de son mari, ses cuites avec des collègues lorsque la folie et le sadisme des hommes devenaient insupportables, avaient permis à la peur de prendre en otage la jolie tête de sa femme. Il n'avait pas visité l'esprit de Linda, sans doute parce qu'il craignait d'y trouver le sien. Il ne l'avait tenté que bien plus tard, trop tard. C'était pour cela qu'il fallait qu'il parle à Elizabeth-Ann, avant de partir. Elizabeth-Ann savait, comme tous, que Linda Da Costa s'était suicidée. À elle, juste à elle, il faudrait qu'il explique qu'il se sentait coupable de meurtre et que les choses étaient plus justes ainsi. Il faut toujours payer ce que l'on doit, même quand on ne sait pas quoi.

La voix hésitante et douce de Belle Dove le tira de ce petit enfer familier où il avait fini par prendre ses habitudes.

— Vous savez, c'est difficile à dire, mon petit. C'était un employeur. Je n'avais pas vraiment de contacts personnels avec lui. Il me disait ce qu'il souhaitait ou il me laissait une liste s'il partait avant que j'arrive, et je le faisais.

— On finit quand même par se faire une idée des gens, non ?

— Oui, mais elle n'est pas toujours fiable. Ce que je vais vous dire, c'est la façon dont moi, je ressentais les choses. Mais n'oubliez pas que je suis d'une autre génération. J'ai été élevée de façon très rigide dans un coin perdu de la Bible Belt et puis je suis une femme, une femme d'un âge certain.

Elizabeth-Ann lui sourit gentiment pour la rassurer et l'encourager.

— Mr Dale avait quelque chose de, comment dire... dur, j'allais utiliser le mot carnassier. Oh, il était toujours très courtois avec moi, mais on sentait que ce n'était pas dans sa nature, vous voyez ?

— Pas très bien, non.

— Eh bien, comme quelqu'un qui a bien appris un rôle, qui sait qu'il y a des choses que l'on dit, que l'on fait, d'autres pas, mais sans que cela corresponde à une réelle envie ou à une sorte de regard sur ce qui vous entoure. Je n'arrive pas à m'expliquer, c'est tellement diffus comme impression. Par exemple, il me demandait toujours des nouvelles de mes jambes. Lorsque le temps est à l'humidité, je souffre beaucoup. Mais je savais qu'il n'en avait rien à faire. Je suis convaincue qu'il se serait débarrassé de moi, sans se poser une seule question sur ce que j'allais devenir, si mes œdèmes avaient gêné mon travail. Ce n'était même pas de sa faute, c'était en lui. Impitoyable, c'est cela, je crois qu'il était naturellement impitoyable. Ces gens-là me font très peur.

— Et son travail ?

— Il était entrepreneur. Si j'ai bien compris, il achetait des terrains, il attendait un peu et il les revendait plus cher. Si j'en crois les rumeurs, il agissait parfois à la limite de la légalité, pour ne pas dire plus.

— C'est-à-dire ?

— Je ne sais pas grand-chose d'autre. On a parlé de pots-de-vin, de manœuvres d'intimidation lorsque les gens ne voulaient pas vendre ou déménager. Mais vous savez ce que c'est. Les gens montent parfois des détails en épingle.

— Et sa femme ? Elle doit rentrer d'Angleterre pour les formalités.

— Je la connais peu. Elle m'a fait l'effet d'une femme plutôt snob, pas très sympathique. Vous savez, ils étaient pratiquement séparés. Ils conservaient un semblant de vie conjugale pour la façade, mais en fait, Mrs Dale passe la majeure partie de son temps en Angleterre. Quant à leur fille, je ne l'ai jamais vue.

— Et son associé, Mr Carl Ritter, vous le connaissiez ?

Elizabeth-Ann remarqua le léger pincement de la bouche. Les paupières de Belle Dove s'abaissèrent et elle joignit les mains sur ses genoux. Elle hésita puis se lança :

— Je ne l'aimais pas du tout, paix à son âme. C'est très difficile de dire de méchantes choses d'un mort, surtout dans ces conditions, mais selon moi, Mr Ritter était un vaurien et ses beaux costumes n'y changeaient rien.

— Que voulez-vous dire ?

— Ça se sent. Ce type était prêt à tout pour de l'argent et le pire, c'est que ça l'amusait. L'idée de rouler des gens, de les tromper le distrayait. C'était comme un sport. J'en suis sûre, parce que j'ai surpris parfois des bribes de conversation. On ne peut pas se boucher les oreilles, n'est-ce pas ? Je crois que la différence avec Mr Dale, c'est que lui s'en fichait, mais il n'y trouvait aucun plaisir.

— Vous voulez dire une sorte de sociopathe ?

— Oh, je ne connais pas ces mots-là. C'est comme internautes, je trouve cela très drôle, mais la signification précise m'échappe. Je suis sûre que Mr Ritter a dû inspirer à Mr Dale pas mal de mauvais coups, juste *pour le fun,* comme disent les jeunes.

Elizabeth-Ann lui rendit son sourire :

— Oui, drôle de fun. Mrs Dove, Mr Dale portait-il une montre ?

— Mais oui, bien sûr. Je sais même la marque puisqu'il me l'a répétée une bonne dizaine de fois : une Rolex en or — même le bracelet —, une grosse. Personnellement, mais je suis hors course maintenant, je trouve cela un peu voyant pour un homme.

— Et Mr Ritter ?

— Là, je ne peux pas vous répondre, je n'ai pas vraiment fait attention. Mais si j'en juge par ses costumes et ses chaussures, il devait sans doute avoir lui aussi une belle montre.

Belle Dove sourit timidement, hésita puis demanda :

— Ça ne doit pas être autorisé de poser des questions à des policiers, aussi rembarrez-moi si je suis trop curieuse, mais... ils ont été dévalisés ?

— Oui. Leurs montres ont disparu ainsi que le portefeuille qui devait se trouver dans le pardessus de Carl Ritter. Mrs Dole, nous avons un service désagréable à vous demander.

— ... Oui...

— Nous avons établi un inventaire du salon puisque, selon nos premières estimations, les meurtriers n'ont visité aucune autre pièce. Nous aimerions que vous confrontiez cette liste à vos souvenirs. Vous êtes la seule à pouvoir le faire, puisque Mrs Dale habitait peu dans la demeure familiale.

— Oui, bien sûr. Vous n'avez qu'à me laisser la liste, j'y réfléchirai à tête reposée. C'est moi qui faisais le ménage, donc...

— Je crois que vous n'avez pas compris. L'esprit fonctionne sur différents niveaux, dont la mémoire visuelle. Vous seriez étonnée de ce que les gens oublient ou laissent de côté. Mais ça leur revient tout de suite lorsqu'ils voient.

Belle Dove ferma les yeux et expira bruyamment :

— Vous voulez dire... là-bas ?

— Oui. Nous sommes désolés de vous demander cela, mais nous n'avons pas d'autre solution. Nous prenons rendez-vous pour vous accompagner chez Mr Dale et puis nous vous ramenons.

— Oh mon Dieu ! (Elle crispa sa main sur sa bouche, puis reprit.) Il y a... Enfin, je veux dire, on voit ce qui s'est passé... Le sang... ?

— Les tapis ont été enlevés à fin d'analyse, mais oui, il reste des traces.

— Je suppose qu'il faut le faire.

— Oui.

— Bien. Le plus tôt sera le mieux. Vous pouvez peut-être venir me reprendre cet après-midi. Après tout, je travaillais chez Mr Rand les lundis. Quinze heures, ça irait ?

— C’est parfait. Ne vous inquiétez pas, ce sera vite fini et nous resterons avec vous. Qu’allez-vous faire, Mrs Dove, je veux dire pour le travail ?

— Oh, ne vous inquiétez pas mon petit, mais c’est gentil d’y penser. Vous savez, il y a beaucoup de gens qui recherchent des personnes de confiance à qui laisser leur maison.

Da Costa et Elizabeth-Ann prirent ensuite congé pour quelques heures. Une fois installée au volant, Elizabeth-Ann demanda :

— Qu’est-ce que tu en penses, Bob ?

— La même chose que toi, j’espère, ou je te mets au piquet. Il va falloir creuser du côté de feu Mr Carl Ritter.

— Oui, un bien sympathique candidat, ce vieux Carl.

Novembre, Massachusetts

Déjà novembre. Ce nouvel automne faisait suite à tant d'autres que le compte en importait peu.

La seule pensée persistante, le seul lien intelligible entre ces saisons qui s'enchaînaient les unes aux autres, était l'obligation de durer afin de pouvoir finir ensuite.

L'impatience devenait parfois douleur, une de ces douleurs sourdes mais tenaces. Sans doute était-ce préférable parce que dans ces moments-là, elle recouvrait l'insupportable infection de la première plaie. Celle-là ne finirait qu'avec la fin. Y trouver un antalgique, si transitoire fût-il, si douloureux puisse-t-il se révéler, était déjà une petite victoire.

Une pluie fine, tranchante de froid, assombrissait les trottoirs. Les feuilles roussâtres s'affolaient sous le souffle aléatoire d'un vent qui dévalait de la province de Québec.

Chorégraphie incohérente et futile, un peu comme le plan d'une vie qui vous échappe, vous humilie, vous blesse.

Car il n'y avait aucun sens à tout cela, ni logique, ni occulte, mais cela non plus n'avait pas d'importance.

Boston PD, Massachusetts
9 novembre

Elizabeth-Ann s'installa devant l'écran de son ordinateur. Sa boîte aux lettres contenait différents nouveaux messages, dont l'un émanant des bureaux de l'institut médico-légal. Il lui était adressé mais portait le nom de Bob, puisque son aversion pour les ordinateurs en général et la messagerie électronique en particulier était de notoriété publique. Un jour qu'Elizabeth-Ann proposait de lui expliquer comment envoyer un e-mail, il avait répondu :

— Écoute-moi bien, ma cocotte. Dans moins de deux ans, c'est la quille ! Je me suis cassé les phalanges sur les vieilles machines à écrire mécaniques, puis il a fallu que je change de doigté avec les électriques parce que j'appuyais si fort sur les touches que j'obtenais des lignes entières de la même lettre. Maintenant, y'a ça. Tant qu'il s'agissait d'un traitement de texte, je voulais bien faire l'effort, mais moi, une machine qui parle, qui carillonne quand je me plante et qui souligne mes fautes d'orthographe en rouge, ça me gonfle. Un jour, elles finiront par te dire que tu t'es pas bien brossé les dents ou que tu pues des pieds.

— Mais Bob, c'est l'avenir.

— Non, ma puce. Pour moi l'avenir, c'est un coussin au bord d'une rivière et une canne à pêche. Et l'avenir, c'est dans deux ans. Tu sais pourquoi j'aime la pêche ? Le silence, des heures et des heures de silence, sans les vilains bruits des hommes. Et si votre méga-bug de l'an 2K bousille tout, viens me rejoindre, je te prêterai un coussin.

— S'il bousille tout, tu n'auras plus ta pension de retraite, non plus.

— Ouais, ben c'est bien ce que je dis : ça me gonfle.

Elle imprima le message afin de pouvoir le lire avec Bob. Le texte technique, précis comme un scalpel, relatait les différentes conclusions de l'autopsie de Rand Dale et Carl Ritter. Elle avait été pratiquée par un certain Dr Erik Shumann assisté d'une Brenda Cole, mais sa transcription était visée par Barbara Drake, médecin légiste expert de l'État du Massachusetts.

Ils sautèrent la première demi-page qui détaillait les évidences : le lieu où avaient été trouvés les cadavres, la date, l'heure d'arrivée des policiers, les noms, prénoms, adresse et qualité des deux hommes, leur âge, leur race, leur taille et leur poids.

Les lignes suivantes firent replonger Elizabeth-Ann dans la série de possibilités qu'elle avait imaginées sur la scène du crime, mais la platitude objective des termes scientifiques la rendait plus douce : le sang s'écrivait maintenant en lettres noires et blanches, plus en traces de doigts.

Carl Ritter avait été tué sur le coup, de trois balles tirées d'un calibre 38, très probablement un Sig Sauer P220 si l'on en croyait la comparaison avec la *General Rifling Characteristics File,* éditée et constamment mise à jour par le FBI. Cette banque de données regroupait toutes les caractéristiques des projectiles en fonction de leur taille, leur poids, leurs déformations éventuelles après l'impact et en fonction de la distance, puis les mettais en concordance avec les armes.

Une belle arme que ce Sig Sauer, un automatique sans hésitation.

L'agresseur se trouvait à plus d'un mètre de distance, puisque seul un halo de carbone et de lubrifiant avait été retrouvé autour du point d'entrée de la balle. Les dégâts internes provoqués par le trajet des projectiles étaient considérables. L'angle de sa chute et les lividités cadavériques indiquaient que Ritter avait probablement vu son meurtrier et compris ce qui se passait. Il avait tenté de se lever et s'était tourné vers l'intrus, si l'on admettait que celui-ci ait bien pénétré dans le salon par la porte-fenêtre. Rand Dale avait tenté de s'enfuir. Une balle tirée par la même arme l'avait blessé, traversant la colonne vertébrale entre la deuxième et la troisième vertèbre lombaire.

Contrairement à ce qu'avait pensé Elizabeth-Ann, cette blessure n'aurait pas été obligatoirement fatale, mais aurait très probablement handicapé Dale à vie. Emporté par son élan, il avait dû trébucher et tomber, une fois parvenu à la porte qui donnait sur le couloir. L'agresseur ou un complice l'avait achevé en l'égorgeant à l'aide d'une lame longue et assez fine, précisait le document.

Le contenu stomacal des deux hommes révélait qu'ils avaient bu et mangé des cacahuètes très peu de temps avant l'agression. Le taux d'alcoolémie de Ritter dépassait légèrement 1 g/l alors que celui de son associé pulvérisait la barre des 2 g/l, indiquant du même coup que sa perception du danger et la rapidité de ses réactions avaient dû s'en trouver considérablement altérées.

Les analyses toxicologiques étaient en cours. Le Dr Shumann concluait en précisant que les différents échantillons de sang prélevés sur la scène du crime avaient été confiés au laboratoire d'hématologie.

Elizabeth-Ann regarda Da Costa avec son air sérieux de bonne élève :

— Bob, tu crois que les Feds vont nous piquer l'affaire ?

— S'ils le décident, je ne vois pas très bien ce qu'on pourra faire pour les en empêcher. Si le commandant Baker reçoit un appel d'en haut, il faudra qu'il s'écrase comme les autres. Notre seule chance, c'est qu'en général les Fédéraux aiment les gros coups, ou les machins bien tordus.

— Oui, mais si c'est bien un règlement de comptes, genre crime organisé ?

— Eh bien alors, ils vont rappliquer.

Da Costa réfléchit et ajouta :

— Écoute un vieux flic, ma puce. Ne te laisse pas embarquer dans ces trucs.

— Quels trucs ?

— La jalousie, l'amertume de certains ici. Ils ont l'impression qu'on les traite comme des flicaillons, que les Fédéraux ramassent toujours les lauriers et les compliments. Qu'ils se réservent la part du lion. Ne rentre pas là-dedans, Squirrel. Ça ne sert à rien, parce qu'on ne fait pas le même boulot. Ce qui sert, c'est de se dire que c'est nous, c'est toi, qui empêcherons une bonne femme de se faire violer, ou un môme de se faire exploser. Et il ne faut jamais penser qu'on le fait pour l'humanité ou pour la galerie. On le fait pour soi parce que c'est la seule façon de ne pas être déçu.

Elizabeth-Ann le contempla quelques instants. La bouche fermée en cul-de-poule, elle gonflait ses joues par saccades. Elle claqua la langue et jeta :

— Lieutenant Da Costa, je vais te dire : je suis contente d'être tombée sur toi.

Il ne répondit rien, parce qu'il se sentit connement ému.

San Francisco, Californie
9 novembre

Gloria Parker-Simmons attendait depuis deux jours déjà le réconfort imaginé, presque promis par son retour dans *sa* maison.

Elle se défendait d'en vouloir aux volumes élégants des pièces, à la mièvrerie raffinée des deux jardins d'hiver en fer forgé blanc qui flanquaient les côtés de la maison. C'était elle-même qui sécrétait cette impossibilité de paix, elle le savait depuis que James s'était imposé dans sa vie. Car il s'était imposé, jamais elle ne l'eut trouvé, jamais elle ne l'eut toléré sans cela. Elle l'aimait, sans doute, bien que la notion lui fut encore confuse. Enfin, du moins s'était-elle découvert un besoin de lui. Du reste, comment sait-on que l'on aime avant de ne plus aimer ? Maggie l'Irlandaise aurait répondu : « On le sait, c'est tout », mais l'incohérence d'une telle suggestion déroutait le cerveau de Gloria. Il devait bien y avoir des indices, des preuves, quelque chose.

Elle poursuivit sa promenade ennuyée au travers des pièces, montant, redescendant l'escalier, vérifiant l'état des meubles et le pli des doubles rideaux.

Clare boudait, mais elle boudait depuis des mois. Les deux ou trois jours que Gloria passait chaque semaine à Fredericksburgh l'effrayaient comme un abandon progressif. Jade avait hier expliqué à Gloria que la jeune fille pleurait parfois la nuit et se réveillait en suffoquant parce qu'elle ne pensait pas à se moucher. Elle s'enfermait de plus en plus souvent dans des mutismes qui n'étaient pas des silences et dont elle seule connaissait la rage et la peine.

Gloria en avait expérimenté un ce matin. C'était comme une sorte de bulle malfaisante qui arrêtait ses mots, les absorbait sans permettre à Clare de les entendre et de les lui retourner.

Jade, l'étrange énergie qui accompagnait, consolait, tirait vers la vie les pensionnaires de Little Bend, avait tenu à la raccompagner jusqu'à sa voiture, garée non loin des larges marches basses qui menaient au bâtiment principal de l'hacienda. Elle avait murmuré en se penchant vers Gloria :

— Vous devez choisir, Mrs Parker-Simmons.

— J'ai choisi, il y a longtemps.

— Non, vous vous êtes décidée entre Clare et rien. Ce n'est pas un choix.

— Et c'est quoi ? avait insisté Gloria d'un ton plus sec.

— Ne le savez-vous pas, Mrs Parker-Simmons ? Bonsoir et à demain.

Une bouée de sauvetage, une planche à laquelle s'accrocher, c'est ce qu'elle avait voulu dire, Gloria en était certaine, comme elle était maintenant certaine que Jade avait raison. Mais en effet, elle ne voulait pas l'entendre.

Germaine, le grand Boxer tendre, lui manquait. Elle se retournait encore, surprise et déçue de ne pas le voir assis derrière elle, sa croupe posée sur ses pattes, son moignon de queue frémissant. Elle avait dormi toutes ces années apaisée par l'odeur du chien, par le son de ses déglutitions, ou le choc des mouvements réflexes de ses postérieurs contre le cadre du lit.

Ne pas penser à cela.

Ne pas penser au chien qui mourait dans ses bras sur le sol carrelé de la clinique vétérinaire, ne pas sentir la tiédeur du sang qui coulait de sa gueule ouverte et tachait la soie de son chemisier ivoire. Ne garder de lui que sa gaieté, ses manies de vieux chien, et le souvenir de ses aboiements rauques qui venaient de si profond qu'ils sortaient de sa gorge en quinte et lui faisaient décoller les pattes avant du sol.

Elle sourit et se resservit un verre de Chablis. Ce n'était que le deuxième de la journée. Gloria n'avait admis qu'elle buvait trop que depuis qu'elle buvait moins.

Oui, il fallait choisir. Il ne s'agissait pas d'un choix entre Clare et autre chose, Clare ne serait jamais un prix dans une loterie humaine. L'alternative était entre la Virginie et ici, entre une sorte de conjugalité tardive et une solitude finalement supportable, bref, entre James et pas James. Gloria n'aimait plus la côte Est, surtout celle-là, et elle redoutait ces regards qui jugent de chaque chose comme s'ils avaient la prescience de tout.

Elle aimait San Francisco, sa vitalité, son faux désordre. Elle aimait ses courbes, ses hauteurs. Elle ne pouvait plus se séparer de la tolérance joyeuse de ces passants dont on ne savait pas s'ils s'en foutaient vraiment ou s'ils compatissaient.

Choisir, mais plus tard.

Boston PD, Waltham, Massachusetts
9 novembre

— Comment tu peux bouffer ces pitas dégoulinantes de graisse, Squirrel ? bafouilla Bob Da Costa, la bouche pleine d'un triste petit sandwich thon-laitue, sans mayonnaise.

— Un : c'est de la graisse végétale, deux : j'ai ni problème de poids, ni cholestérol, trois : j'aime ça, ça bourre bien et c'est pas cher.

— T'as vu la gueule du mec qui les prépare sans gants ? Il est bouffé par l'herpès et je suis sûr qu'il se lave pas les mains en sortant des chiottes.

— Beurk ! Ben, ça renforce mon immunité.

— Mon cul ! Bon, alors, cette saloperie de machine crache quelque chose ou pas ? demanda Bob en désignant le gros ordinateur d'un mouvement de menton.

— Ne lui dis pas de grossièreté. Ces bécanes ont parfois d'étranges susceptibilités.

Il lui jeta un regard à la fois méfiant et méprisant et rétorqua :

— Moi, je dis que quand on commence à prêter des sentiments humains aux machines, c'est le début des emmerdements.

— Tu as prédit la même chose la semaine dernière, mais en affirmant que c'était quand on prêtait des sentiments humains aux humains.

— Juste, mais c'est pas les mêmes emmerdements. Alors ?

— Pas grand-chose.

— Bordel ! C'est bien la peine de dépenser je ne sais pas combien de milliers de dollars de l'argent des contribuables pour informatiser cette tôle !

— Tu as bousillé combien de bagnoles payées par l'argent du contribuable dans ta carrière, Bob ?

— Pourquoi tu t'énerves, Squirrel ?

— Parce que je n'aime pas quand tu joues les flics paléontologiques. Ce n'est pas toi et ça me gonfle.

Penaud, il lui serra l'avant-bras et elle comprit que c'était la seule manière qu'il connaissait de s'excuser. Elle enchaîna :

— Notre ami Carl Ritter, né à Denver, Colorado, le 13 mars 1958... Pour un Poissons, il est passé à côté, on dirait...

— Pourquoi tu dis ça ?

— Il paraît que les Poissons ont de la chance, donc Carl Ritter a très vite manifesté un goût certain pour l'illégalité. Il a été condamné à l'âge de 21 ans pour extorsion. Il baratinait des dames entre deux âges, un ou deux bisous par-ci par-là et avant de passer à la casserole, il se tirait avec le fric et les bijoux. En fait, c'est la plainte des gosses de l'une d'elles qui l'a fait coffrer. On ne sait pas combien il en a charmé comme cela, parce qu'en général ce genre de victimes préfère rester dans l'anonymat.

— Ce que les femmes peuvent être godiches quand même ! Un beau mec de vingt berges te fait du gringue alors que tu en avoues soixante et tu crois que c'est pour la gaudriole ou le mariage !

Le son bizarre que produisit Elizabeth-Ann le fit taire. Un véritable fou rire la plia sur le bureau. Entre deux hoquets, elle articula :

— Et c'est un mec qui sort ça ! Oh non, je rêve. Et tous ces nunuches de cinquante ou soixante balais qu'on retrouve dévalisés ou assommés par une nymphette à la sortie d'une boîte de nuit ou tabassés par ses copains dans une chambre d'hôtel et qui bêlent avec des sanglots dans la voix : « Mais elle m'a dit qu'elle m'aimait, que je lui plaisais », c'est quoi ? De la science-fiction ?

Bob Da Costa soupira, l'air grave :

— Ouais. T'as raison. On a tous besoin d'y croire, n'est-ce pas ?

— À quoi ?

— À l'amour.

— Ouais... Bon, si on abandonnait cette conversation qui va devenir déprimante pour revenir au cas Ritter ?

— Vas-y, Squirrel. Je vais nous chercher un café.

— Non, un infâme-café en un seul mot.

Elle plongea dans la gigantesque banque de données qui permettait aux agences fédérales et aux polices métropolitaines de retrouver le dossier criminel et les empreintes d'un individu déjà fiché.

Carl Ritter avait quitté le Colorado à la suite de sa condamnation à une forte amende, la restitution des biens volés, du moins ceux qui avaient été réclamés, et un an avec sursis. Il avait resurgi quelques mois plus tard à Boston, où ses activités avaient assez vite suscité la curiosité des flics. Quelques rapports du commissariat central signalaient ses liens avec des bookmakers sous haute surveillance et une série de gains aux courses suffisamment exceptionnelle pour paraître suspecte. Mais Ritter était devenu malin. Il encaissait et il passait à autre chose.

Il avait failli tomber une fois, pour une histoire de mœurs. Il « encadrait » alors une troupe de danseuses — plusieurs mineures —, dont il était évident qu'elles arrondissaient leurs fins de mois avec certains spectateurs. Ritter était soupçonné de proxénétisme aggravé, mais aucune de ses protégées n'avait accepté de l'accuser ou même simplement de témoigner. Il était donc entré dans la cohorte de ces dizaines de noms que les flics surveillent d'un œil, impuissants, en espérant que peut-être un jour, un faux pas, un indic ou un témoin leur permettra d'agir.

Da Costa laissa tomber sa grande carcasse sur le fauteuil en Skaï et posa les deux gobelets en plastique sur le bureau :

— Alors ?

— Bof, un sale type, mais du menu fretin. On dirait qu'il s'est calmé après cette histoire de gamines.

— Tu sais ce qu'est en général le « menu fretin » ? Des mecs qui n'ont pas trouvé la bonne connection. Si un jour ils tombent sur un vrai truand ou un vrai bargeot, leur potentiel explose.

— Et dans le cas de Ritter, ce serait Rand Dale ?

— Pourquoi pas ? C'est à peu près à l'époque où il l'a rencontré qu'il s'est *calmé*, comme tu dis. Faut creuser.

— On n'a rien sur Dale.

— Ouais, mais la brigade financière l'avait dans le collimateur.

— Alors on n'est pas sortis de l'auberge. Ils couvent leurs dossiers comme si c'étaient les réserves de Fort Knox. Et puis d'ailleurs, comment sais-tu tout ça ? Moi, on ne me dit jamais rien.

— C'est parce que tu ne sais pas t'y prendre. Ils fonctionnent pas comme nous. Eux, leur truc ce sont les mécanismes financiers, les montages bancaires, les tours de passe-passe du pognon.

— Tu connais quelqu'un qui pourrait nous aider ?

— Ma puce, j'ai tellement traîné mes grolles dans cette tôle que je connais tout le monde. Faut que je te présente, ça te sera utile.

Il regarda sa montre et Elizabeth-Ann suivit son geste. Elle pensa sottement qu'elle était moche et de mauvaise qualité, avec un gros bracelet en plastique noir, qui devait coller au poignet en été. Elle lui en offrirait une belle pour son départ en retraite, enfin si elle avait assez de fric à ce moment-là.

— Il faudrait peut-être qu'on y aille. Il suffit qu'on tombe sur un bouchon et on va être en retard.

— Okay, Bob. On reprendra ce passionnant travail plus tard.

Ils arrivèrent devant la maison de Belle Dove avec quelques minutes d'avance. Elle les attendait déjà, les deux mains gantées serrées sur son petit sac à main, le manteau noir — fatigué mais impeccable —, boutonné jusqu'au petit col en astrakan roussâtre, ses cheveux gris permanentés protégés de la bruine qui tombait par une capuche beige en Nylon. Elle leur fit un petit signe de la main lorsqu'ils se garèrent à quelques mètres d'elle. Elle ne souriait pas.

Elizabeth-Ann descendit de voiture et aida la femme à s'installer à côté de Bob, puis elle prit place à l'arrière. Elle lança la conversation sur le projet de conservatoire des pommes, lancé par le Museum d'histoire naturelle, afin de dérider Belle.

— Je trouve que c'est une excellente idée. Il existe tellement de races de pommes, c'est fou. Et on est en train de les perdre.

Sa tentative ne rencontra qu'un modeste succès, mais ils arrivèrent rapidement.

Da Costa prit le bras de Mrs Dove et ouvrit la porte de la « maison de la terreur », comme l'avaient déjà baptisée avec sobriété les feuilles de chou à scandale de l'État.

— Il n'y a pas encore les scellés ?

— Pas encore. Le juge attendait le passage de Mrs Dove pour les faire apposer. Ça va, Mrs Dove ? Vous sentez que vous pouvez y aller ?

— Oui, oui, lieutenant Da Costa. Mais ça ira encore mieux une fois que ce sera fini.

Ils traversèrent la maison, passant par la grande salle à manger dont la moquette gris anthracite était par endroits éclaircie de petites flaques de poudre à empreintes. Lorsqu'ils arrivèrent devant la porte du salon, Belle hésita, respira puis déclara d'une voix un peu haut perchée :

— Bon, c'est décidé, on y va !

Elle resta les bras ballants, son sac pendant mollement contre son mollet, au milieu de la pièce. Le mobilier avait été laissé en l'état et les cacahuètes séchaient sur la moquette. Elizabeth-Ann se fit la réflexion que les traces de doigts sur le dossier du canapé avaient foncé jusqu'à devenir presque marron. Belle tourna sur elle-même et eut un petit mouvement de recul lorsque son regard tomba sur la porte maculée du sang de Rand Dale. Elle murmura dans un souffle :

— Oh mon Dieu ! C'est pire que ce que je pensais. Elle plaqua nerveusement son sac à main sur son ventre, comme s'il offrait une quelconque protection, et fit le tour de la pièce en prenant bien garde de ne rien frôler. Ses lèvres remuaient sans qu'aucun son les franchisse.

— Il manque le coffret à cigarettes et le coupe-cigares qui était à côté. Tous les deux en argent massif. Et puis sur le meuble, là, il y avait un tableau. Une sorte de toile moderne, dans les rouges, assez grande. Il était posé contre le mur, pas accroché, parce que Mr Dale ne savait pas encore exactement où il le voulait.

— Vous en connaissez l'auteur ?

— Non. Je ne me souviens pas. Il l'avait payé assez cher et disait qu'il allait vite prendre de la valeur parce que l'artiste était mort du SIDA. Je me souviens que je n'avais pas apprécié cette réflexion. C'est mal de spéculer sur la mort des gens.

Elizabeth-Ann grommela :

— Ça me dit quelque chose. Si c'est bien le peintre auquel je pense, la toile vaut en effet un paquet de dollars.

— Rien d'autre ne manque, Mrs Dove ?

— Si ça ne vous dérange pas, je préférerais que vous m'aidiez avec le meuble, là, dit-elle en désignant une sorte de haute commode en bois roux clair et chrome dont les différents tiroirs béaient.

Da Costa s'exécuta.

— Ah, Mr Dale portait toujours une grosse gourmette en or avec son prénom gravé sur la plaque et une chevalière avec ses initiales, au petit doigt. La chevalière était très massive — je vous ai dit qu'il aimait les bijoux —, avec un gros solitaire incrusté dans le plateau. Et puis, il avait une épaisse chaîne de cou aussi, avec un Saint-Christophe. Je crois que les bijoutiers appellent cela une maille grain de riz. Ça fait comme un serpent articulé. Tout en or. Lorsqu'il rentrait le soir, il ne gardait que sa montre et sa chaîne. Il rangeait la chevalière et la gourmette dans ce tiroir. Elles n'y sont pas.

— Nous n'avons retrouvé aucun bijou sur lui, pas plus que sur Mr Ritter, d'ailleurs.

— Alors c'étaient des voleurs ?

— Peut-être.

Le retour fut silencieux. Ils déposèrent Belle Dove devant la grille, et l'accompagnèrent le long de l'allée qui menait au perron. Elle déclina leur offre de compagnie, en précisant :

— Vous êtes gentils, tous les deux, et je suppose que vous n'avez pas que cela à faire. Mais voyez-vous, je crois que je préfère être seule. Je vais m'offrir tranquillement un petit verre de porto. Si vous aviez encore besoin de moi, n'hésitez pas. Au revoir, et bonne chance.

— Au revoir, Mrs Dove, et merci. Vous nous avez rendu un grand service et je ne crois pas que nous aurons encore besoin de vous embêter.

Ils rentrèrent à Boston alors que le soir tombait déjà. Bob se tourna vers Elizabeth-Ann :

— Tu connais vraiment le peintre ?

— C'était un mec de New York, une espèce de *tagger* de génie qui avait fait ses premières armes en peignant les affiches publicitaires dans le métro.

— Un vandale, quoi ?

— Ouais, un vandale dont certaines *vandalités* se vendent entre 100 et 200 000 dollars aujourd'hui. Les mecs du service de nettoyage du métro qui arrachaient ses tags ont dû se mordre les doigts. Merde, j'ai lu ça quelque part. C'était quoi son nom ?

— T'inquiète pas. On va trouver avec tes détails. Bonne petite. Un bon point de plus. Tu as rentré nos trucs dans le VICAP ?

— Pas encore, je n'ai pas eu le temps.

— T'as pas eu le temps ou t'as pas eu envie ?

— Les deux, mon général.

— Il faut le faire, tu sais.

— Je sais. J'ai retenu la leçon. Ni pour les Fédéraux, ni même pour l'humanité, mais pour moi. Et pour encore deux ans, pour nous.

Un silence s'installa dans l'habitacle. Elizabeth-Ann naviguait avec aisance dans les encombrements bostoniens. Soudain, Bob déclara d'un ton faussement léger :

— Tu vois, détective Gordon, si un jour on m'avait dit que je ferais une déclaration dans une voiture de service à un collègue, je l'aurais pas cru : je t'aime bien, Squirrel.

— Moi aussi, lieutenant Da Costa, je t'aime vraiment bien.

— On arrête là ou on sort les mouchoirs en papier ?

— J'en ai pas, alors il vaut mieux passer à autre chose.

Elle arrêta la voiture au feu et Da Costa reprit :

— T'as un mec, Squirrel ?

— Non. Pourquoi, tu te proposes ?

— Pas après ce que tu m'as dit sur les nymphettes, merci. Pourquoi, t'aimes pas les mecs ?

— C'est bien la première fois qu'on me compare à une nymphette, ça me fait tout drôle. Pas ceux sur lesquels je suis tombée, non.

Elle obliqua et conclut :

— Tu vois Bob, ta philosophie s'applique aussi à mes histoires d'amour, enfin c'est un bien grand mot. Je me suis dit un jour que ce qui comptait, c'était moi, mais ça m'a pris du temps et valu pas mal de baffes dans la gueule.

— Des baffes... ? Euh, pas des vraies, des psychologiques, tu veux dire ?

— Les deux. Mais la dernière fois qu'il a levé la main sur moi, il n'a pas pu se servir de sa queue pendant deux mois. Ça l'a pas mal calmé, et je me suis tirée. Le chapitre est clos, d'accord ?

— Ça marche.

Da Costa était bouleversé, parce qu'il n'avait jamais pensé obtenir une réponse aussi nette, aussi brutale à son anodine question.

— Squirrel, si t'as encore un peu de temps ce soir, on pourrait rentrer les données sur le VICAP ?

— Si tu m'offres un café chez *Mo's*.

FBI, base militaire de Quantico, Virginie
10 novembre

Richard Ringwood, le regard perdu vers la pelouse sur laquelle donnait l'immense baie vitrée de la salle de restaurant, qui ne désemplissait pas à cette heure matinale, déclara d'un ton lugubre :

— Avez-vous remarqué qu'il n'y a presque plus de marmottes ?

Il se tourna vers James Irwin Cagney et plissa les paupières d'un air soupçonneux, comme si un plan machiavélique d'extermination des marmottes était en cours à l'insu de tous.

— Les tirs d'exercice qui n'ont pas cessé depuis une semaine ont dû les faire fuir.

— Vous plaisantez ? Ou elles sont sourdes comme des pots ou elles n'en ont plus rien à cirer, parce que ça ne les a jamais dérangées jusque-là.

— Certes. Quel est donc votre diagnostic, Richard ?

D'un ton encore plus désespéré, l'informaticien répondit :

— L'hiver sera précoce et rude. Elles doivent déjà hiberner.

James Irwin Cagney s'attendait à pas mal de choses, mais cette sortie le laissa bouche bée. Il se reprit et se pencha vers Richard assis en face de lui, pour murmurer d'un ton complice et confidentiel :

— Je vais téléphoner à ma tante Ruth pour savoir si ses dernières carottes se sont enfoncées davantage dans le sol. Elles non plus n'aiment pas le froid.

— Foutez-vous de moi !

— Oh, je m'en garderai bien, Richard. Vous êtes irremplaçable.

— C'est marrant, mais plus je vieillis, moins j'aime le froid.

— Voilà une constatation qui manque d'originalité.

Richard poursuivit sur sa lancée :

— Ça ratatine, le froid, mais ça ratatine du dedans. On se sent encore plus démuni, plus faible, plus vieux. Et puis tout prend des contours tellement durs, tellement définitifs. Comme la lumière de la neige : c'est si cru que c'est insupportable.

— Pourquoi ? Parce que cela fait voir les choses telles qu'elles sont ? Soudain des sans-abri crèvent de froid et de faim sous des bancs, on retrouve des vieux sans le sou congelés dans leur cuisine, ou asphyxiés parce qu'ils ont essayé de se chauffer avec la cuisinière ?

— Je vous remercie de me remonter le moral, monsieur.

— Richard, ce n'est pas parce qu'on sait de mieux en mieux envelopper les choses que l'intérieur pue moins.

Cagney tenta d'alléger un peu leur humeur qui glissait dangereusement en ajoutant :

— C'est parce que vous avez perdu votre graisse. Vous êtes plus sensible aux différences thermiques.

À nouveau lugubre, Richard rétorqua :

— Je n'ai pas perdu ma graisse. C'est le peu de muscles qui me restait qui a fondu avec ce régime idiot.

Il hésita, plongea le regard vers son plateau et demanda :

— J'ai vu dans le courrier interne que le poste de Jude Morris était à pourvoir ?

— En effet.

Cagney attendit la suite. Il s'en voulait de ne pas avoir expliqué sa décision à Richard. Il en avait eu l'intention, mais il fallait d'abord qu'il parvienne à être certain qu'elle n'était entachée d'aucune jalousie vis-à-vis de Morris. Celui-ci avait traîné sa passion pour Gloria comme une longue maladie, les périodes d'apparente rémission succédant aux rechutes... et lui avait l'âge de Gloria. Il avait été une menace, même improbable... non, plutôt un rappel permanent que cette histoire d'amour était la dernière pour Cagney. Au moment précis où il découvrait qu'elle serait aussi la seule.

La panique de passer à côté de sa propre vie avait harcelé Cagney durant des mois, se mêlant de façon douloureuse au désir, à l'envie d'amour, comme un ultimatum. Cet enchevêtrement de sensations, de trouille, avait contribué à nourrir l'animosité grandissante de Cagney pour son adjoint. Et puis il y avait eu Virginia Allen, un joli ersatz.

Elle servait sans le savoir de doublure à Gloria, une Gloria enfin captive, enfin consentante. Une Gloria dispensatrice d'amour.

S'il voulait être parfaitement franc avec lui-même, Cagney devait admettre que ce n'était pas tant cette banale monstruosité conjugale qui le choquait, ni l'utilisation de Virginia Allen qui, sans doute, ne s'apercevrait jamais qu'elle permettait à son mari de la tromper avec elle-même.

Tout revenait encore à Gloria. Cagney ne supportait pas que Morris se soit trouvé une poupée vivante à l'image de Gloria.

La voix de Richard interrompit ses pensées :

— Excusez-moi, je pensais à autre chose. Que disiez-vous ?

— Le poste est reventilé. Cela signifie que Morris ne reprendra pas sa place chez nous lorsqu'il rentrera de Washington, n'est-ce pas ?

Le visage de Dawn, son sourire à la fois timide et conquérant, ses joues qui s'enflammaient à la moindre banalité, et Dawn qui s'effondrait. L'étoile de sa tempe qui s'élargissait, qui coulait, rouge poisseux.

Cagney l'avait prise dans ses bras, au bas de l'escalier. Elle était morte à cause de Morris. Non, elle aurait pu mourir ailleurs, autrement. Mais la rage, la peine de Cagney s'étaient cristallisées sur le visage livide de Morris. Cet abruti avait tout planifié pour se faire descendre, mais il vivait. Il n'avait simplement pas prévu que la jeune femme se sacrifierait pour sauver une vie dont il ne voulait plus.

Cagney déglutit et répondit d'un ton presque cassant :

— En effet. Je ne souhaite plus qu'il fasse partie de l'équipe.

Ringwood le fixa longuement, attendant peut-être une justification. Cagney faillit lui expliquer qu'il avait soupesé des nuits entières chaque détail de ces derniers mois et, qu'en son âme et conscience, il était certain que ses problèmes extra-professionnels avec Morris n'avaient pas influencé sa décision.

Mais il aurait fallu reparler de Dawn. Il aurait fallu raconter à Ringwood la scène qu'il s'était imposée parce qu'il la devait à la jeune femme.

Cagney avait accompli le voyage seul. Il pleuvait à verse.

Il était arrivé devant la grille de la ferme à la tombée du jour. L'odeur âcre des bâtiments qui abritaient les élevages de poulets semblait tout imprégner, malgré le froid et la pluie.

La maison était de construction récente, avec de grandes portes-fenêtres optimistes et incongrues, dans cette région où les hivers sont rudes. Il avait sonné et Mr Stevenson, le père de Dawn, lui avait ouvert, un sourire hésitant étirant des lèvres minces.

Cagney s'était présenté, le souffle court. Le sourire s'était élargi et Mr Stevenson l'avait fait entrer au salon.

De fausses bûches rougeoyaient dans la cheminée au manteau orné de petits sujets en pâte de verre colorée et d'un gros bouquet d'épis de blé séchés. Mr Stevenson l'avait prié de s'asseoir sur le canapé en velours cognac pendant qu'il allait chercher sa femme — qu'il appela Mrs Stevenson.

Les accoudoirs en merisier luisaient de cire. D'autres petits sujets, en porcelaine, en coquille d'huîtres, déco-

raient le plateau en onyx vert de la table basse. Un manekenpiss distributeur de whisky trônait sur un guéridon, dont le pied grêle et compliqué semblait trop fragile pour le soutenir. Des verres étincelants de propreté étaient alignés sur un plateau en métal argenté, posé sur un buffet moderne en acajou vernis.

Cagney avait fixé durant ce qui lui avait semblé une éternité le gros hublot noir d'une télévision 16/9, se répétant encore et encore sa phrase d'introduction : « Je suis porteur d'une nouvelle tragique. Votre fille est morte en service. » Suivrait le reste : les condoléances, les détails édulcorés de la scène finale, l'éloge. C'était toujours la même chose, mais cette fois, il s'agissait de Dawn et cette douleur-là, il la porterait avec eux, sans qu'ils le sachent jamais.

Cagney avait vu, comme au ralenti, la femme, la mère, se vider, rapetisser comme si on l'aspirait de l'intérieur. Son ventre avait rejoint ses genoux et elle était tombée sur la moquette, recroquevillée sur ses hoquets. Il y avait eu d'abord une sorte de gémissement continu, puis un hurlement. L'homme, le père, était devenu écarlate. Les veines de ses tempes et de son cou avaient gonflé. Il avait serré les poings comme s'il voulait frapper et balbutié :

— Mais... elle était notre seule enfant...

Cagney ne voulait pas raconter. Richard ne méritait pas cette peine supplémentaire parce qu'il avait aimé Dawn. Cagney non plus ne le méritait pas.

— C'est ma décision et je la crois juste, Ringwood.

— Bien monsieur. Nous allons donc recruter ?

Le regard de Cagney se perdit vers le bosquet d'arbres désordonnés qui protégeait les regards des clients du self des champs de tir et répondit, un peu ailleurs :

— Oui. Nous avons deux postes à pourvoir.

Boston PD, Massachusetts
12 novembre

Bob Da Costa soupira d'aise en tournant une page de *Fishing Magazine*. Ouais, ils avaient raison, la pêche à la mouche, c'était vraiment la grande classe. Il siffla d'étonnement en tombant sur le prix d'un des petits leurres, une minuscule touffe de fils de soie et de plumes rouges et noires.

— Ben dis donc, ça doit faire mal au cœur quand le poisson te l'avale. Pourtant, c'est pas bien gros, ajouta-t-il en posant le magazine à plat sur le bureau d'Elizabeth-Ann et en désignant de son gros index l'objet de sa convoitise.

Elizabeth-Ann répondit platement :

— C'est comme les maillots de bain : moins il y a de tissu, plus c'est cher.

— T'en es où, là ?

— Pas très loin. Je finis de rentrer tout ce que l'on sait et après je balance sur l'intra-réseau.

Soudain agacée, elle ajouta :

— Ça veut dire que si tu arrêtes de me distraire, j'aurai fini dans une petite heure !

— Bon, bon, je vais faire un tour. Je te rappelle que l'on a rendez-vous avec le lieutenant Smithard, du service financier, à 11 heures.

— Je sais, Bob. Normalement, je devrais avoir terminé avant.

Il se leva, referma soigneusement son magazine et déclara :

— Tu le piques pas, hein ?

Sans lever le nez de l'écran, elle persifla :

— La tentation sera dure. Tu ne sais pas que le rêve de toute femme normalement constituée est de passer une nuit blanche plongée dans un canard de pêche et de découvrir la palpitante saga des mouches ?

— Rigolote, va !

— Mariole !

Elizabeth-Ann sursauta presque lorsque la grosse main de Bob lui couvrit l'épaule.

— Déjà ?

— Ben ouais, ça fait presque une plombe. Je voudrais pas qu'on soit en retard.

— Merde. Cette banque de données est tellement sollicitée, qu'on se croirait aux heures de pointe. Parfois, il faut presque deux heures pour obtenir une réponse !

— Ah les jeunes... De mon temps, il fallait parfois cinq ou six jours pour obtenir une comparaison, quand on l'obtenait. *Pressé, gagner du temps.* Mais tu sais, comme disait ma mère, on arrivera tous trop tôt au cimetière.

Elizabeth-Ann se leva et déclara, comme si elle n'avait pas entendu :

— Bon, je me laisse en attente. De toute façon, je ne peux rien faire d'autre. J'ai scanné les clichés des balles et j'ai rempli le formulaire du VICAP. On y va. Peut-être que l'on aura une bonne surprise à notre retour.

Ils parcoururent l'immense couloir, si haut de plafond que certains détails des sculptures sur les boiseries roux sombre devenaient indiscernables. Elizabeth-Ann s'étonna — pour la centième fois peut-être — qu'un si beau lieu soit tout entier consacré au crime et à sa hideur. Elle se demanda si dans quelques années, elle emprunterait ces escaliers de chêne foncé par les siècles, foulerait les grandes dalles de marbre à peine gris sans plus s'apercevoir de leur élégance et de leur signification.

Elle jeta un regard à Bob qui la précédait de quelques pas, à ces silhouettes de flics qui les dépassaient d'une allure rapide et s'inquiéta qu'ils ne lèvent plus la tête, un sourire aux lèvres, vers les scènes champêtres ou mythologiques que les peintres pompiers du siècle dernier avaient déroulé sur le plâtre des plafonds voûtés.

Une affreuse cabine d'ascenseur en métal verdâtre avait remplacé la nacelle en bois et verre dans laquelle on pénétrait en ouvrant une porte en dentelle de fer forgé. Ils montèrent deux étages plus haut en silence et traversèrent un autre couloir, presque désert, avant de pénétrer dans le monde feutré mais féroce qui occupait les heures du service financier.

Le lieutenant Sheena Smithard était une grande femme, au sourire économe et au geste impatient. Elizabeth-Ann sentit immédiatement que leur visite ne l'enthousiasmait pas outre mesure. Elle s'y était sans doute résolue pour liquider une dette envers Bob, ou pour lui créer une obligation dont elle se ferait fort de lui demander le remboursement lorsqu'elle en aurait besoin.

Elle les fit entrer dans son bureau repeint de frais et s'installa raidement dans son fauteuil en cuir havane. Une bibliothèque moderne, en bois noir et en chrome, protégeait des livres de droit et de procédure. Un petit réfrigérateur sur lequel étaient posés un four à micro-ondes et un percolateur était poussé dans un coin. Elizabeth-Ann se fit la réflexion que, dans ce département, le mobilier réglementaire devenait presque esthétique, et en tout cas confortable. Le grade de Sheena Smithard n'expliquait pas tout. Ici, on ne comptait pas en morts, ni en dealers pouilleux, ni en pédophiles. On comptait en millions de dollars et cela valait bien quelque récompense.

— Comme je te l'ai expliqué, Sheena, on vient te voir au sujet du double meurtre de Rand Dale et Carl Ritter.

— Oui. Qu'est-ce que tu veux savoir ?

— Tout.

Smithard fixa Bob Da Costa sans un sourire. Elizabeth-Ann se garda d'intervenir, sentant qu'elle faisait à peine partie du décor pour la longue femme trop mince dont elle n'avait pas croisé une seule fois le regard.

— Tu risques d'être déçu. On sait que Rand Dale avait fricoté à une époque avec Di Stefano, Tony Di Stefano, le père.

— Mais il est mort.

— Oui. Le fils a repris les affaires en main. Lui va nous donner plus de fil à retordre que son père. Il a fait Yale et les mécaniques de l'argent n'ont plus de secret pour lui. Du reste, les choses se compliquent pas mal pour nous. La différence entre certains grands financiers ayant pignon sur rue et recevant le gratin, avec la crème de la pègre diplômée des plus grandes universités devient de plus en plus subtile. La morale de l'argent est extrêmement floue.

— Et Dale ?

— Oui. Di Stefano père était un dinosaure, un truand de l'ancienne génération. C'est pour cela qu'il est mort en prison. Lorsque Dale s'est mis en tête de réaliser ce projet immobilier — un complexe de luxe vers Whitney Woods, pas très loin de Little Harbor —, il est tombé sur un os, parce qu'il s'agissait d'une zone forestière non constructible.

— D'où l'incendie, il y a sept ans ?

— D'où l'incendie. La zone a été déclassée, comme il fallait s'y attendre, et Dale a construit. C'était une opération juteuse. De toute façon, on sait très bien qu'un tiers au moins des feux de forêts entre dans cette catégorie.

— Vous avez arrêté un pyromane, non ?

— Oui, un demi-débile. Même avec deux litres de nitroglycérine, il aurait été incapable de faire partir un barbecue. Il a avoué avoir craqué une allumette quelque part dans la zone sinistrée et on l'a bouclé parce que c'était un récidiviste et qu'il fallait quelqu'un.

— Mais ?

— Mais les pompiers locaux et les experts de l'ATF ont bien rigolé lorsqu'ils ont lu le rapport.

— Pourquoi ?

— Parce que Gerald Carpenter, le pyromane, n'avait pour tout combustible qu'un petit tas de fougères sèches, qu'il était à proximité d'arbres adultes, donc pas le genre qui flambe si on souffle dessus, et de plus, le vent donnait en sens contraire.

— Donc ?

— Donc quelqu'un a manipulé Carpenter. Il fallait qu'il avoue et c'est relativement aisé avec des pyromanes. On a dû évoquer devant lui un incendie dans Whitney Wood avec des images qui l'ont branché et il est passé à l'acte. Pendant ce temps-là, un incendiaire professionnel flanquait véritablement le feu, mais lui savait comment s'y prendre.

— Et tu penches pour un mec commandité par Tony Di Stefano ?

— C'est ma conviction, mais je n'avais aucune preuve. J'ai fermé ma gueule. Carpenter s'est fait descendre en prison.

— On voulait éviter qu'il parle ?

— Même pas. Il était tellement con qu'il a dû foutre les pieds dans lc plat avec les autres taulards. En d'autres termes, on ne saura jamais au juste ce qui s'est passé.

— Et ensuite, vous avez autre chose sur Dale et Ritter ?

— Dale a continué. On ne le lâchait pas d'une semelle, mais il le savait. Il a eu l'intelligence, durant des années, de ne jamais se maquer véritablement avec quelqu'un. Un coup c'était Di Stefano, un coup on le voyait beaucoup dans le quartier chinois, plus tard il affichait une franche camaraderie avec Edward Tyler. En réalité, il travaillait de façon géographique. Il se mettait en cheville avec les mecs qui tenaient un quartier lorsqu'il voulait racheter quelque chose dans le périmètre.

— Edward Tyler ?

— Oui. Une fréquentation très dangereuse. C'est quand même marrant. Ce type qui a une petite centaine de meurtres derrière lui a été coffré huit jours, en tout et pour tout, pour insulte à agent et conduite en état d'ivresse. C'est réjouissant, non ? Bute ta bonne femme en état d'ébriété et tu vas voir de combien tu écopes quand tu n'as pas le fric pour t'offrir les plus grands ténors du barreau.

Sheena Smithard s'arrêta net et regarda Da Costa avec une sorte d'affolement. Elizabeth-Ann la trouva sympathique pour la première fois, lorsqu'elle vit ses lèvres sèches se serrer comme si elles voulaient rattraper leurs derniers mots. Le lieutenant baissa les yeux et saisit un dossier, qu'elle reposa immédiatement. Enfin, elle leva le regard et fixa Bob. Il lui sourit et murmura :

— C'est pas grave, continue. On fait avec tout, non ?

Une seconde d'un silence épais persista encore et Elizabeth-Ann se demanda si Sheena la mettait à profit pour retrouver son débit calme et indifférent. Le visage du lieutenant était dénué de toute expression, mais à la façon qu'elle avait de rentrer ses ongles dans la paume de sa main, la stagiaire de Bob comprit qu'elle aussi savait la peine et le regret.

Quel métier de chiottes, mais quelle idée ? La haine, la mort, l'envie, la peine. Quoi ? Qu'est-ce qu'elle croyait pouvoir y changer ? Pour un salaire de merde en plus, et des gens qui vous détestent sans savoir. Pour des conneries d'institutions qui se castrent elles-mêmes. Pour permettre que des malins vivent de procès à la con !

Elle réprima un gloussement. Ce mec qui s'empiffrait de sucreries et qui avait obtenu un demi-million de dollars de dédommagement d'une compagnie agroalimentaire, parce qu'il était devenu obèse et diabétique. Non, il y avait de quoi chialer, plutôt ! Chialer sur les bonnes femmes qui refusent de témoigner contre leur mari qui viole ou maltraite leurs gosses, parce que, après tout, il ramène la paye. Sur les connasses qui pondent comme si elles tricotaient et vendent leur bébé à un maquereau quelconque. Sur les mères qui vendent aux enchères le dépucelage de leur fille de six ans pour s'acheter de la came. Bordel, mais qu'est-ce qu'elle foutait là ? Et puis chialer aussi sur ces mecs qui s'en foutent plein les poches sur le dos des autres parce que si la loi est la même pour tous, son application est très variable en fonction du compte en banque et des relations.

Qu'est-ce qu'elle foutait là, hein ? Bien sûr, il y avait Bob, mais après ? Elle serait seule et ne se sentait pas suffisamment futée pour devenir cynique, ni sûre d'avoir les reins assez solides pour supporter avec le sourire qu'une jurisprudence quelconque, qu'une subtilité légale ou la verve d'un avocat anéantissent son travail, ses efforts, sa prétention peut-être.

La voix monocorde du lieutenant la ramena à Bob, au bureau :

— ... Il semble que Dale ne se soit pas toujours acquitté des « royalties » qu'il devait à ces messieurs. Du moins dans le cas de Tyler. C'était au moment où Tyler s'était fait pincer après avoir traité un flic de « culot de bidct ». Dale a sans doute espéré que cette arrestation nous permettrait de boucler Tyler pour un bout de temps. Il s'est foutu le doigt dans l'œil, comme nous.

— Tu penses que Tyler l'aurait fait descendre ?

— Je ne sais pas trop. Edward Tyler n'est pas un abruti, loin s'en faut. Il y a même des moments où je me demande si c'est bien le fric qui l'intéresse. C'est un sociopathe absolu. Je crois que ce qui le fait vraiment bander, c'est de faire peur et de manipuler. Bref, le pouvoir. Dale n'avait rien d'un suicidaire et il savait à qui il avait affaire. Lorsque Tyler a été libéré, je doute qu'il ait résisté longtemps avant de lui donner son argent. On ne plaisante pas avec Tyler. Mais d'un autre côté, rien ne prouve que ce cher Ed ne l'a pas fait descendre ensuite. Pour s'amuser. Une blague, quoi. C'est assez dans son genre.

Elizabeth-Ann se permit la seule intervention de cette entrevue. Il lui sembla que sa voix coinçait quelque part dans son larynx et qu'elle sortait encore plus enfantine que d'habitude.

— Et son genre, c'est quoi ?

Le lieutenant Sheena Smithard la contempla d'un air surpris, comme si elle venait de découvrir sa présence, ou que le fait qu'elle fut douée de parole l'étonnât :

— Son genre ? Vaste et mortel programme. Son genre, c'est comme ça lui plaît et quand ça lui plaît. Malheureusement pour nous, Tyler est d'une intelligence très au-dessus de la moyenne et d'une grande culture. C'est sans doute pour cette raison qu'il fascine le FBI. Tony Di Stefano fils est une chiure de mouche à côté, même avec son mastère de Yale. D'un autre côté — ce qui prouve que lui aussi est intelligent —, il n'a jamais tenté de s'opposer à Tyler. Il a plutôt présenté son cul et cédé du terrain quand il ne pouvait rien faire d'autre.

— Et plus précisément ? déglutit Elizabeth-Ann.

— Rien n'est précis avec Tyler. Il aurait entre 45 et 50 ans. Il vient on ne sait d'où et son nom est probablement un pseudo. C'est un amateur d'art, de bons vins et de femmes. En réalité, il est érotomane et très probablement cocaïnomane, mais ça ne lui pose pas vraiment de problème, puisqu'il tient le principal marché de drogue de la côte Est. Edward Tyler est sociopathe, de cela nous sommes sûrs. Il n'a rien à foutre de rien, sauf de lui et de ses envies. Comme la plupart des sociopathes, il a une faiblesse sentimentale : les chats, les siamois plus exactement. Il paraît qu'il adore leurs cris en période de chaleurs. Je ne sais pas si vous en avez déjà entendu mais moi, ça me glace. On dirait un bébé qu'on égorge. Selon nos témoignages, rares et inutilisables, Edward Tyler aime beaucoup rire. Le problème, c'est que ce qui le distrait le plus, c'est la mort des autres. Nous avons quelques photos récentes, si cela vous intéresse. Mais n'allez pas pêcher dans ces eaux-là. Vous tomberez sur un requin et vous ne pourrez rien en faire.

— Et Ritter ? demanda Bob.

— Ah, ce bon vieux Carl Ritter ! Sur ce coup-là, vous en savez sans doute autant que nous. Ritter nous a intéressés seulement parce qu'il frayait avec Dale. Un loubard de province, sans grand génie mais avec une belle gueule. Un escroc spécialisé dans les dames d'âge mûr. On a pensé à un moment que Ritter verrait en Tyler une sorte de mentor. Mais ça ne s'est pas fait. Ritter s'est scotché à Dale parce qu'il devait être plus facile à influencer que Tyler. Et puis, si nos renseignements sont complets, Dale n'était pas un tueur. Ne creusez pas dans cette direction. Selon moi, c'est une fausse piste. Ritter aimait les coups et le fric faciles. C'était un teigneux mais pas un téméraire. Il a magouillé avec des bookmakers, des dealers de quartier, des gamines pas trop futées. Rien à voir avec Tyler.

Ils prirent congé peu après. La voix calme du lieutenant les retint alors qu'ils refermaient la porte en mélaminé de son bureau :

— Bob, si jamais tu parviens à coincer ou faire coincer Tyler, je nous offre une cuite au champagne... français.

— C'est noté, et j'ai un témoin.

Dans l'ascenseur, Bob Da Costa demanda :

— Qu'est-ce que tu en as pensé ?

— Elle n'est pas chaleureuse-chaleureuse !

— Non, mais c'est une bonne et elle est fiable. C'est sans doute pour cela qu'elle préfère ne pas avoir d'amis.

— Tu crois qu'il faut creuser la piste Tyler ?

— J'en sais rien, ma puce. D'un autre côté, on n'a pas grand-chose d'autre. Ce qui m'emmerde, c'est que Tyler n'est pas le genre de pékin qu'on va interroger comme ça, juste histoire de lui faire savoir qu'on lui colle aux fesses. Parce que c'est lui qui te colle des emmerdements et ses avocats au cul.

Elizabeth-Ann eut un petit rire sans joie :

— Il n'y a que les truands qui sachent se défendre correctement.

— Non, mais ceux qui ne savent pas tombent très vite.

Ils traversèrent à nouveau l'immense couloir et retrouvèrent le petit local encombré et aveugle qui leur servait de bureau. Elle se rendit compte avec un petit pincement désagréable qu'elle n'avait pas songé à lever les yeux vers le plafond et ses bergères roses et énamourées.

Un message clignotait inlassablement sur l'écran de l'ordinateur, comme un pouls obstiné : FICHIER CHARGÉ. Elle lut les quinze lignes qui s'inscrivaient, puis les relut :

— Merde ! Qu'est-ce que c'est que ce truc ?

— Quoi, dis-moi ! s'énerva Da Costa.

— Si la balistique confirme, le flingue a déjà été utilisé. Dans un double meurtre.

— Quoi ? Quand ?

— Il y a un peu plus de onze ans. En Californie. Un couple de médecins, le mari et la femme. Un Sig Sauer P220, calibre 38. Non enregistré, comme il se doit.

Da Costa se laissa tomber sur son fauteuil et glisser jambes écartées le long du dossier jusqu'à ce que sa tête trouve un appui.

— Lis tout.

— Il n'y a pas grand-chose. C'est juste une identification de l'arme. Bob, qu'est-ce qu'on fait si on veut connaître le reste ?

— On en parle d'abord au commandant Baker et ensuite on envoie une demande, comment vous dites ? Un « mail », c'est ça ? Au FBI.

Elizabeth-Ann le contempla et une sorte de tristesse passa dans son regard noisette. Elle haussa les épaules et conclut :

— De toute façon, je crois qu'on n'a pas le choix.

Base militaire de Quantico, FBI, Virginie
12 novembre

Cagney leva la tête à l'entrée de Richard Ringwood. Il enleva ses lunettes et se massa la racine du nez.

— Vous dînez ici, ce soir, monsieur ?

— Oui. J'ai la flemme de jeter un sachet de soupe lyophilisée dans un bol d'eau chaude.

— Je ne sais pas si celle que l'on sert ici est meilleure, mais au moins on n'a pas à la touiller. Puis-je me joindre à vous ?

— Avec plaisir, Richard. Mais promettez-moi de ne plus vous inquiéter de l'hibernation des marmottes.

Ringwood regarda sa montre et déclara, plus joyeux :

— Bon, je vais nettoyer ma boîte à lettres et je passe vous prendre dans un quart d'heure. Ça va ?

— Parfait.

Richard déboula moins de cinq minutes plus tard, essoufflé comme s'il venait de courir un cent mètres, alors que son bureau était mitoyen de celui de Cagney.

— Pourquoi ces trucs-là arrivent-ils toujours à huit heures du soir ? clama-t-il en brandissant quelques feuilles.

— Encore un coup du gouvernement pour nous forcer à faire des heures supplémentaires sans nous payer. C'est quoi ?

— Une demande d'informations du Boston PD concernant un double meurtre de médecins, en Californie, il y a onze ans. Selon eux, la même arme aurait servi pour un nouveau doublet, il y a quelques jours.

— Faites voir.

Cagney parcourut rapidement les feuilles et demanda sans lever la tête :

— On les connaît, Da Costa et Gordon ? J'ai déjà rencontré Baker.

— Da Costa, ça me dit quelque chose. Un grand mec, baraqué, limite bedonnant. Elle, non, je ne vois pas.

— De quoi s'agit-il ?

— Un entrepreneur bostonien et son associé se sont fait descendre dans la banlieue chic de Boston. Il y a eu vol, notamment d'une toile moderne, mais selon toute vraisemblance, il s'agirait plutôt d'un règlement de comptes ou d'une exécution. L'arme n'a pas été retrouvée. Si l'on en croit les rapprochements des rapports de balistique, il s'agirait d'un Sig Sauer, déjà manquant lors d'un double meurtre en Californie.

— Combien d'années avez-vous dit ?

— Onze ans.

— L'arme a pu pas mal circuler pendant ce temps-là.

— C'est une des possibilités, en effet.

Cagney se redressa dans son fauteuil et déclara d'un ton las :

— Bon, écoutez Richard, je suggère qu'on laisse tomber jusqu'à demain.

— Ça marche.

Une demi-heure plus tard, ils s'installèrent à une petite table ronde, devant un bol de soupe rosée, qui avait sans doute connu une tomate un jour, mais qui n'en avait gardé que le nom. Richard jetait de fréquents coups d'œil vers les présentoirs réfrigérés du self et Cagney proposa :

— Richard, si vous devez convoiter cette dernière part de cheesecake pendant tout le repas, autant craquer tout de suite et aller la chercher.

— Oh, non, je n'y ai pas droit.

— Alors faites-vous une raison.

— C'est au-dessus de mes forces. Ce que je souhaite, c'est que quelqu'un arrive et la prenne.

— Il est presque 21 heures. Les gens normaux ont déjà dîné.

Le self était presque vide, à l'exception de deux jeunes femmes en survêtement qui buvaient un cappucino à petites gorgées.

Dehors, la nuit était épaisse, cotonneuse, froide. Cagney songea que, vue de l'extérieur, la grosse coquille vitrée de la salle lumineuse devait ressembler à une nef perdue dans l'espace, poursuivant une course de plus en plus inepte dans le vide, contre le vide.

Tout cela n'avait aucun sens, aucune logique. Sa vie se résumait à une série d'événements plus ou moins heureux qui l'avaient conduit d'un point à un autre. Sur le moment, les choses avaient eu l'air cohérentes. L'arrivée à un point sécrétait la nécessité de partir pour un autre. Mais lorsqu'il s'extrayait de sa propre vie et qu'il regardait en arrière, il ne distinguait plus qu'un empilement chaotique d'impondérables, une succession aléatoire d'accidents qui aurait parfaitement pu être différents sans que cela change quoi que ce soit. Merde, quelle prétentieuse chimère, quel pathétique soulagement de croire que notre existence fait la différence, que notre passage a un but précis, un sens... Mais maintenant, il y avait Gloria, sa vie avec elle, aussi embryonnaire fût-elle... Si ce n'était pas une explication, au moins était-ce une justification recevable.

Ses pensées furent interrompues par la découpe d'une silhouette masculine dans son champ de vision. Il leva la tête et détailla le nouveau venu auquel Richard souriait d'un air interrogateur.

— Bonsoir, monsieur. Je suis confus de vous déranger durant votre dîner. Je ne sais pas si vous me remettez.

La scène avait quelque chose de familier, mais c'était normal. Beaucoup de jeunes, d'étudiants auxquels Cagney dispensait ses cours à l'université de Virginie profitaient de sa présence au self pour l'aborder. Il avait conscience que cette stratégie était inspirée par leur crainte. Il ne se montrait ni chaleureux, ni accueillant. Si cette tactique avait d'abord été une réaction de défense, elle était devenue une seconde nature, peut-être même sa seule nature. Un homme à table, qui mange, est un homme plus abordable parce qu'il assouvit une fonction triviale qui rassure.

Pourtant, ce grand type noir ne lui disait rien, sinon qu'il était un de ces beaux spécimens de mâles en pleine forme, comme on en voyait tant dans les couloirs ou les salles d'exercice. La jeunesse et la santé ont une insupportable arrogance dont elles ne sont même pas conscientes. Ces muscles ne savent pas encore à quel point ils auront mal un jour du moindre effort, ces articulations fluides qu'il faudra les échauffer tous les matins, parce qu'elles renâcleront.

— Non, je suis désolé. Vous assistez à mes cours ?

— Oui, bien sûr. Je m'appelle Lionel Mary Glover. Je vous ai servi un jour de chauffeur, l'année dernière. J'étais détective au Boston PD. Vous m'avez conseillé d'intégrer le Bureau. C'est ce que j'ai fait.

Cagney sourit. Il revit brusquement l'anneau d'oreille, les longs dreadlocks. Il réentendit le vocabulaire cru mais curieusement sentimental du flic de rue. Il répliqua :

— Oui, je m'en souviens. Le *Mary* vous vient de votre mère, très religieuse, c'est bien ça ?

Lionel Glover rougit et baissa les paupières :

— Oui, vous vous souvenez de moi.

Le jeune homme portait le survêtement bleu à bandes blanches du FBI, et les cheveux coupés très courts.

— Que puis-je pour vous ?

— Eh bien, monsieur, je dois choisir mon stage pratique. J'hésitais entre le Hostage Rescue Team — j'aime assez les trucs très physiques —, et votre unité. J'ai lu sur l'intra-réseau que vous aviez deux postes à pourvoir. Alors bien sûr, je ne peux pas intégrer tant que je ne suis pas officiellement agent, mais l'idéal serait sans doute une formation sur le tas.

Cagney se sentit curieusement ému parce que Glover arrivait à bout de souffle à chaque fin de phrase. Il choisissait des mots simples qu'il avait dû répéter avant de les aborder. Il jugea honnête de préciser :

— L'un de ces postes appartenait à un agent qui s'est fait descendre en mission. J'étais présent. Je n'ai rien pu faire.

— Je sais. J'en ai entendu parler. L'agent Stevenson, une jeune femme.

— Oui, Dawn.

— Écoutez, monsieur, on sait tous que c'est une éventualité non négligeable. Ça fait partie du métier et on vous l'explique dès votre arrivée.

— Bien, alors en ce cas nous vous attendons demain matin. Bonsoir, Glover.

— Bonsoir, monsieur.

Il salua les deux hommes toujours attablés et s'éloigna avec raideur, comme s'il s'empêchait de courir.

— Qu'en pensez-vous, Ringwood ?

— Faut voir à l'usage. Enfin, je suis déjà content que ce ne soit pas une femme. J'aurais eu du mal, après Dawn.

Cagney le regarda en réprimant un sourire :

— Pourquoi ? C'est moins triste quand c'est un homme qui se fait abattre ?

— Je suis ringard, monsieur, vous le savez bien.

Brookline, Massachusetts,
12 novembre

Thomas Barr jeta les photos et le rapport succinct du détective privé sur la table basse. Elle l'avait couillonné jusqu'au trognon !

Il retira ses lunettes et ferma les yeux. Il avait envie de dégueuler et des crampes crispaient douloureusement son estomac. Il avait trop bu, pour éviter de hurler ou de tout démolir. Il aurait même été capable de la frapper si elle avait été là.

Salope ! Sandra le cocufiait depuis des années et avec plusieurs mecs, dont le seul point commun était de savoir ramasser le fric où ils le trouvaient : son fric à lui. Elle se faisait tringler dans des chambres de motel et lorsqu'elle rentrait, elle avait mal à la tête, mal au ventre ou ses règles, ou une infection vaginale, bref, lui son mari ne pouvait la sauter qu'après un véritable parcours du combattant.

C'était sa mère qui allait être ravie. Elle lui avait assez répété « cette fille ne me plaît pas ». Mais les mères sont toutes pareilles. Et qu'est-ce qu'elle voulait aussi, cette vieille taupe ? Qu'il passe le reste de sa vie en fils à maman, à écouter les conneries qu'elle rabâchait à longueur de journées ? C'est sans doute ce qu'elle avait espéré après les deux divorces de son fils unique, qu'il reviendrait dans le giron maternel.

Merde, dégueulasse ! C'était avec le pognon qu'il se crevait à gagner qu'elle se faisait sauter. S'expliquaient les bijoux qu'elle perdait continuellement, les billets que Thomas était sûr d'avoir rangé dans un tiroir et qui disparaissaient. Il avait même foutu deux femmes de ménage à la porte parce que Sandra les accusait de voler. Maintenant, il la haïssait parce qu'il ne supportait pas qu'elle paye pour ce qu'elle ne voulait pas avec lui : le sexe.

Il allait divorcer, encore. Il allait la réduire à la misère. Finis les fringues, la bagnole neuve tous les deux ans, les instituts de beauté. Elle crèverait comme une vieille pute, ou bien elle irait tailler des pipes sur les chantiers pour bouffer.

Il ricana en imaginant sa femme en pleurs à genoux dans la boue, une file de mecs froc baissé sur les genoux, attendant sagement leur tour, clope au bec.

Il entendit la porte-fenêtre de leur chambre glisser doucement sur son rail et chaussa à nouveau ses lunettes. Cette salope essayait de rentrer sans se faire remarquer. Il devait se calmer. Il ne fallait pas qu'il la cogne parce qu'elle porterait plainte immédiatement et qu'avec ces connards d'avocats, il risquait de perdre son procès de divorce et de devoir en plus allonger une pension alimentaire substantielle...

Il attendit quelques secondes, le temps de finir son verre de whisky, de ravaler les sanglots secs qu'avait fait naître son retour et se dirigea vers la chambre.

Elle n'avait pas allumé la lumière et la porte-fenêtre était refermée. Finalement, il la détestait, oui, c'est ça. Il appela, aussi calmement qu'il put :

— Sandra, je crois qu'il faut qu'on discute.

Elle devait être dans la salle de bains attenante à leur chambre, et la nausée le reprit lorsqu'il l'imagina en train de se laver l'entrejambe. Il répéta plus fort, tentant de maîtriser la rage qui faisait trembler sa voix :

— Sandra, sors tout de suite de la salle de bains. Ça ne se passera pas comme ça ! J'ai assez joué au con !

Un murmure lui répondit :

— Oui.

Une forme haute et lourde se dessina devant lui, et dans la pénombre, Thomas comprit que l'autre était armé. Il voulut se précipiter vers la porte, mais une douleur qu'il n'associa pas tout de suite au claquement de la détonation lui scia les jambes. Il tomba sur la moquette à genoux, puis à plat ventre. Il rampa, suffoqué par l'étoile qui lui broyait les reins, le cerveau noyé par la trouille. Le bout d'une chaussure le frappa au visage et il se mordit la langue. La seule pensée consciente qui lui vrilla la tête fut : « Comment il a fait pour se déplacer si vite ? » Et il comprit qu'ils étaient deux. Une voix qu'il ne connaissait pas murmura quelque chose à son oreille, insistante. Il sanglota et sut qu'il allait mourir avant même que la lame ne tranche la peau de sa gorge.

Fredericksburgh,
base militaire de Quantico, Virginie
13 novembre

Cagney se réveilla à six heures du matin. Son premier regard fut pour le lit jumeau vide. Gloria ne reviendrait pas avant samedi soir, ou peut-être même dimanche.

L'absence de rites, de régularité dans ses allers-retours lui devenait intolérable. Il aurait aimé savoir avec certitude qu'elle serait là à telle heure, tel jour, parce que cette assurance aurait été un engagement. Mais Gloria entourait ses arrivées et ses départs d'un tel désordre, d'un tel flou... Cagney avait toujours pensé que les habitudes conjugales finissent tôt ou tard par se substituer à l'amour. Il découvrait que l'amour sécrète lui-même ses gestes coutumiers, ses repères pour suivre l'autre.

Il se leva. Une pluie de neige fondue s'abattait mollement sur la ville. L'hiver revenait et à chaque fois sa dureté prenait des allures de mauvaise surprise. Quatre longs mois de froid, d'obscurité croissante s'installaient. Quatre mois durant lesquels le moindre rayon parcimonieux de soleil serait salué comme une rémission.

Gloria détestait le froid. Cagney redoutait qu'elle ne saisisse ce prétexte pour écourter ses visites.

Il l'appellerait plus tard de la base. Il ne fallait jamais laisser à Gloria le temps de se replier dans son cerveau. Le lien verbal qu'il tissait tous les jours au téléphone était le seul moyen qu'il avait trouvé pour l'en empêcher.

L'Interstate 95 était bondée. Des files de voitures avançaient doucement vers le nord. Cagney conduisit machinalement, anesthésié par le crissement des essuie-glace sur le pare-brise et le ronronnement du chauffage.

Il était 9 heures et demie passées lorsqu'il gara sa voiture sur le parking du bâtiment Jefferson. Il descendit au sous-sol du bunker qui abritait leur unité, le CASKU, anciennement Unité d'Aide à l'Investigation, longtemps baptisée Unité des Sciences du Comportement.

Ce que sous-entendaient ces changements d'appellations était assez vague, même si Cagney ne s'en inquiétait plus vraiment. Il avait d'abord cru que l'ancienne terminologie — trop évocatrice des profileurs, des serial killers et de leurs délires sanglants — intimidait les politiques et qu'on l'avait modifiée en la remplaçant par un sigle banal et passe-partout. En réalité, le changement était plus politique que psychologique. Leurs interventions s'étendaient maintenant à tous les départements du FBI et le recours au profil psychologique débordait de son ancienne signification pathologique.

Lionel Glover attendait devant la porte de son bureau, assis sur la moquette, le dos appuyé au mur. Il se leva immédiatement. Cagney réprima la bouffée d'agacement qu'il sentait monter. Il n'avait pas envie de parler tout de suite, de rentrer dans le vif du sujet. Il voulait s'asseoir, prendre un café, ajuster l'alignement pourtant parfait de son petit *musée des horreurs*, comme le nommait Ringwood : une collection d'objets disparates dont le mauvais goût tranchait avec l'ordre martial et l'austérité de son bureau.

— J'espère que je ne vous dérange pas, monsieur ?

— Si, mais c'est ma faute. J'aurais dû préciser une heure. Entrez Glover, installez-vous. Je vais prévenir Ringwood que je suis arrivé.

Celui-ci ne se trouvait pas dans son bureau, mais son pardessus suspendu comme un torchon au portemanteau en tube chromé prouvait qu'il était déjà arrivé. Cette succession de menus riens, dont la seule faute consistait à n'être pas habituels, à ne pas lui permettre de rentrer comme il le souhaitait dans sa journée, acheva de mettre Cagney de mauvaise humeur. Eux aussi lui échappaient, tout lui échappait et cela l'exaspérait.

Il revint dans son bureau et s'installa dans son fauteuil, sans un mot pour Glover dont les mains croisées sur les genoux et les pieds repliés sous sa chaise indiquaient qu'il était tendu.

Cagney contempla le jeune homme. Quel âge avait-il déjà ? Vingt-cinq ans. L'âge où tout est encore possible, où les choix ne se sont pas encore suffisamment incrustés pour devenir irréparables, du moins le dit-on.

Lionel Glover patienta puis pencha la tête, inspira et commença :

— Ainsi que je vous le disais hier, monsieur, je...

Cagney l'interrompit :

— C'est toujours une erreur.

— Je vous demande pardon ?

— De tenter de meubler un silence parce qu'il commence à vous gêner. Le silence est une arme, il faut apprendre à la manier. Je me souviens parfaitement de ce que vous m'avez dit hier et vous le savez. Je suis, nous sommes, d'accord sur le principe. Cependant, cette formation *sur le tas,* comme vous l'appelez, ne vous dispense aucunement d'acquérir les bases académiques. Entendons-nous bien : les connaissances théoriques de psychologie et de criminologie ne sont pas une panacée, mais vous constaterez vite que cette forme de gymnastique intellectuelle évite bien souvent de se planter complètement. Ce sont des fondations. À ce titre, elles doivent être solides.

— C'était mon intention.

— Bien.

Ringwood entra à ce moment, porteur de trois gobelets de café fumant, coincés en équilibre précaire entre ses mains.

— Richard, je vous présente Lionel Glover. Glover, Richard Ringwood, l'informaticien de céans.

Richard grogna :

— Oui, nous avons échangé quelques mots en vous attendant. L'informaticien de céans a reçu un nouveau mail du Boston PD. Un autre type s'est fait refroidir. Même *modus operandi* que l'entrepreneur et son associé.

— Ils se connaissaient ?

— Je n'en sais pas beaucoup plus.

Glover demanda :

— Qui est chargé de l'enquête ?

— Un certain Bob Da Costa et Elizabeth-Ann Gordon. Vous connaissez ?

— Elle non, mais Da Costa oui, très bien. Un mec super et un bon flic.

— Et donc selon vous, Da Costa ne prendra pas ombrage de notre intérêt pour son enquête ?

— Non, je ne crois pas, surtout qu'il me connaît bien.

— C'est bien ce qui m'inquiète, murmura Cagney.

— Pour quelle raison ?

— Mais parce qu'en général les flics vivent comme une trahison que l'un des leurs quitte le sérail pour rejoindre les Feds, comme ils disent. Richard, pouvez-vous sortir le rapport concernant ce double meurtre en Californie ?

— C'est déjà fait, monsieur. Je vais le chercher. L'histoire était bancale.

Cagney s'absorba dans la lecture des quelques feuillets. Ringwood et Glover, installés en face de lui, buvaient leur café en silence.

Il reposa le dossier et commenta :

— Donc, les Hewitt. Timothy et Joyce. Respectivement 45 et 41 ans. Tous les deux chirurgiens plastiques. Belle clinique privée à Sausalito. Très jolie fortune. Deux enfants. Une fille, Venice, âgée de 19 ans au moment des faits, et un garçon, Stephen, 17 ans. Les Hewitt ont été abattus à l'aide du fameux Sig Sauer le 8 juin 1987. Les enfants étaient à la plage en compagnie d'une des infirmières de la clinique, Cindy Robertson, avec laquelle les Hewitt entretenaient des relations amicales. L'hypothèse retenue est que les Hewitt ont surpris un cambrioleur en rentrant chez eux plus tôt qu'à l'accoutumée. On n'a jamais retrouvé l'arme. Pourtant le détective chargé de l'enquête, Colin Burke, a toujours eu des doutes sur la thèse du vol. Une standardiste de la clinique lui aurait confié que Joyce Hewitt avait reçu un appel « bizarre » dans l'après-midi. Cette femme n'a jamais voulu signer sa déposition et elle s'est ensuite rétractée en disant qu'il n'était pas inhabituel que le Dr Joyce Hewitt reçoive des appels d'interlocuteurs refusant de décliner leur identité. En substance, pas grand-chose.

— D'autant que ni le mari ni la femme n'ont été égorgés, précisa Ringwood.

— En effet. Meurtres par balles multiples. Ringwood, essayez de me loger ce Colin Burke, j'aimerais bien lui parler. Glover, votre stage commence maintenant.

Cagney téléphona ensuite au Boston PD et demanda le commandant Baker. Baker était un flic de la vieille école, un de ceux qui avaient gravi la hiérarchie policière à force de travail et d'acharnement. Il insistait trop sur ce point pour que sa fierté soit vraiment anodine. Cagney était presque certain qu'elle dissimulait une sorte de jalousie inconsciente pour « ces jeunots » frais sortis des écoles de la police et des universités, parachutés à des postes de responsabilité. Or, Cagney n'avait pas envie de se mettre Baker à dos. Il pouvait bien sûr passer en force, mais c'est toujours une très mauvaise tactique avec les vieux flics.

— Comment allez-vous, Paul ?

— Bien James, si ce n'est que ma sciatique me reprend.

— Allons, je vous connais, rien ne vous empêchera de courir comme un lapin.

— Ça dépend de ce qu'il y a à l'autre bout. Qu'est-ce qui me vaut le plaisir de votre appel ?

— Cette histoire de double meurtre et puis celui de Brookline, hier soir je crois. Un certain Da Costa est chargé de l'enquête. J'aimerais bien le rencontrer, si vous n'y voyez pas d'inconvénient.

— Oui, une sale histoire. Da Costa et sa partenaire sont convaincus qu'il s'agit d'un règlement de comptes.

— Et vous ?

— Je ne sais pas trop. Ce flingue qui refait surface onze ans plus tard, ça me chiffonne.

— Oui, nous aussi.

— Ah, je savais que les antennes fédérales allaient vibrer.

— Pour tout vous dire Paul, l'enquête sur le meurtre californien laisse, elle aussi, un sentiment désagréable.

— De quel ordre ?

— Le détective chargé du meurtre n'était pas convaincu par la thèse retenue. Ce n'est pas à vous que j'expliquerai que le flair d'un flic de terrain vaut au moins qu'on s'y arrête.

Au ton de Baker, Cagney sentit que sa flatterie avait porté.

— Ben, je suis content que vous le pensiez. Franchement, je crois que Da Costa peut s'en sortir, surtout qu'on va mettre d'autres gars maintenant. D'un autre côté, si tous ces meurtres sont liés, c'est sûr que vous êtes concernés.

— Ils le sont au moins par l'arme du crime, Paul. Je peux faire l'aller-retour lundi. Je serai à Boston en fin de matinée. Vous pouvez m'arranger une entrevue avec Da Costa et sa partenaire ?

— Pas de problème, James. Je vous attends.

Cagney se leva et s'étira. Cette barre dans les reins ne le quittait plus. Il faudrait vraiment qu'il aille voir un médecin.

Ringwood était au téléphone et Glover le regardait parler à son interlocuteur en hochant la tête. Richard fit un petit geste de la main comme s'il redoutait une interruption. Enfin, il raccrocha.

— Bon, pas de bol. Colin Burke est à la retraite depuis deux ans. En plus, c'est plutôt le genre retraité actif, sac à dos et randonnées pédestres de plusieurs jours ou descente de torrents en canoë. Ça me tue, des mecs comme ça. En d'autres termes, il n'est pas chez lui. Je lui ai laissé un message lui demandant de nous rappeler au plus vite. Désolé, messieurs, je n'ai rien d'autre à vous offrir pour l'instant.

— Tant pis, nous rongerons notre frein jusqu'à cet après-midi. Bon, si on allait déjeuner ? Vous n'êtes pas végétarien, au moins Glover ? J'en ai assez de faire figure de dinosaure carnassier, face à l'aimable herbivore Ringwood.

— Non, monsieur. Mais les taureaux de combat sont des herbivores.

Ringwood redressa le torse, bras écartés, et déclara d'un ton enjoué :

— Vous me plaisez bien, Glover. Vraiment.

Novembre, Massachusetts

C'est toujours cette histoire du scorpion et de la mangouste qui revient. Un incendie ravage les collines avoisinantes, vitrifiant le sol sur son passage. Les flammes avancent, vite, affamées de destruction. La mangouste et le scorpion fuient, mais la rivière profonde barre leur évasion.

Le scorpion ne sait pas nager et il n'est pas certain d'avoir moins peur de l'eau que de la furie du feu. Il supplie la mangouste de le charger sur son dos pour lui permettre de traverser. Elle refuse, elle le connaît depuis des millénaires. Il est meurtrier, sans passion, sans pitié. Ils discutent. Le feu les cerne bientôt.

Le scorpion pleure. Il ne veut pas mourir. Il promet, explique qu'il n'aurait pas la stupidité de tuer son sauveteur. La mangouste cède. Le scorpion grimpe sur son dos et elle plonge.

La carapace noire se tend, tremble. La mangouste nage. Ils sont presque sauvés. Et soudain, la queue frissonne et le dard plonge dans le cou de la mangouste.

Alors qu'ils se noient tous les deux, elle gémit : « Mais, pourquoi as-tu fait cela ? » et il répond en pleurant : « Parce que c'est ma nature. Pardonne-moi. »

Il y a dans l'essence du pardon l'obligation de donner.

Le pardon est un don. On admet que la distribution des dons est aléatoire, injuste, ou presque miraculeuse. Pourquoi, dans ce cas-là, faudrait-il espérer que nous soyons tous doués, doués de pardon ?

Même si on l'admettait, par pure curiosité, jusqu'où peut-on donner ? Convient-il de décider de la quantité de pardon, de sa persistance ? Et que peut-on donner lorsque tout a été pris ?

Du reste, en toute lucidité, comment fait-on pour se donner à soi-même, lorsqu'il n'est pas dans sa nature de pardonner ?

Fredericksburgh, Virginie
13 novembre

Cagney retira lentement les clefs de la serrure. Il était déçu par l'obscurité de l'appartement et s'en voulut. Après tout, il n'avait jamais pensé qu'elle serait déjà là. Si, bien sûr qu'il l'avait pensé ! Du moins l'avait-il espéré.

Il alluma le plafonnier du couloir et laissa tomber sa serviette, tenant précautionneusement le gros bouquet de chrysanthèmes jaunes et le sac en papier de l'épicerie voisine.

Il enclencha son répondeur et fouilla dans le bas de l'une des bibliothèques Chippendale, à la recherche de ce gros vase rond que Gloria lui avait offert et qui ressemblait à un aquarium en verre dépoli.

Il avait décidé de lui cuisiner un poulet au cidre, aromatisé de pleurottes et de chanterelles, accompagné d'un peu de riz basmati.

L'anorexie de Gloria était un sujet tabou, il l'avait instinctivement compris. La nourriture la ramenait à une matérialité des corps qu'elle supportait mal, sans doute parce que c'était son corps qu'on avait blessé, souillé, sans doute parce que ce corps, qu'elle était trop jeune pour pouvoir défendre, avait été sa seule faiblesse : l'objet du désir et de la fureur de son beau-père. Il avait ri lorsqu'elle avait pleuré, l'avait fait taire lorsqu'elle avait essayé de parler. Elle l'avait tué, un jour, parce que c'était la seule issue qu'il lui laissât.

Il fallait prendre le temps de rééduquer ce corps, lui faire comprendre qu'il pouvait exister sans forcément supporter.

Il ne faudrait pas que les morceaux de poulet soient identifiables. Elle ne mangeait que des viandes hachées ou des purées de poisson. C'était la raison pour laquelle elle se nourrissait surtout de plats asiatiques. Impossible de reconnaître la forme d'un animal dans les artistiques émincés, les brochettes miniatures, les bouchées enveloppées d'une fine pellicule de crêpe de riz.

Cagney se souvint de cette fabuleuse conférence d'anthropologie culinaire à laquelle il avait assisté, par hasard, quelques mois plus tôt. Le conférencier, un sociologue, avait parsemé son exposé d'exemples qui avaient frappé Cagney. Il avait évoqué la composante magique de la nourriture. Selon lui, il n'existait aucune similitude parfaite entre les différents peuples de la terre passés ou présents, excepté la symbolique de l'aliment. Certains peuples avaient prôné le mariage, d'autres non. Certains toléraient l'inceste, le divorce, voire le meurtre, d'autres pas. La plupart croyaient en des dieux, alors que d'autres n'avaient jamais été effleurés par l'idée d'une force supérieure. Pourtant, tous, sans exception, étaient convaincus que l'on est ce que l'on mange. Manger un animal, c'était manger la vitalité, la combativité, bref s'approprier une autre vie. C'était précisément cette animalité que Gloria voulait gommer.

Jouissait-elle avec lui ? Il n'en était pas sûr, et son silence haché, alors qu'il perdait le souffle dans l'orgasme, lui faisait peur.

Sa voix le fit se redresser, le vase à la main.

« Je suis désolée, James. Je ne peux pas venir. Clare est tendue. Il faut que je reste avec elle. Passe un bon week-end. »

Il demeura là, figé, à entendre résonner dans sa tête ces mots crétins : « Passe un bon week-end. »

Conne ! Le vase vola en gros éclats verdâtres contre le mur du salon.

San Francisco, Californie
14 novembre

Gloria sortit de la boutique, fourrant dans sa poche les deux barrettes d'extension mémoire qu'elle venait d'acheter pour l'un de ses ordinateurs. Il était encore tôt. Elle avait le temps de flâner un peu, d'acheter une babiole pour la maison.

L'homme de l'autre côté de la rue attira son regard et elle sut pour quelle raison avant même que son cerveau n'enregistre les détails de sa silhouette. Il ressemblait à Sam, en un peu plus jeune peut-être.

Les larmes lui vinrent aux yeux au souvenir du titan débonnaire qui tenait la boutique de delicatessen près de son appartement à Brookline. Parfois, lorsqu'elle s'endormait, s'attardant dans cette phase étrange qui lie encore la conscience au rêve, elle avait l'impression d'entendre Sam, son accent, les voyelles qu'il mélangeait, les consonnes qu'il oubliait ou ajoutait. Elle savait maintenant qu'elle ne devait surtout pas tenter de se réveiller parce qu'alors, elle ne comprendrait jamais ce qu'il voulait lui dire. Mais les sons qu'elle percevait ne formaient pas de mots.

L'homme en face était en grande discussion avec son chien, assis devant lui, la tête levée vers son maître. Il s'agissait d'une sorte de berger à poils longs et grisâtres. Le maître insistait sur un point, mais le chien ne semblait pas partager son avis et jappait en remuant la queue. Le maître gronda le chien, tendant vers sa truffe un index qu'il croyait sans doute menaçant. L'animal eut l'air de trouver ce jeu distrayant et lécha le doigt avec application. Enfin, le maître se résigna et sortit d'un petit sac en papier Kraft l'objet du litige qu'il tendit au chien délirant de joie : un cookie. Gloria éclata de rire. Sam aurait fait pareil. Il aurait discuté des heures durant avec un âne pour le convaincre qu'il avait tort, juste pour le bonheur de discuter et puis, il aurait cédé, pour le plaisir de céder.

Elle avait aimé Sam, même si elle ne l'avait compris que lorsqu'il était mort. Donc elle aimait James. Ce qu'elle s'énonça à elle-même comme une évidence mathématique lui coupa le souffle. Elle l'aimait, elle avait peur qu'il meure, comme Sam. Qui avait dit qu'il faudrait toujours se rendre compte que l'on aime les gens lorsqu'ils sont vivants ? Sam, James ou Hugues de Barzan ? Non, ce n'était pas une phrase comme les aimait Hugues. Elle manquait d'énigme.

Gloria n'avait plus envie de flâner. Elle fit quelques courses au supermarché en suivant la liste informatique que débitait chaque semaine son ordinateur. Ce genre d'obligations ménagères l'ennuyait et elle oubliait à chaque fois quelque chose. Elle avait donc programmé l'ordinateur, lui indiquant la fréquence des achats à effectuer : le thé toutes les semaines, la poudre à laver tous les mois, des crackers tous les dix jours et ainsi de suite. La machine se débrouillait de toute évidence bien mieux qu'elle : il était maintenant rare que quelque chose manquât.

Elle rentra aussi vite que possible et déposa les sacs dans l'entrée. Elle s'approcha du téléphone posé sur une console chinoise en bois roux clair et n'hésita qu'une seconde.

— Comment vas-tu ?

— Mal puisque tu n'es pas là.

— James ? Je crois que tu me manques.

Un silence, puis une sorte de soupir. Cagney répondit d'une voix encore plus grave :

— C'est peut-être la première déclaration que tu me fais.

Tentant de plaisanter, elle rétorqua :

— Il ne faut pas s'y habituer.

— J'aime le risque mais je ne suis pas suicidaire, ma chérie.

— Tu as beaucoup de travail ?

— Tu as peur ?

— Oui. J'ai... Enfin, j'ai pensé à des choses tout à l'heure.

— Quoi ?

— Plus tard.

— D'accord, si tu promets. (Reprenant un ton plus enjoué, il enchaîna :) Oui, j'ai beaucoup de travail.

— Une nouvelle enquête ?

— Je ne sais pas encore très bien. En fait, il s'agit d'une série de meurtres dont on ne sait pas trop s'ils concernent les Fédéraux. Je fais l'aller-retour à Boston lundi. Je dois rencontrer les deux flics chargés de l'enquête.

— Un serial killer ?

— Madame la mathématicienne lève l'oreille ?

— Les deux oreilles.

— Non, je ne crois pas, ou alors son type de profil est inconnu au bataillon et on est mal.

— C'est-à-dire ?

— Pas de rites, ni même vraiment de démonstration, rien. Des meurtres d'une sobriété décourageante. Il n'y a rien à tirer du *modus operandi*.

— C'est peut-être une série de règlements de comptes.

— On y pense aussi, d'autant que deux des victimes avaient des accointances du genre qu'il vaut mieux éviter si on veut vivre paisiblement.

— Mais, que ce soit un serial killer ou le crime organisé, cela vous concerne, non ?

— Ce n'est pas aussi simple, parce que rien ne nous permet de l'affirmer. Même les règlements de comptes ont un côté théâtral, pédagogique si je puis dire.

— Comment cela ?

— On tue pour l'exemple, et il faut que les autres le sachent pour décourager toute rébellion, pour éviter tout précédent fâcheux.

— Et qu'est-ce que cela te suggère ?

— Que la ou les personnes qui ont commis ces meurtres se foutent d'un public. S'ils sont deux, c'est peut-être parce qu'ils sont leur propre public, une sorte d'émulation perverse. Ce n'est pas grand-chose, mais c'est tout ce que l'on a.

— Vous n'êtes même pas sûrs qu'ils soient plusieurs ?

— Non. Certains détails relativement indémontrables, comme la rapidité du passage à l'acte, le fait qu'ils n'hésitent pas à s'attaquer à deux victimes de sexe masculin à la fois laisse à penser qu'ils sont deux, voire trois. Le problème est que l'on n'a découvert pour l'instant qu'un seul sang étranger aux victimes sur les lieux des crimes, probablement le même. L'empreinte génétique est en cours et on devrait obtenir une certitude.

— Il n'y a pas d'autres indices ?

— Rien. Si ce n'est le fait qu'ils, ou il au singulier, ne frappent pas au hasard. Ils savent exactement où et quand trouver leurs victimes, et ils semblent connaître les lieux où ils opèrent. À priori, ils n'ont pas fait de casse inutile, si tu me permets l'expression.

— Je permets si tu m'expliques.

— À première vue, il semble qu'ils aient toujours tué des gens sélectionnés à l'avance.

— Pas « d'innocentes victimes » comme dirait la télé ?

Il rit.

— C'est cela, uniquement des « victimes coupables d'être des victimes ».

— Il s'agit peut-être d'une vengeance ?

— On y a pensé, mais cela ne tient pas. Lorsqu'elle arrive à ce paroxysme, la vengeance est elle aussi démonstrative. Elle oscille fréquemment entre sadisme et fureur pure. C'est le mari que l'on empoisonne à petit feu et que l'on regarde mourir durant des années, c'est le cadavre sur lequel on s'acharne. À priori, il n'y a pas grand-chose de féroce dans ces meurtres. Même l'égorgement est net, précis, presque professionnel. C'est sur les meubles que le saccage s'exerce.

— Un tueur sous contrat ?

— Oui, mais pourquoi ?

— Ah, mais c'est ton métier, ça !

— Quand viens-tu ?

— Plus tard.

— Je t'aime, tu sais ?

— Je sais. Bonsoir, James.

Cette conversation téléphonique lui avait fait du bien. L'étonnante complexité de James rassurait Gloria. Elle se convainquait petit à petit que le cerveau paradoxal de cet homme si divers trouverait toujours une parade efficace aux terreurs qui empêchaient parfois le sien de fonctionner. Un peu comme Hugues de Barzan, à ceci près que Hugues était incapable de digérer l'angoisse, parce qu'il ne la connaissait pas.

Little Bend, Californie
14 novembre

Elle avait menti, bien sûr. Clare n'était pas particulièrement agitée. Elle boudait, comme elle boudait depuis des mois, avec une obstination douloureuse qui rendait Gloria malade.

Gloria avait toujours cherché des moyens, des armes pour éviter tout éloignement de Clare. Mais, étrangement, elle n'avait jamais pensé que cette dérive puisse venir de sa fille. C'était comme si la débilité de Clare la rendait captive de sa mère, comme si son manque d'autonomie intellectuelle et physique engendrait une dépendance sentimentale. C'était lamentable, mais Gloria admettait qu'elle s'était toujours rassurée de la permanence de l'amour de sa fille pour elle.

Elle descendit de voiture. Le ciel était chargé d'une pluie grisâtre qui ne tiendrait pas ses promesses. Il ne pleuvait pas assez. L'herbe toujours verte du parc de Little Bend allait puiser sa vigueur à des dizaines de kilomètres de là, dans une station d'épuration. Le niveau du petit étang artificiel et peu profond — pour ne receler aucune menace — était réajusté toutes les nuits pour compenser les déperditions dues à l'évaporation diurne. Les fleurs fanées des massifs étaient arrachées, remplacées par d'autres, que Jade faisait livrer déjà matures toutes les semaines.

La somme d'artifices nécessaires à la reconstitution de cette enclave de nature qui sonnait si juste lui donna soudain envie de trépigner de rage. Little Bend était un faux-semblant, lui aussi, comme sa vie, comme cette somme d'années qu'elle était parvenue à additionner les unes aux autres. Clare était un faux-semblant que sa mère avait construit par égoïsme, par lâcheté.

Les cris puissants, sur deux tons, du paon qui régnait au fond du parc et narguait les oiseaux prisonniers de la volière ne la firent pas sourire. Clare passait le plus clair de ses journées avec lui. Ses visites quotidiennes s'étaient étirées en longueur et elle lui tenait de longs monologues, presque incompréhensibles.

La jeune fille avait compris que le paon se moquait de la syntaxe et elle lui disait les mots comme ils lui venaient, de façon chaotique et nerveuse. Sa faible maîtrise de l'anglais régressait et c'était un autre douloureux indice. Clare sentait que la langue la maintenait aux autres, à sa mère. Qu'elle l'abandonne, du moins partiellement, traduisait encore davantage son éloignement.

Gloria les découvrit comme elle les avait imaginés. Clare était assise sur l'herbe, les jambes allongées devant elle. Les sons articulés qui sortaient de sa gorge n'étaient plus vraiment des mots, plutôt des indications.

Elle leva le regard vers Gloria qui se força à sourire et acheva l'embryon de phrase qu'elle destinait au grand paon, immobile un mètre derrière elle. L'oiseau redressa le cou et cligna des paupières en fixant Gloria. Il entrouvrit le bec et cette dernière crut qu'il allait vagir de déplaisir.

— Bonjour, ma caille-jolie.

Clare pinça les lèvres. Elle tourna légèrement la tête vers le paon et ponctua son « À la l'eau l'a pas fait » d'un mouvement de l'index vers l'hacienda en pierres beige rosé.

— Tu viens déjeuner, ma chérie ? Ma caille-jolie a faim ? Elle vient manger ?

— Non. Nôôôn. Pas faim !

Elle mentait. Gloria le savait à son regard qui engloutissait déjà le plateau qu'on lui servirait.

La voracité de Clare avait tour à tour inquiété et rassuré Gloria. Comme si toute cette énergie qui n'avait pas su irriguer son cerveau se concentrait sur les actes les plus physiques, les plus charnels de la survie.

— Moi, j'ai très faim, ma caille-chérie. Je ne veux pas que tu boudes, mon ange. Si caille boude, tata-caille est très malheureuse. Je t'aime, ma caille. Tu viens. J'ai du chagrin.

Clare daigna enfin la regarder vraiment et la tristesse de son sourire fit monter les larmes aux yeux de Gloria.

— Chââgrin ? Pas beau ! Caca. Bisous. Tata-caille pas chagrin. Manger.

Elle accepta enfin de se lever et embrassa Gloria, laissant la trace habituelle de salive sur sa joue. Gloria connaissait cette cicatrice humide comme sa vie. C'était d'abord tiède et léger et puis la marque de ses lèvres refroidirait en séchant. En quelques secondes, elle formerait une croûte légère de salive qui tirerait imperceptiblement sa peau.

Elles se dirigèrent enlacées vers l'Hacienda. Le bras lourd de Clare pesait sur les épaules trop minces de Gloria et elle aimait cette pesanteur.

Elles s'installèrent à leur table habituelle, près de la baie vitrée d'où l'on ne perdait pas de vue la volière, objet des fascinations de la jeune fille.

Clare examina le contenu de son plateau avec un sourire humide. Il y avait une petite assiette de dés de betterave, de concombre, de tomate, un blanc de poulet déjà émincé accompagné de boules de purée de carottes et de céleri, un petit ramequin d'une gelée tremblotante vert pomme. Clare gloussa de bonheur et récita toutes les couleurs. Elle eut du mal avec les betteraves, mélangeant le mauve, le bleu et le violet. Elle adorait les couleurs vives et lorsqu'elle coloriait, c'était à grands coups de primaires voyantes, heurtées.

Il sembla à Gloria que le plaisir visuel de sa fille était bref, que son intérêt pour la volière lointaine faiblissait plus rapidement qu'à l'accoutumée. Elle suivit discrètement le mouvement furtif du regard de Clare qui se dirigeait vers le centre de la grande salle lumineuse. Un garçon, un jeune homme plutôt, aussi brun que Clare était blonde. Il souriait, attablé seul à une table.

Une jeune femme en blouse rose pâle s'approcha. Gloria la connaissait de vue. Elle était douce, souriante, mais la chair molle et laiteuse de ses bras qui dépassait de ses manches courtes dégoûtait Gloria.

Elle se pencha derrière Clare et murmura à son oreille quelque chose qui fit rire la jeune fille. Cette minuscule connivence agaça Gloria. L'aide-soignante dut le comprendre et expliqua :

— Je lui ai dit qu'aujourd'hui, elle ne pouvait pas commencer par la gelée puisque vous étiez là.

Gloria se força à sourire, mais elle se foutait de la nature du secret. C'était la clandestinité de sa fille qui lui paraissait intolérable.

L'aide-soignante déposa une petite pilule ronde et rose devant Clare :

— Il faut la prendre, ma chérie. Tu as encore oublié ce matin. Allez, il faut l'avaler.

Gloria demanda :

— C'est un neuroleptique ?

La jeune femme la contempla d'un air sérieux et se contenta d'un « non » sans appel. Elle s'assura que Clare avalait le médicament, l'embrassa et repartit.

Une vague incompréhensible de panique dessécha la gorge de Gloria. Elle avala trop rapidement le contenu de son verre d'orangeade et faillit s'étrangler. Pendant qu'elle reprenait sa respiration, son cerveau additionna les informations qu'elle tentait de se dissimuler depuis des semaines.

Clare aurait bientôt 19 ans. Little Bend était une institution mixte. Les yeux noirs du jeune homme lui mangeaient les joues. Il était beau, un peu trop mince peut-être. Clare avait pour les sons, les couleurs, les odeurs, pour les images de la vie, un appétit que rien n'apaisait. Il s'agissait d'une pilule contraceptive.

Pas maintenant.

Ne pas interpréter cela maintenant. Plus tard.

Elle parvint à terminer son repas alors que chaque bouchée lui revenait dans la bouche, gluante de salive et de sucs gastriques. Elle se contraignit à rester une heure de plus, à flâner dans le parc aux côtés de Clare. Les nuages gorgés de pluie avaient disparu, laissant place à un ciel de traîne, indécis et pingre.

Elle remonta en voiture et verrouilla automatiquement les portières. La crise de nerfs qu'elle jugulait depuis plusieurs heures se déversa et elle hoqueta, le front collé au volant.

Elle ne le supportait pas. Elle ne supportait pas la vision du ventre de ce garçon sur celui de son bébé. Elle ne pouvait pas admettre que le corps de sa fille ait évolué, alors que son cerveau restait bloqué pour toujours. Surtout, l'évidence du sexe pour Clare lui était incompréhensible.

Elle se rendit compte soudain qu'elle gémissait bouche ouverte en fixant, au-delà du pare-brise, le visage soucieux de Jade qui l'avait suivie. Gloria fit un effort surhumain pour reprendre le contrôle de ses nerfs et abaissa la vitre.

— Nous distribuons la pilule à toutes les jeunes filles de l'établissement, Mrs Parker-Simmons. On ne peut pas confiner nos pensionnaires. Leurs progrès sont à ce prix. Je vous l'ai signalé lorsque vous nous avez confié votre nièce et vous avez signé une autorisation. Mais vous l'avez oublié, bien sûr.

Hargneuse, Gloria rétorqua :

— Pourquoi « bien sûr » ? Et puis, je pensais tout de même qu'étant entendu le montant de vos honoraires, Clare serait entourée, surveillée plus efficacement que cela.

— Nos pensionnaires n'ont pas intégré tous les interdits sociaux ou religieux, Mrs Parker-Simmons. De plus, ils se posent rarement la question de leur futur ou du prolongement de leurs actes. Le sexe est aussi naturel pour eux que manger. On a faim, on mange. C'est aussi simple que cela. C'est également pour cette raison qu'il ne faut pas permettre aux autres, à nous, de profiter de leur limpidité. C'est cet abus qui a amené Luis, ce jeune homme, chez nous.

Gloria voulait partir. Jade avait raison, tout cela était parfaitement logique mais la terrorisait. Pourtant, la ravissante jeune femme eurasienne ne l'épargna pas :

— Quant au « bien sûr », je suis certaine qu'il ne demande aucune explication. N'est-ce pas, Mrs Parker-Simmons ?

Fredericksburgh, Virginie
15 novembre

Cagney reposa le roman de Thomas Harris. Il l'avait déjà lu une bonne demi-douzaine de fois. Le titre, à lui seul, était une pure merveille : *Le Silence des agneaux*. Le silence des victimes. Quand se taisent donc les victimes ? Lorsque le prédateur s'endort enfin ou lorsqu'elles ont toutes été égorgées ? Car les prédateurs ne meurent jamais, contrairement aux victimes, parce qu'ils sont interchangeables. Une monstruosité se substitue à une autre et on recommence. Hannibal Lecter n'était pas un serial killer, mais une métaphore, un symbole de prédation. Clarisse également. Elle était un peu de lui, un peu de Glover et de Ringwood. Elle était celle qui s'acharne à croire qu'elle peut faire la différence entre le prédateur et la victime.

Il contempla quelques secondes les chrysanthèmes qui tenaient tête à l'absence. Il avait trouvé un vieux vase en pâte de verre bleu marine rangé au fond d'un placard. Il avait jeté le poulet, la crème, bu le cidre. Durant ces deux jours, il avait déjeuné et dîné de paquets de nouilles chinoises lyophilisées aromatisées aux champignons ou au crabe. Sympa, ces nouilles : il suffisait de verser un bol d'eau bouillante dessus et d'attendre. Bilan d'un week-end de James Irwin Cagney, super-agent du glorieux FBI.

La première sonnerie du téléphone le consterna. Il n'avait pas envie de parler à Gloria, pas envie qu'elle sente à quel point elle lui manquait, à quel point il lui en voulait de ses fuites, de ses incohérences. Il n'avait rien à y gagner. Gloria n'en concevrait aucun sentiment de culpabilité, au contraire. Il allait la gêner, l'agacer, bref lui donner d'autres raisons de croire qu'elle le subissait et de vouloir s'éloigner.

Il se décida enfin à répondre et s'annonça d'un ton jovial :

— James Irwin Cagney.

La voix lasse de Ringwood lui fit écho :

— Bonsoir, monsieur. J'ai pensé qu'il était préférable que je vous passe l'appel. C'est Colin Burke, le flic chargé de l'affaire Hewitt.

— Vous êtes à la base ?

— Oui. Je n'avais pas grand-chose de plus palpitant à faire du week-end.

— Vous auriez dû m'appeler plus tôt. Je vous aurais tenu compagnie.

— Je pensais que...

— Vous pensiez mal. Passez-moi Burke, je vous rappelle ensuite.

La voix décalée par la distance lui parvint. Une voix de stentor, non fumeur, non buveur et randonneur.

— Bonsoir Mr Cagney, car pour vous, c'est presque le soir, non ? Je viens de rentrer du lac Tahoe et j'ai trouvé le message de votre adjoint. Ça m'a fait un drôle d'effet que cette histoire resurgisse après tant d'années. J'y pense souvent.

— Ah oui ? Et pour quelle raison ?

— Vous voyez, il m'est arrivé, comme à n'importe quel flic des homicides, de me planter. Il m'est aussi arrivé de me faire remonter les bretelles par la hiérarchie. Mais je dois dire que c'est le seul cas de ma carrière où j'ai reçu des félicitations, alors que je savais qu'on se foutait le doigt dans l'œil depuis le début.

— J'ai en effet cru comprendre que vous aviez des doutes sur la version officielle.

— Oh non ! Pas des doutes. Je suis certain qu'il ne s'agissait pas d'un cambriolage.

— C'est-à-dire ?

— Ben, c'est vachement délicat, parce que voyez-vous, je n'ai jamais réussi à étayer ma certitude.

Cagney comprit que Burke n'avait aucune envie de courir au-devant d'emmerdements. Il était à la retraite et si l'affaire Hewitt demeurait pour lui un échec, elle ne valait tout de même plus la peine de saboter le confort de sa nouvelle vie.

— Cela reste entre nous, lieutenant Burke. Nous pensons qu'il existe un lien entre cette vieille affaire et une série de meurtres que nous avons sur les bras.

— Oui, c'est ce que m'a dit l'agent Ringwood.

— Il est donc entendu que je prendrai ce que vous me direz comme il se doit : une série d'intuitions, pas une accusation.

Burke hésita encore quelques secondes, puis soupira :

— D'accord. Ça marche. La première chose qui m'a chiffonné, c'est le *timing*. Comme vous le savez, les Hewitt possédaient une clinique spécialisée dans la chirurgie plastique. Ça marchait plus que bien pour eux. Ils rentraient habituellement très tard, en plus, ils sortaient beaucoup. Comme par hasard, ce jour-là, ils rentrent tôt et tombent sur un cambrioleur. Et puis, il y avait ce témoin, la standardiste de la clinique, une certaine Mrs Binasky. Elle a d'abord affirmé que le Dr Joyce Hewitt avait reçu un appel « bizarre ». Selon Mrs Binasky, le docteur s'est ensuite précipitée dans le bureau de son mari. Ils ont quitté la clinique aussitôt sans donner d'explication. Elle les a vus monter dans leur voiture garée sur le parking, face à la réception, et partir en trombe. Le problème, c'est qu'elle a ensuite banalisé son témoignage et d'ailleurs, elle n'a jamais voulu signer de déposition. Le reste était cohérent avec la thèse du cambriolage. D'abord le vol, ensuite le système d'alarme coupé, et on a trouvé des traces d'effraction. Et puis surtout, l'histoire avait pas mal agité les médias : un couple charmant, des gosses orphelins, une réussite sociale, un meurtre abject, bref tout y était. Il fallait une solution.

— Et selon vous ?

— Pour moi, il s'agissait d'un coup monté, mais je n'ai jamais pu le prouver.

— Par qui ?

— Ça, c'est la question à mille dollars.

— Vous avez bien une idée.

— Oui. Je l'ai évoquée auprès de ma hiérarchie à l'époque. Et je me suis fait jeter.

— Je crois que je vois. À qui profite le crime, n'est-ce pas ?

— Juste. Aux gosses Hewitt. Ils ont hérité de tout, et je vous jure que ça représentait un paquet de fric.

— Le fils ou la fille ?

— Je n'en sais rien. De toute façon, ils avaient un alibi en béton. Ils étaient avec cette infirmière, Cindy Robertson.

— Elle était complice ?

— Non, je ne crois pas, ou bien c'était la meilleure comédienne que j'aie rencontrée. Elle a semblé vachement secouée. Les Hewitt étaient ses patrons mais aussi des amis.

— Donc, selon vous, l'un des enfants Hewitt, voire les deux, aurait commandité le meurtre de ses parents pour ramasser l'héritage ?

— Ouais. Mais je vous parle de cela il y a onze ans. À cette époque, la fille, Venice, avait tout juste 18 ans et le fils deux ans de moins. Ça paraissait monstrueux et invraisemblable. On ne parlait pas encore de sociopathie juvénile. Maintenant, ce serait peut-être différent. Et puis, on n'a jamais retrouvé le fameux flingue.

— Aucun autre indice ?

— On a trouvé des traces de sang sur l'arête d'une vitre cassée. Inconnu au bataillon familial ou relationnel. Ce qui n'a fait que confirmer la thèse d'un agresseur extérieur.

— Que sont devenus les enfants Hewitt ?

— Je les ai suivis de loin en loin.

Cagney sourit : il n'en doutait pas. L'obstination des flics n'est pas une légende. Burke reprit :

— Ils sont restés à Sausalito quelque temps. Et puis ils ont tout vendu, la clinique, la baraque, et ils ont fait un long tour du monde. Pour oublier. L'apitoiement du voisinage et des relations des Hewitt était à son comble et si j'avais insisté, c'est moi qu'on aurait lynché. Il faut dire qu'ils étaient aussi jolis, bien élevés et propres sur eux l'un que l'autre. Voilà, c'est tout.

— Vous savez où ils sont maintenant ?

— Non. J'ai fini par lâcher le morceau. C'était ce que j'avais de mieux à faire pour ma propre tranquillité.

— C'est frustrant, non ?

— Vous voulez dire que ça m'a gonflé durant des années ! Je suis presque certain de leur culpabilité et dans ce cas, il s'agit d'un meurtre froidement prémédité, calculé au poil près pour du fric. Franchement, ça me fait encore gerber qu'ils s'en sortent, bourrés aux as, avec en plus la commisération et l'affection de tous.

Cagney sentit à la façon dont il laissait traîner cette fin de phrase qu'il fallait un silence. Il attendit, se contentant d'un :

— Et... ?

— Et merde, qu'est-ce que j'en ai à foutre maintenant, après tout...

— Peut-être parce qu'on n'est pas flic de neuf heures du matin à six heures du soir ?

— Juste, tellement juste. Mrs Binasky vient de déménager. Elle habite maintenant 117 Army Drive, à San Francisco.

Cagney étouffa un rire :

— Comment le savez-vous ?

— Je ne l'ai jamais lâchée. Je me suis toujours dit que peut-être, un jour, elle cracherait le morceau.

— Le morceau ? La déposition sur cet appel qu'elle n'a jamais voulu signer ?

— Pas seulement. À l'époque où je l'ai interrogée, j'ai eu le sentiment qu'elle savait d'autres trucs. Soit elle a eu peur pour son job, soit elle n'aimait pas les flics, toujours est-il qu'elle l'a bouclée comme une huître.

Ils discutèrent encore quelques minutes, mais Burke avait sorti toute son histoire. Cagney eut nettement le sentiment qu'il était soulagé. Il avait transmis ses doutes et ses regrets à quelqu'un d'autre. L'affaire ne serait pas enterrée avec lui et la ténacité d'un autre flic prolongerait la sienne.

Cagney rappela ensuite la base et raconta sa conversation à Ringwood qui siffla :

— Ayez des gosses ! Non que l'humanité m'étonne encore mais, quand même, ça fait un choc.

— Attendez, Richard. Il s'agit de suppositions.

— Vous y croyez ?

— Aux suppositions ou à la culpabilité des enfants Hewitt ?

— À la culpabilité.

— C'est assez séduisant.

— Vous avez de ces termes !

— Je ne vais pas vous apprendre à votre âge qu'il est des séductions mortelles, Ringwood ?

Cagney surveillait le flot de vapeur s'échappant du bec de la bouilloire électrique. Elle était assez jolie, avec une forme arrondie et élancée, un peu comme la tête d'un dauphin. Curieux comme tout était rond maintenant ! Les voitures, les meubles, les bouilloires et les grille-pain. Comme si la vision d'arêtes bien définies heurtait, blessait. Comme si les gens cherchaient dans les formes un remède à la brutalité fondamentale. La rondeur, l'apaisement, les seins d'une femme, les seins de Gloria.

La sonnerie du téléphone le fit sursauter. Il traversa le salon.

— Ringwood ? Décidément, les dimanches vous inspirent.

— Non, pas vraiment. Du reste, celui-ci a été ennuyeux au possible, répondit la voix grave et presque essoufflée de Gloria.

La rancœur le submergea et il regretta ses mots au fur et à mesure qu'il les prononçait :

— Tu aurais pu appeler plus tôt, non ?

— Oui. Je suis désolée.

— Bien sûr, je n'en doute pas, mais le résultat est le même, persifla-t-il.

— Tu es de mauvaise humeur. Je rappellerai plus tard.

La rage remplaça la rancœur et il hurla, crispant le combiné comme s'il voulait le blesser.

— J'en ai marre de cette histoire à sens unique ! J'attends, je patiente, je m'adapte, je t'écoute et toi, qu'est-ce que tu fais ? Où sont tes envies, où sont tes efforts ?

— Je... Enfin, Clare...

— Ça suffit, pas à moi. Clare est un alibi. Clare, c'est ton épouvantail et c'est indigne. C'est toi le problème, ce n'est pas elle et tu le sais, et c'est ça qui t'emmerde. Tu devrais seulement l'aimer, mais tu te sers d'elle, Gloria, contre toi et contre moi !

— Tu es dégueulasse !

La tonalité signalant que la ligne venait d'être coupée résonna. Il était inutile de la rappeler. Elle ne décrocherait pas et il n'avait pas envie de poursuivre cette conversation qui ne menait à rien, comme d'habitude.

San Francisco, Californie
15 novembre

Gloria Parker-Simmons fixa le combiné du téléphone posé sur la console chinoise en bois roux qui s'adossait à l'un des grands canapés du salon. Elle se demanda s'il allait rappeler, songeant presque à raccrocher le combiné pour le vérifier. Son imbécillité l'irrita. Depuis quand les réactions ou les attentes des autres, qui n'étaient ni Clare, ni elle, avaient-elles un poids, une signification ? Et merde ! Depuis Sam, depuis Maggie. Depuis lui.

Elle se dirigea vers la cuisine, qu'elle avait fait complètement transformer. L'élégance glacée de l'ancienne cuisine laboratoire l'avait insupportée. Les chromes, le verre, le bois lisse et blanc sécrétaient une atmosphère réfrigérante. Elle avait toujours l'impression que la température s'abaissait brutalement de plusieurs degrés lorsqu'elle passait sous l'arche qui séparait le salon de la cuisine. Gloria détestait de plus en plus le froid. Elle avait souvent froid dans cette maison dans laquelle, pourtant, elle faisait régner une chaleur de serre.

Elle serra son châle vert foncé autour de ses épaules. Curieusement, le souvenir de cette matinée d'hiver glaciale, à Cambridge, lui revint. Ils avaient traversé le parc botanique et elle avait ramassé des pommes des différents conifères centenaires. Presque un an déjà. C'était la première fois qu'elle le voyait vraiment rire. Elle n'avait pas eu très froid, ce jour-là. Pourtant, son nez et ses doigts étaient glacés. Plus tard, dans la nuit, ils avaient fait l'amour. Enfin, si on peut appeler cela comme ça. C'était pour elle le premier corps d'homme qui ne l'écrasait pas, qui ne la frappait pas. C'était davantage la décision de rompre avec ce qui l'avait faite depuis des années qu'un moment de sexe.

Il était étonnamment mince et ferme pour un homme de son âge. Ses hanches, sous son ventre, étaient tièdes. À un moment, la peur l'avait saisie parce qu'elle avait eu envie de goûter sa peau et que l'idée lui semblait monstrueuse. Depuis, c'était lui qui avait peur, parfois, mais elle ne comprenait pas de quoi.

Qu'est-ce qu'un homme met vraiment dans le sexe ? Qu'est-ce que cela signifie au juste pour lui ? Est-ce que c'est quelque chose qui se prolonge ou juste un moment, un éblouissement ? Est-ce différent d'une femme à l'autre ? Et puis, elle n'en avait rien à foutre des hommes ou des femmes. Ce qu'elle voulait, c'était savoir ce qu'il attendait lorsqu'il murmurait « mais, dis-moi » et pourquoi il semblait si triste.

Gloria se servit un verre de chablis dans la grande cuisine chaleureuse en briques rouge-brun, et s'adossa contre un des comptoirs en teck roux. Il ne faisait pas chaud. Elle but à petites gorgées. Il fallait qu'elle mange quelque chose, mais la nausée lui coupait l'appétit. Elle n'avait rien avalé depuis la veille. Maggie dirait : « C'est normal que t'aies mal au cœur. Tu bouffes pas ! » Gloria ouvrit la porte du grand réfrigérateur et son regard examina les étagères désertes. Il lui restait des œufs mangeables. La vision de deux jaunes glaireux grésillant dans une poêle lui vit venir un renvoi de vin tiédi et acide dans la gorge, et elle se précipita vers l'évier.

Boston Police Department, Massachusetts
16 novembre

Bob Da Costa et Elizabeth-Ann Gordon étaient déjà installés dans le bureau du commandant Baker lorsque Cagney fut introduit. Les deux flics se levèrent avec un ensemble militaire. Cagney sourit et déclara :

— Je vous en prie. Installons-nous.

Il se sentait vidé. Il avait combattu toute la soirée de la veille un étrange sentiment d'échec et était parvenu au prix de l'épuisement à repousser l'inévitable reddition qu'il sentait venir. Il ne pouvait pas, ne voulait pas continuer. Il aurait pu, même contre sa propre volonté, mais pas contre celle de Gloria parce que ça ne servait à rien. Comme une de ces imbéciles paraboles mythologiques : ce type qui poussait pour l'éternité un rocher en haut d'une colline et qui le prenait sur la gueule à chaque fois qu'il parvenait au sommet. Tant qu'il avait cru qu'il y avait matière à combat, il s'était battu. Mais on se bat contre quelque chose, et il ne rencontrait que le vide depuis des semaines.

Cagney revint au bureau, à l'enquête, à l'introduction de Baker qui insistait sur cette nécessaire collaboration, puis passait la parole à Da Costa. Bob Da Costa était intimidé parce que Baker lui avait fait la leçon : il devait être bref, concis mais ultra-précis. Il y avait une telle antinomie dans cette liste de recommandations qu'il avait répété avec Elizabeth-Ann la veille au téléphone. Il avait l'impression de réciter une leçon et jetait de fréquents regards à sa coéquipière pour être sûr qu'il ne sautait pas une des phrases qu'ils avaient sué pour peaufiner. Bras croisés sous la poitrine, elle clignait parfois des paupières pour l'encourager.

Cagney eut envie de sourire et regarda le bout de ses chaussures pour ne pas paniquer encore davantage le grand flic.

On sent toujours le respect, la confiance, l'affection dans un couple de flics. Mais il y avait en plus, entre ces deux-là, un étrange mélange de sentiments paternels de la part de Da Costa et maternels du côté de la très jeune femme qui le soutenait du regard. Il l'imagina à la fête de l'école, contemplant, rayonnante de fierté, un Da Costa bambin déguisé en corbeau ou en renard. La vision de cette grande carcasse de chair bardée de plumes en papier crépon ou traînant derrière lui une queue postiche roussâtre faillit le faire glousser, et il se concentra sur Elizabeth-Ann Gordon, dite Squirrel. Il émanait de ce corps mince de femme une force et une vitalité déroutantes. C'était un corps compétent, un corps sur lequel on pouvait compter. Un corps apprivoisé, entretenu pour répondre aux urgences sans dérobade. Ses cheveux gris, tirés en queue de cheval, mettaient en valeur le front pâle et bombé, les yeux noisette, étonnamment bridés, la peau fine qui semblait presque avoir été tirée pour épouser au plus près le renflement des pommettes et l'arc du menton. Ses bras croisés indiquaient qu'elle protégeait et se méfiait : elle protégeait son coéquipier et se méfiait de Cagney et de Baker.

Elle surprit le regard de Cagney et décroisa aussitôt les bras, posant ses mains bien à plat sur les cuisses. De jolies mains carrées mais longues, aux ongles courts, brillants de vernis incolore. Cette touche de coquetterie émut Cagney. Et il songea qu'il avait vraiment besoin d'être attendri.

— Voilà, je crois que je n'ai rien oublié. Qu'est-ce que t'en penses ? demanda Da Costa en se tournant vers Elizabeth-Ann.

— Je crois que tu as bien fait le point.

Cagney réfléchit quelques instants, remettant en place tout ce qu'il avait entendu, enregistré malgré les digressions de son cerveau :

— Merci. Votre hypothèse est donc celle d'un règlement de comptes éventuellement lié à deux de nos vieilles connaissances, Tony Di Stefano fils ou Edward Tyler, le second me paraissant un client nettement plus sérieux que le premier.

— Disons que pour l'instant, c'est notre principale piste de travail.

Cagney n'avait aucune intention de leur révéler les propos de Colin Burke au sujet de la première utilisation du Sig Sauer. Il insista :

— Ce qui me gêne dans votre théorie, c'est l'arme. Tyler est un homme extrêmement intelligent ; la preuve, nous n'avons encore jamais pu le coincer, et ce n'est pas faute d'avoir essayé. Les vrais tueurs professionnels n'utilisent jamais la même arme, même s'ils privilégient toujours une même marque. Ils savent que si un jour on retrouve le flingue, on peut remonter grâce à lui tous leurs contrats. Tyler n'aurait jamais commis l'erreur de confier l'élimination de trois gêneurs à des rigolos.

Elizabeth-Ann prit son élan et répondit :

— On y a pensé, c'est pour cela qu'on a gardé Di Stefano sur la liste. Il est moins futé, moins organisé. Là où sa candidature achoppe, c'est que Dale a rompu toute relation avec lui depuis des années, depuis l'incendie de Whitney Woods.

— Oui, je l'ai lu.

— Or Di Stefano est un sanguin, comme son père. S'il avait voulu se venger, il l'aurait fait tout de suite, sur un coup de colère. Une vacherie comme celle-là ressemble davantage à Tyler. Attendre que l'autre se calme, se rassure et lui tomber dessus, c'est plus drôle.

Cagney la regarda, amusé :

— Vous avez bien perçu la différence.

Elle ouvrit la bouche pour lui rétorquer qu'il n'y avait pas que le FBI qui sache épeler le mot « profil » et qu'il pouvait se coller ses bons points où elle pensait, mais le regard de Da Costa l'en dissuada.

Cagney suggéra :

— Vous croyez qu'il serait utile de rendre une visite de courtoisie à Edward Tyler ?

D'un ton sec, Elizabeth-Ann reprit :

— Pas vraiment. Je ne veux pas lui faire le plaisir de nous balader. Même s'il est à l'origine du coup, nous n'avons rien et il le sait.

— Et la dernière victime ? Existe-t-il des liens avec Dale et Ritter ou Di Stefano et Tyler ?

Au regard échangé par les deux policiers, à la bouche de Gordon qui se pinçait, Cagney comprit que oui, qu'ils en avaient discuté et qu'ils n'étaient pas d'accord. Il sut également que l'opposition, s'il en rencontrait, viendrait de la jeune femme. Da Costa reprit la parole :

— À notre connaissance, pas avec les deux derniers. Mais Dale et Barr se connaissaient peut-être. On a déniché un lien samedi soir, et on n'a pas eu le temps de creuser et de se forger une certitude. Mais quand on a interrogé la troisième femme de Thomas Barr, Mrs Sandra Barr, ça a fait tilt.

Cagney avança le buste vers Da Costa qui poursuivit :

— Elle était pas mal choquée, faut dire que c'est elle qui a découvert le corps de son mari, et que le ou les tueurs n'ont pas fait dans la dentelle : il y avait du sang partout, tout avait été saccagé dans la chambre. Elle avait besoin de parler, alors on est restés avec elle pas mal de temps. Elle nous a raconté sa vie, ses problèmes conjugaux. Elle ne nous a pas caché que ça n'allait pas fort dans le couple.

— Comment ça ?

— Il paraît qu'il faisait *cela* comme un lapin, qu'il l'accusait d'être frigide et de ne pas savoir s'y prendre avec lui. Enfin, il avait tendance à devenir teigneux : il prétendait qu'elle lui coupait ses moyens, si vous voyez ce que je veux dire.

— Barr était éjaculateur précoce mais refusait de consulter, parce que selon lui, c'était sa faute à elle, s'il la baisait mal, lâcha Elizabeth-Ann. C'est quand même marrant, on dirait que la plupart des hommes ne savent se servir ni de leurs mains, ni de leur bouche. À moins, bien sûr, que le plaisir de l'autre ne soit qu'accessoire.

Un silence massif s'installa. Les trois hommes la regardaient, consternés. Elizabeth-Ann était ravie de sa sortie parce que ce con du FBI la gonflait, parce que Baker bavait d'envie devant lui et que ce pauvre nounours de Da Costa était intimidé comme une pucelle. Renvoyer ces messieurs à l'une de leurs angoisses la soulageait. D'un ton enfantin, elle enfonça le clou :

— « Éjaculateur précoce », c'est bien le terme exact, non ?

Cagney se reprit le premier, partagé entre une envie de rire et celle de lui montrer qu'il sentait son animosité :

— Tout à fait, détective Gordon, c'est bien le terme exact. Mais au juste, qu'est-ce qui a fait tilt ?

Bob Da Costa dissimula un sourire et hocha la tête avant de reprendre :

— Quand Mrs Barr nous a dit, pêle-mêle avec d'autres trucs, que son mari avait commencé dans la dentisterie.

— Il était dentiste ?

— Non, il était commercial dans une boîte qui fournissait les dentistes en « crochets, miroirs, amalgames pour plombages, seringues » enfin tous les petits trucs dont ils se servent pour vous triturer les dents.

— Et... ?

— Rand Dale aussi avait commencé dans la partie. On a cherché avec Squirrel et on a découvert qu'ils se connaissaient sans doute vu qu'ils avaient bossé pour la même boîte à la même époque. On en est là.

— Mais Sandra Barr n'avait jamais entendu parler de Dale ou de Ritter ?

— Non. On lui a même montré des photos, mais leurs têtes ne lui disent rien.

— Où se trouvait-elle à l'heure présumée du meurtre ?

— Au début, elle a prétendu qu'elle était allée au cinéma avec une copine, mais ça manquait de conviction. On a vite compris que l'amie en question chaussait du 44 fillette et que le film était du genre chaud.

— Ah, je vois. À votre avis, lieutenant, détective ?

— Je me gourre peut-être vraiment, mais selon moi, elle n'a rien à voir dans ce meurtre. Enfin, on vérifie quand même.

— Vous avez quelque chose sur cette boîte qui a employé deux des victimes ?

— *Denta'prep* à Newtown, pas très loin d'ici. L'entreprise a fait faillite il y a huit-neuf ans. Ça ne va pas être coton de remonter la piste.

Cagney comprit rapidement que les deux flics n'en savaient pas beaucoup plus. Ils avaient fait du bon boulot. Il se tourna vers Baker pour signifier que l'entrevue arrivait à son terme, mais Elizabeth-Ann demanda :

— Et ce double meurtre en Californie ? Nous avons demandé des précisions.

Il se tourna vers elle. Elle le fixait droit dans les yeux, de son étrange regard étiré. C'était une tactique de déstabilisation qu'il connaissait bien, mais il s'étonna qu'elle lui vint si vite et si naturellement. Il est extrêmement difficile de mentir activement sans se troubler sous l'insistance du regard de l'autre. La seule parade efficace consiste à mentir passivement, par omission.

— Oui, en effet. L'enquête locale du San Francisco PD a conclu à un cambriolage. Le voleur semble avoir été surpris par le couple de médecins, et a fait feu. Le système d'alarme avait été coupé, des bijoux, des bibelots de valeur manquaient à l'inventaire et l'agresseur s'était attaqué au coffre dissimulé dans le sol du salon, sous un tapis. Il n'a pas eu le temps de l'ouvrir. Comme vous le savez, l'arme n'a pas été retrouvée. Elle a pu pas mal voyager entre les différentes agressions.

— Selon vous, il n'y aurait pas de rapport entre ce crime et les nôtres ? insista Gordon en resserrant la pression de son regard.

Cagney biaisa :

— Si, au moins un : le Sig Sauer.

Elle n'était pas satisfaite, il le sut au pli de sa bouche, mais elle n'avait aucune certitude au sujet de sa franchise.

Base militaire de Quantico,
Fredericksburgh, Virginie
16 novembre

Il était presque 21 heures lorsque Bob, le pilote du Bell Jet Ranger, amorça sa descente au-dessus de la piste principale de la base. Les gros phares halogènes inondèrent la cime bousculée des arbustes qui poussaient chichement à proximité des bandes d'asphalte, arrosés par les vapeurs d'essence et de kérosène.

Bob pilotait son hélicoptère comme une voiture, comme si cette coquille complexe de métal et de Plexiglas suspendue en l'air était la chose la plus naturelle du monde.

Le souvenir de la terreur de Morris traversa Cagney. Morris qui pourtant n'avait pas eu peur de sa propre mort, qui n'avait regretté qu'une chose : qu'elle l'évite. Il commençait à transpirer dès que les pales frissonnaient et finissait par dégager cette odeur étrange, forte et immédiatement reconnaissable : celle de la sueur de trouille. Cagney ne voulait pas s'interroger sur ce que devenait Jude Morris. Il ne faut ressasser le passé que lorsqu'il est utile au présent.

Les bureaux du bunker étaient déserts et il en conçut une sorte de déception. Il fallait rentrer, il n'avait pas vraiment de raison de rester ici. Ses capacités balbutiantes en informatique ne lui permettaient pas de rechercher la trace de *Denta'prep* sans l'aide de Ringwood.

Il remonta et fit un petit signe de main au vigile qui remplaçait la réceptionniste, la nuit.

L'odeur de roussi l'arrêta sur le pas de la porte. C'est alors qu'il se rendit compte que le salon était éclairé.

— Gloria ?

Elle déboula dans le couloir. Ses cheveux, ramassés en un approximatif chignon, lui parurent encore plus blonds sous la lumière indirecte qui parvenait de la grande pièce.

Elle pila devant lui, mains écartées, et déclara sur un ton énervé :

— Bon, attends, ce n'est pas encore la catastrophe, mais presque. Normalement, je devrais pouvoir gratter le dessus et avec un peu de chance et beaucoup de crème, ce sera mangeable.

— C'est quoi ?

— Un hachis parmentier, enfin ce qu'il en reste. J'y vais !

Elle repartit vers la cuisine et il s'étonna : il n'était pas ravi qu'elle soit enfin là, pas certain de vouloir qu'elle reste. Il avait développé au cours de ces derniers mois un goût pour le malheur, une appétence pour la souffrance dont il ne voulait pas. Ce genre de jeu se joue à deux et il avait envie de passer la main. Il n'était même pas sûr qu'elle se rende compte de la peine qu'elle infligeait par à-coups, en petites touches. Finalement, il l'aimait trop pour tolérer cet amour embryonnaire plus longtemps. Il avait vu dans cette relation le moyen de se rembourser d'une vie de vide, de corriger au dernier moment un ratage sentimental plutôt confortable. Mais elle ne l'avait pas permis, sans doute parce qu'elle n'y avait rien compris. L'éblouissante intelligence de Gloria bafouillait dès qu'elle était confrontée à l'émotion.

Pour être parfaitement honnête, il devait admettre qu'il avait lui-même évité cet aspect du problème jusqu'à ce qu'il parvienne enfin à apaiser un peu la fringale qu'il avait de son corps, de sa peau, de son sexe. Mais à cela aussi, il n'avait eu qu'un accès limité.

Elle lui servit un whisky et s'installa à ses côtés sur le canapé Chippendale, avec un verre de vin blanc. Il n'avait pas non plus envie d'une Gloria maîtresse de maison, s'affairant autour des restes calcinés d'un pathétique hachis parmentier. Son ex-femme Tracy était un remarquable cordon-bleu. L'ennui, c'est qu'il n'avait jamais éprouvé aucun plaisir à dîner en face d'elle, à ponctuer ses monologues convenus et gnangnans d'onomatopées peu compromettantes. Pourtant, il n'aurait jamais pris la décision de divorcer. Si, peut-être, lorsqu'il avait rencontré Gloria ; il avait su ou cru alors qu'il pouvait, lui aussi, vivre une histoire de flamme. Car il l'avait cru, désespérément, mais cela aussi gisait carbonisé.

Une peine étouffante le fit se lever et se diriger vers la fenêtre.

— Ça ne va pas ?

— Non, répondit-il sans se retourner, parce qu'il était au bord des larmes.

C'est consternant, un homme de 57 ans qui chiale sur l'anéantissement d'une hypothèse de passion.

— C'est une enquête ou c'est... euh, nous ?

— C'est dur à prononcer, n'est-ce pas ? Tu sais pourquoi ? Parce que ça n'existe pas.

— Ah, ça recommence, déclara-t-elle d'un ton méfiant.

La colère remplaça le chagrin, pour ce qu'elle durerait :

— Non, ça finit.

Gloria ne répondit rien. Il se tourna. Elle se tenait très droite, de dos. Il reprit :

— Ça finit là et maintenant. J'ai assez donné. C'était un marché de dupes, j'en ai pris plein la gueule. Ce n'est pas trop grave, par contre la vraie catastrophe c'est que je ne suis pas sûr de pouvoir faire encore autre chose. J'ai cru...

Il sentit sa voix trembler, et respira avant de poursuivre :

— J'ai cru que je pouvais te tirer de dedans ta tête, te montrer qu'il y avait autre chose, moi entre autres. Ce n'était pas évident parce que je ne savais pas moi-même ce qu'il y avait à découvrir. C'était surtout effroyablement prétentieux. Bref, je me suis planté.

Bordel, Gloria, je t'aime tellement... Je ne peux vraiment pas continuer comme ça.

Elle termina son verre et le posa sur la table basse. Elle se sentait de plus en plus mal. La tête lui tournait et elle se tint très droite pour lutter contre l'évanouissement.

Il hurla :

— Mais, merde, parle, dis quelque chose ! Gloria, je t'en prie, dis-moi !

La pièce s'étirait devant les yeux de Gloria et un froid terrible lui descendait dans les tempes. Elle parvint à articuler posément :

— Je vais me coucher. Je suis fatiguée par le vol. Je reprendrai un avion dès demain. Bonsoir.

Elle parvint à se pousser jusqu'à la chambre, à se déshabiller et s'écroula dans son lit. Des gouttes tièdes coulaient le long de ses joues ; mais ce n'était pas vraiment des larmes puisque son cerveau était vide, anesthésié.

Base militaire de Quantico, Virginie
17 novembre

Il avait mal partout. Sa chair le faisait souffrir comme si on l'avait passé à tabac. Il avait froid, de ce froid de vieux qui s'insinue dans chaque cellule, que plus rien ne peut faire disparaître. Il en avait marre, de tout.

Un désagréable goût de rance stagnait dans sa bouche parce qu'il avait continué à boire du whisky une bonne partie de la nuit, jusqu'à sombrer sur le canapé. Il ne voulait pas la rejoindre, pas se mentir en se convainquant qu'après tout, un dernier essai, peut-être... Il connaissait ce plan par cœur pour se l'être permis durant des semaines.

Il s'était réveillé meurtri, avec une migraine qui lui faisait exploser la tempe droite, et il avait fui vers le bunker.

Ringwood passa la tête par l'entrebâillement de la porte de son bureau, un sourire compatissant aux lèvres :

— On ne mord pas son gentil adjoint qui vous apporte un bon café et deux Excedrin.

Cagney parvint à plaisanter :

— Merci, gentil adjoint. Vous auriez fait une girl-scout épatante, Richard.

— Ah, ça c'est un compliment qui me va droit au cœur, monsieur.

— Où en êtes-vous ?

— Ça roule pour nous. De tous les côtés, la brigade financière, l'IRS, et j'en passe et des meilleures. On ne devrait pas tarder à avoir un bout de quelque chose.

— Comment vont les choses avec Glover ?

— Bien. Il apprend vite. En plus, il n'a pas encore la grosse tête, ça change agréablement. Vous savez, en fait, je me demande si toute son entrée en matière, lorsqu'il nous a parlé l'autre soir, au self, c'était pas du pipeau ?

— Comment ça ?

— Souvenez-vous. Il a dit qu'il avait hésité entre notre unité et l'HRT, tout ça. Mais il n'en a jamais reparlé. Remarquez, il n'est pas vraiment du genre bavard. Enfin bref, je me dis que c'était du flan et qu'en fait, il voulait vraiment cette affectation chez nous, mais qu'il nous la jouait coquette qui n'a pas encore décidé.

— Vous êtes trop mignon, Richard, lorsque vous tombez dans la marmite de la psychologie.

Richard insista :

— Je me plante ?

— Non, vous avez tout bon.

— Ben alors ?

— Je ne veux pas vous ôter vos dix secondes de triomphe, mais ça se voyait comme le nez au milieu de la figure.

Vexé, Richard rentra son premier menton dans le pli du deuxième.

— Pour vous peut-être, mais pour un non-professionnel, il fallait de la finesse.

— Vous avez raison. Je suis désolé. Et si vous continuiez sur cette excellente lancée avec *Denta' prep* ?

— On y va.

Milton, Massachusetts
17 novembre

Charles Owens reposa rageusement le combiné. Encore un connard qui le gonflait ! Mais tout le mettait en rogne depuis quelques jours, sauf Laura.

Après Rand Dale, Thomas Barr. De lui non plus, il n'avait jamais eu de nouvelles, parce qu'il n'en voulait pas. Cette partie de sa vie gisait ensevelie dans un coin de son cerveau et rien ne devait en resurgir.

Y avait-il un lien entre ces deux meurtres, et surtout, était-ce celui auquel il avait brusquement pensé avant-hier soir ? Foutaises ! Que savait-il de la vie de ses anciennes relations ? Le seul avec lequel il ait gardé un vague contact durant quelques années était Bernie Bronsky. Bernie était un mec un peu dans son genre, un dur, pas un méchant. C'était sans doute pour cela que lorsque leur petit groupe avait éclaté, ils avaient poursuivi quelque temps une sorte de camaraderie un peu floue, un peu distante.

Charles hésitait à appeler Bernie depuis le matin. Une crainte superstitieuse : tenter de le joindre, c'était admettre que ces meurtres le concernaient aussi, c'était permettre à ce passé dont il ne voulait pas de s'imposer à nouveau.

Merde ! Non, il n'appellerait pas. Du reste, il avait un vieux numéro de téléphone, dans le New Jersey, et Bernie n'était pas du genre à s'incruster très longtemps au même endroit.

Le voix de Laura le calma immédiatement :

— Ma chérie ? Je me demandais si tu voulais déjeuner avec moi ?

— Ah, mais ça dépend où.

— Où tu veux.

— Alors ça, c'est une offre qui ne se refuse pas. Au restaurant du *Hyatt*. Celui du haut, bien sûr !

— Gourmande ! D'accord, quelle heure ?

— Voyons... À 13 heures.

— Entendu. Tu te fais belle ?

Laura eut ce rire de gorge qui lui faisait dresser les cheveux à la base de la nuque :

— Mufle ! Je suis *toujours* belle.

Novembre, Massachusetts

Tout cela s'était tant imbriqué en toutes choses, dans chaque respiration, que les vols successifs de papillons, les étés mourants, jusqu'à ces petits gobelets de jus d'orange, tout en était plein. Si l'on additionnait tous les gobelets de jus d'orange, on irait jusqu'à la lune, sans doute.

Il serait intéressant de comprendre, un jour, si la succession de cette vie était réglée à l'avance, où s'il y avait eu un jour un choix, si imperceptible qu'il avait été ignoré.

Les choses avancent. Il n'y a ni remords, ni plaisir, juste la nécessité de faire.

Pourquoi ?

Parce que cette situation est de l'essence de celles qui échappent aux hommes, à leur volonté ou à leurs désirs. Elle est. Elle est venue ainsi, avec ses propres règles, son propre mode d'emploi. Il aurait été illusoire d'y vouloir changer quoi que ce soit. C'est une sorte de formidable piège dont on dirait qu'il évolue sans cesse pour décourager toute tentative d'évasion. C'est idiot, car nul ne souhaite s'évader.

Y aura-t-il à nouveau l'idée de la lumière, plus tard, quand tout aura été exécuté ? Rien n'est moins sûr.

Exécuté est bien le mot. Il devient de plus en plus certain que l'espace disponible pour décider, choisir, est minime, et semble se rétrécir encore davantage de jour en jour. Non que cela ait une grande importance.

Base militaire de Quantico, Virginie
17 novembre

C'est en descendant du self que Cagney trouva le fax envoyé par le Boston PD, accompagné d'un mot griffonné par Baker et assorti de deux gros points d'interrogation.

James, lisez ceci attentivement. Soit c'est une aide divine, soit on est dedans jusqu'au cou.

James Irwin Cagney prit connaissance des rapports d'analyses hématologiques concernant les échantillons de sang étranger retrouvés chez Rand Dale et Thomas Barr. Il s'agissait dans les deux cas d'un homme de groupe sanguin A. L'empreinte génétique réalisée à partir du sang collecté chez Dale était stockée et n'attendait plus qu'une comparaison avec celle du deuxième prélèvement.

Cagney parcourut en diagonale les deux pages de jargon scientifique qui suivaient et s'arrêta sur le dernier paragraphe, qu'il relut plusieurs fois. Un court préambule précisait que la dernière série d'analyses avait été réalisée dans le cadre du Programme pour l'Avancée des Sciences Légales. Maintes fois repoussé, oublié, repris, il gênait toujours autant, ce qui, pour Cagney, démontrait qu'il n'était pas totalement honorable. Certains y voyaient une tentative de mise en carte de la population, d'autres une menace eugéniste, et les derniers un efficace moyen de pister les meurtriers les plus monstrueux et les violeurs récidivistes.

Cagney pensa de nouveau aux discussions houleuses qui avaient entouré la naissance du projet. Il s'agissait d'étendre l'empreinte génétique des tueurs pour établir un profil génétique plus complet, comme le permettaient les nouvelles méthodes de séquençage. Nombre de chercheurs s'étaient élevés contre ce qu'ils jugeaient être une utilisation biaisée de l'établissement des cartes génétiques et du génome humain. Il était exact qu'un paquet de flics en espérait un outil prédictif : associer la couleur des yeux, ou des cheveux, ou une maladie, bref une particularité génétique quelconque à une plus forte probabilité de comportement déviant, du genre : « Si vous avez les ongles plats ou les cheveux frisés, il y a statistiquement plus de chance que vous soyez pyromane ou violeur. » Pour Cagney, c'était avant tout une arme de chasse. Savoir qui était l'autre, le pister, le neutraliser.

Finalement, Paul Baker avait raison : était-ce une faveur divine ou un emmerdement majeur que ces résultats ? Le profil génétique réalisé indiquait que le meurtrier de Dale et Ritter était porteur d'une maladie génétique rare, une maladie monogénique du chromosome 3 : l'alcaptonurie. Le document précisait que la maladie était également baptisée ochronose, ce qui n'aidait pas beaucoup Cagney. Il consulta sa montre et composa le numéro du Dr Amy Daniels, l'adjointe du responsable des laboratoires de biologie du FBI au Russel Building, à Washington.

— Amy ? Comment allez-vous ?

La voix gaie et intelligente lui répondit :

— Bien. Je cours, je cours, mais ça me permet de garder la forme. Que puis-je pour vous, James ?

— Qu'est-ce que c'est que l'alcaptonurie ?

— Une maladie monogénique assez rare.

— Oui, je viens de l'apprendre grâce à un rapport d'hématologie. Mais encore ? C'est mortel ?

— Non. C'est le plus généralement bénin, mais douloureux. En fait, il s'agit d'une maladie métabolique due à l'absence d'une enzyme. Par où commencer...

Cagney sourit. Il aimait beaucoup Amy Daniels mais elle ne dérogeait pas à la règle. Une vague de découragement semblait la saisir lorsqu'elle devait expliquer un mécanisme biochimique à un profane. Elle reprit :

— Vous savez que la tyrosine est un acide aminé.

— Non, mais je suis ravi de l'apprendre.

— Ce n'est pas le moment de rigoler, James, sans quoi on ne s'en sortira jamais. La tyrosine, donc, est un acide aminé très banal. Les protéines sont des chaînes d'acides aminés. En bref, lorsque vous mangez un steak ou des lentilles, ou que sais-je, vous avalez une quantité non négligeable de tyrosine. Une fois digérée, cette tyrosine peut être métabolisée en différents produits, jusqu'aux deux derniers dérivés : l'acide fumarique et l'acide acéto-acétique. Dans le cas de l'alcaptonurie, cette dégradation de la tyrosine est bloquée au milieu et s'arrête à la production d'alcaptone, d'où le nom de la pathologie. Comme l'alcaptone ne peut plus être transformé à son tour puisqu'il manque la fameuse enzyme, il s'accumule dans le sang puis est éliminé par l'urine, à laquelle il donne une couleur noire. Il se dépose également sur les cartilages du nez, de l'oreille, des articulations qu'il teinte en jaune foncé, d'où le deuxième nom de la maladie « ochronose » du grec *ochros*, jaune.

— Et que pouvons-nous en tirer ?

— De qui s'agit-il ?

— De notre candidat le plus sérieux dans le double meurtre de Waltham et, peut-être, dans celui de Brookline.

— Entre ça et l'empreinte génétique, on pourra en tirer une identification incontestable.

— Oui, mais cela sous-entend que j'aie d'abord mis la main dessus. Et sinon ?

— Le type doit être médicalisé quelque part, sous surveillance métabolique. Au pire, il a été au moins consulter, ou ses parents lorsqu'il était gosse. Ça surprend et ça inquiète, un gamin qui pisse noir.

Après avoir raccroché, il contempla sa boule pressepapier dans laquelle une éternellement souriante Blanche-Neige agrippait deux de ses nains par la main. Il était incapable de décider s'il devait se réjouir de cette particularité génétique, où si elle ne l'avançait pas.

Le coup frappé à la porte de son bureau lui évita de répondre. Richard entra, flanqué de Lionel. Le contraste entre les deux hommes était saisissant. Glover deviendrait un de ces agents qui mettent un point d'honneur à toujours porter une chemise impeccablement blanche et amidonnée, alors que Richard aurait de plus en plus l'air froissé de l'intérieur. Ils étaient à peu près de la même taille, mais le ventre mou de Ringwood lui faisait creuser les reins comme une femme enceinte.

— Du nouveau, messieurs ? Asseyez-vous.

— Oui, monsieur, répondit Lionel Glover.

— Je vous écoute, je vous raconterai ma petite histoire ensuite.

Richard Ringwood soupira à fendre l'âme pour indiquer l'ampleur de leurs efforts et Cagney répondit :

— Je sais, Richard, je sais. Ou plutôt, je ne sais rien de votre calvaire quotidien. Cela étant dit, au fait.

Richard se tourna vers Glover et déclara d'un ton triste :

— Ce n'est pas une journée à compliments. (Puis, au profit de Cagney :) Nous sommes remontés jusqu'à *Denta'prep*, une grosse PME qui marchait plutôt pas mal. Une soixantaine d'employés. Ils distribuaient du matériel de dentisterie sur toute la côte Est. La boîte a fait faillite il y a huit ans.

— Faillite louche ?

— Non, je n'ai pas l'impression. Disons qu'ils se sont colletés à un concurrent de taille qui connaissait très bien leurs clients et qui les leur a piqués. C'était un de leurs commerciaux, un chef de secteur dénommé Charles Owens. Il a monté sa boîte à Milton, Massachusetts, et son business a l'air florissant, mais il a mis les autres à genoux.

— Concernant Dale et Barr ?

— Ils étaient commerciaux au même endroit à la même époque, en d'autres termes ils se connaissaient. Ces types-là se réunissent souvent pour leurs stratégies de vente.

— Quoi d'autre ?

— J'ai tous les listings comptables, mais je doute qu'ils vous intéressent.

— Vous doutez bien. Ringwood, vous me pistez tous les autres commerciaux qui bossaient dans la boîte à l'époque de Rand Dale et Thomas Barr et vous appelez ce Charles Machin. Il les connaissait, selon vous ?

— Charles Owens. Oui, les dates coïncident. Bon, on va s'y mettre.

— Non, *vous* allez vous y mettre. Glover contacte Mrs Binasky, Helena Binasky au 117 Army Drive à San Francisco, et prend rendez-vous dès demain avec ce témoin qui joue les arlésiennes. En calculant bien, avec le décalage horaire, on peut faire l'aller-retour dans la journée. Lionel, si Mrs Binasky ne manifestait aucun enthousiasme à l'idée de notre visite, précisez-lui courtoisement qu'il s'agit d'une enquête fédérale.

Ringwood cligna des paupières en direction de Glover et susurra :

— Règle numéro 1 du super-agent : courtois mais menaçant.

San Francisco, Californie
18 novembre

Cagney et Glover déjeunèrent rapidement d'une salade de grosses crevettes dans un petit restaurant bondé et bruyant de Fisherman's Wharf.

Cagney ne s'étonnait pas vraiment du changement brutal de Glover. Que ce fort en gueule, agressif, grossier, adopte maintenant un mutisme de circonspection était somme toute prévisible. C'était dans les deux cas une attitude de défense, adaptée au milieu. Glover était intelligent, sans doute plus que Morris, même s'il manquait de moyens pour discipliner cette intelligence. Il apprendrait. Il comprendrait qu'il n'y avait plus que deux univers, bien plus qu'au Boston PD : eux et l'extérieur.

Glover mâchait ses dernières bouchées de laitue. Le voyage jusqu'à San Francisco s'était déroulé en silence. Pourtant, il avait tant de questions à poser, de choses à savoir. Il se rendait compte avec effarement qu'il apprenait la timidité et la trouille. Il ne se souvenait pas avoir eu peur de quoi que ce soit avant, sauf de son père quand il était gosse et trop petit pour rendre les coups. Mais il connaissait alors son monde sur le bout des doigts, ses menaces, ses failles. La conviction qu'il devait apprendre à montrer autre chose de lui et la panique de ne plus en être capable lui coupaient maintenant parfois le souffle. Il n'avait jamais autant téléphoné à sa mère et à ses deux sœurs que depuis son entrée au Bureau. Cette preuve d'infantilisme l'irritait, d'autant que cela ne servait à rien. Sa mère et ses sœurs étaient des inconditionnelles : il était génial, drôle, intelligent, gentil, bref rien ne les étonnait. Il avait évoqué cette crainte de l'échec qui le paralysait avec

Tricia, son aînée, sa seconde mère, parce qu'elle était la plus forte et la plus intelligente des trois. Elle était infirmière en chef dans le service de cardiologie du Brigham and Women Hospital de Boston. Mais même elle avait buté sur cette notion, invraisemblable dans le cas de son frère.

— Si vous avez terminé, Glover, on peut commander le café et y aller.

— Oui, monsieur.

Cagney réfléchit rapidement. Il connaissait peu Lionel Glover. Préférerait-il une perche, si peu subtile soit-elle, ou une attaque frontale ? Cagney opta pour la deuxième tactique, par lassitude et puis parce qu'après tout, il était le supérieur hiérarchique de Glover et que les états d'âme de son nouvel adjoint ne devaient pas prendre le pas sur l'enquête :

— Vous avez l'air extrêmement mal à l'aise, Glover.

Un rouge-brun envahit les pommettes hautes et Lionel Glover baissa le nez vers son verre. Puis il leva la tête et se jeta à l'eau :

— En effet. Je ne sais pas très bien si je suis à ma place.

— Parmi nous ?

— Vous, l'équipe, le Bureau dans son intégralité.

— C'était votre grand rêve, pourtant.

Glover sourit tristement et répondit :

— Oui, mais faut-il réaliser ses rêves ? Est-ce qu'ils ne sont pas avant tout un médicament ?

Cagney ne dissimula pas son agacement :

— Écoutez, Glover : je vous trouve plutôt sympathique, mais franchement vos atermoiements ne sont plus de mise. Il fallait y penser avant. Nous avons tous besoin d'antalgiques et on les trouve où on peut. On ne reconstruit pas le passé. Ni vous, ni personne. Vous pouvez choisir d'y demeurer, mais à ce moment-là, il faudra avoir l'honnêteté de nous quitter. Quatre hommes et une femme sont déjà morts. D'autres suivront peut-être. On est dans la merde jusqu'aux narines, avec rien, vous m'entendez, pas le moindre début d'un indice, alors pour ne rien vous cacher, votre syndrome d'échec, votre envie de dorloter votre ego de flic prodigue, je m'en tape. C'est clair ?

Glover souffla par la bouche, comme s'il se dégonflait. Brusquement, un fou rire lui fit monter les larmes aux yeux. Et le rire explosa, homérique, si contagieux qu'il fit glousser les clients des autres tables, qui se tournaient vers lui, hilares sans savoir pourquoi. Il finit par hoqueter :

— Oh putain ! Ouh... Ça décoiffe ! C'est très clair et ça va beaucoup mieux. Il suffisait de le dire, hein ?

Cagney pouffa à son tour :

— Oui. Lionel, on est tous passés par là. Ce n'est pas une aventure unique, ni une prémonition, ni un signe. On s'est tous dit qu'on allait foirer, on en a tous pris plein la gueule, mais on est toujours là grâce aux autres. On est là pour vous parce que vous serez là pour nous. Compris ?

— Compris cinq sur cinq. On y va ?

— Oui.

Ils sortirent du restaurant. Glover paraissait plus grand, plus solide.

— Comme je vous l'ai dit, monsieur, Helena Binasky n'était pas ravie de mon coup de téléphone.

— Oui, c'est étrange, on nous accueille rarement avec des petits gâteaux.

Ils remontèrent dans la Chevrolet de location et Cagney consulta le plan de la ville. Soudain, Lionel Glover lança :

— Vous savez, j'ai deux sœurs. L'aînée a dix ans de plus que moi, elle s'appelle Patricia, Tricia. Une vraie tête. Elle est infirmière au Brigham and Women, un des meilleurs hôpitaux du pays.

— Oui, je sais.

— Dans le service de cardiologie. Infirmière-chef. Son patron lui a offert un collier avec les lettres de son surnom, tout en or, pour ses cinq ans de service. Sur ses fonds personnels, s'il vous plaît. Vous savez que c'est le premier service qui a reçu l'autorisation de pratiquer des greffes cardiaques ?

— Non, je l'ignorais mais ça ne m'étonne pas, vu leur réputation.

Cagney le regardait, se demandant où il voulait en venir, sentait que l'anecdote qui se profilait était fondamentale, expliquait une partie du mode d'emploi de Glover. Ce dernier poursuivit, comme pour lui-même :

— Ma mère est une sainte femme. Comme tous les saints, c'est une victime. Elle a toujours pensé que marcher aux côtés de Dieu était la seule défense possible. Mon père était un sale con. Il n'a pas compris sa chance d'avoir une femme comme elle. Il aurait préféré tomber sur une salope, exigeante et jamais contente, qui le cocufie. Il aurait eu l'impression de vivre, de partager une miette du rêve américain. Pauvre type ! Enfin, bref, il en est arrivé à la conviction que ma mère était une pauvre négresse qui l'empêchait d'arriver. Je vous emmerde ?

— Absolument pas, continuez.

— Il a commencé à boire. Enfin, il buvait déjà, mais là, il a mis les bouchées doubles, et tout était la faute de ma mère. Elle se démenait, servait dans les cantines d'école et le soir, elle faisait des ménages. Il n'y avait jamais un sou, mais ses trois gosses bouffaient. Elle s'est toujours démerdée pour qu'on ait l'essentiel. Ça ressemble un peu aux deux orphelines, non ?

Le plus sérieusement du monde, Cagney répondit :

— Non. Ce sont les deux orphelines qui nous ressemblent.

— Il a commencé à la cogner, pour un oui ou un non. Au début, une tarte, mais comme elle pleurait et qu'elle ne se défendait pas, il la frappait vraiment. Ma mère pleurait et partait dans la salle de bains. Elle y passait la nuit. Elle mentait aux voisins, essayait de minimiser avec nous, de dire qu'il avait des ennuis, que ce n'était pas sa faute. La preuve, il ne nous cognait pas. En fait, c'est parce qu'il ne nous voyait plus. Un soir, j'avais sept ans, il n'y avait pas assez de bière au frigo. Ça a commencé. Il avait coincé ma mère contre l'évier. Il lui a tapé dessus comme un dingue. Elle est tombée à genoux, se protégeant le visage et les seins comme elle pouvait. Je me suis mis à hurler. J'étais sûr qu'il allait la tuer. Annette, mon autre sœur, qui avait douze ans à l'époque, lui criait d'arrêter. Et tout d'un coup, Tricia s'est levée. Elle était toute raide. Elle a pris un couteau sur la table et elle a bondi. Elle a foncé sur lui et lui a pulvérisé le bras avec la lame. Ça l'a calmé d'un coup. Il regardait le sang qui pissait et s'est mis à chialer parce qu'il avait peur de mourir et qu'il voulait qu'on appelle une ambulance. Connard !

Cagney contempla le beau visage défait par la haine. Il avait envie de dire quelque chose, mais tout était également inadéquat. Après quelques secondes de silence, Lionel Glover poursuivit :

— Ça nous a tous changés. Je veux dire ce paroxysme, ce déballage de haine, de rage, de ratage. Lui, il s'est tiré peu de temps après, et c'était pour le mieux. Ma mère est devenue presque joyeuse, comme si une ombre lâchait son âme. Annette est entrée chez les sœurs. Elle est très mignonne, mais pas faite pour notre monde. J'ai décidé, à huit ans, que je deviendrais flic parce que je sauverais toutes les femmes qui se faisaient cogner. Et Tricia a pris la direction de la famille : c'était la plus compétente. On s'en est pas trop mal sortis avec elle. Elle n'était pas tous les jours marrante, mais elle savait ce qu'elle faisait et elle nous a tirés de la merde. Putain, les trempes qu'elle m'a collées quand je ne filais pas droit !

Glover se tourna et fixa Cagney parce qu'il était au bord des larmes ; mais la vision d'un autre homme l'empêcherait de pleurer. Cagney sut que si Tricia avait été là, il aurait sangloté contre elle. Les hommes ne savent vraiment pleurer qu'avec les femmes.

Cagney le contempla sans rien dire, parce qu'il n'y avait rien à dire. Durant ces secondes de silence passa une sorte de reconnaissance, de camaraderie, même. Ils n'étaient pas du même milieu, ni de la même couleur de peau, ni du même âge, mais ils étaient de la même race, de la même âme, et c'était la seule chose qui comptait.

— On y va ?

— Oui, monsieur.

— Bien. Glover, vous êtes celui qui ne parle pas, qui n'écoute pas. Vous regardez, vous l'accompagnez dans ses émotions. Vous ne quittez pas Mrs Binasky des yeux. Ce qu'elle ne veut pas me dire, son visage le trahira. Voilà votre rôle, et c'est le plus important. La parole est un leurre. C'est le reste qui est important. Ce n'est jamais une preuve, mais une piste.

Ils arrivèrent assez vite en bas du 117 Army Drive. C'était un petit immeuble coquet de deux étages, six appartements.

Helena Binasky les attendait. Elle les fit pénétrer, sans un mot de bienvenue, dans son trois-pièces qui puait le chat. Les racines jaunâtres de ses cheveux carotte indiquaient une décoloration ratée. C'était une femme maigre, assez grande, revêche, sans doute âgée d'une grosse soixantaine d'années, de cette soixantaine que l'on ne veut pas, mais contre laquelle on n'a pas les moyens financiers de lutter. Les os de ses épaules aiguës saillaient sous le tissu de son petit corsage à grandes fleurs vertes.

Le bordel total qui régnait dans cette enfilade de pièces de taille modeste heurta Cagney. Des piles de lamelles de papiers déchirées à partir de vieux journaux s'adossaient aux murs et devaient servir de litière bon marché. Quelques vilaines gravures, dans des cadres bancals et cassés, ornaient les murs. Des plantes vertes anémiques achevaient leur agonie dans des bacs suspendus aux fenêtres. Des assiettes, dans lesquelles des résidus de bouffe à chat déshydratés noircissaient, parsemaient une moquette tachée. Partout s'était incrustée la même odeur de crasse, de laisser-aller, de renfermé. Elle-même dégageait une odeur étrange, d'ammoniaque, les teintures peut-être, de sueur assommée par des déodorants trop parfumés, d'alcool de mauvaise qualité qui teinte l'haleine d'un relent d'acétone.

Elle commença d'une voix nasillarde, affolée :

— Inutile de vous dire que je n'ai pas que ça à faire !

Glover se retint de lui demander ce qu'elle pouvait bien avoir à faire d'autre, qui l'attendait. Il admira le calme très professionnel de Cagney :

— Nous venons de Virginie, madame. Nous pensons que votre aide pourrait nous être très précieuse. Je n'irai pas par quatre chemins. Je pense que vous êtes une femme intelligente. Vous êtes retraitée, n'est-ce pas ?

— Oui, absolument et je ne l'ai pas volé.

— Je n'en doute pas. Vous n'avez donc plus de crainte à avoir. Nous savons, je sais, que vous avez menti au sujet de l'affaire Hewitt.

— Mais, je ne vous permets pas de...

— Ne vous offusquez pas, vous n'êtes pas en cause. Cette très vieille histoire ne nous intéresse pas. Je vais vous dire la vérité : la même arme a été utilisée pour tuer trois autres personnes. C'est pour cette raison que nous sommes venus. Je ne vous cacherai pas que le policier chargé de l'affaire Hewitt à l'époque avait des doutes sur l'innocence des enfants.

Elle le fixa et cligna des paupières. Elle était très maquillée et myope, sans doute.

— Voulez-vous un thé ?

— Volontiers. Mais Mrs Binasky, cela ne vous dispensera pas de répondre. Écoutez, je ne voudrais pas user d'intimidation, mais vous êtes témoin dans un meurtre fédéral. C'est très sérieux. Si nous butons sur une impasse, nous pouvons vous incarcérer. Pensez à vos chats. Que deviendront-ils ?

Il comprit au serrement de ses lèvres que la menace avait porté. Ces chats, qu'ils n'avaient pas vus, sans doute planqués sous les meubles en attendant leur départ, avaient conquis tous les recoins de l'appartement et de la vie de Mrs Binasky.

— Je reviens avec le thé. On va discuter. Mais mettez-vous quelque chose en tête. J'ai fui mon pays à cause de menaces comme celle-là. Je suis américaine, depuis longtemps. J'ai épousé un connard d'Américain à qui je me suis vendue. Ça vaut bien quelque chose. Il puait, il était sale, il pétait, c'était un porc, mais un Américain. J'ai eu ma naturalisation et Dieu sait que je l'ai payée, au prix fort. Alors, vous ne me faites pas peur. Je suis une Américaine et vous n'avez pas le droit de me traiter comme une merde. C'est vrai, j'ai ma retraite. Je ne crève pas dans les files qui font la queue avec leurs cartes d'alimentation dans mon pays d'origine et je le dois à ce pays. Je veux bien discuter, mais d'égal à égal.

— C'est vous qui parlez d'inégalité, pas moi.

Elle sourit. Sans être vraiment jolie, vingt ans plus tôt, elle avait dû être plaisante, rieuse ; sa bouche en gardait le pli. Soudain, Cagney se sentit encore plus proche de Glover. Il n'aurait jamais voulu être une femme, mais il ne se sentait vraiment bien qu'avec elles.

— Je reviens, l'eau bout.

Elle revint avec une théière fumante qu'elle posa sur la table en acajou vernis du salon.

— J'ai du lait, si vous voulez. Mes chats adorent le lait.

— Merci, c'est parfait, murmura Glover.

— Mrs Binasky, le temps presse, je vous l'ai dit. Que savez-vous véritablement de la mort des Hewitt ? Vous ne risquez plus rien.

— Parce que vous croyez que j'ai été menacée ? Qu'on m'a forcée à me taire ?

— Ce n'est pas le cas ?

— Non.

— Mrs Binasky, l'arme qui les a tués à été utilisée ailleurs. Il y a de fortes chances que d'autres gens meurent à cause d'elle. Dites-moi la vérité, dites-moi ce que vous n'avez pas voulu dire au flic chargé de l'enquête au moment des faits.

Elle le contempla puis demanda :

— Qu'est-ce que cela va m'apporter ?

— Rien. Votre conscience peut-être, si cela a une importance pour vous.

— Ouais, du vent, quoi ?

— En somme, oui ou non, ça dépend de vous. Ce sont les deux enfants, n'est-ce pas, qui ont commandité la mort de leurs parents ?

— Je ne sais pas. Je n'ai aucune certitude et encore moins de preuves. Mais c'est possible, l'inverse aussi, d'ailleurs. Je vais vous dire, je vais *tout* vous dire, parce que quand on ne vieillit pas trop bien, il faut au moins être en règle avec soi-même. C'étaient deux putes, non, pas des putes, des ordures. Elle et lui. Les Hewitt. Des dégueulasses. Le pouvoir qui va avec l'argent leur avait rendu les choses assez faciles. Ils se faisaient sauter par tout le monde, mais attention, en couple. Quand ils n'avaient pas assez d'étalons, homme ou femme, ils faisaient appel à des professionnels. Aussi le coup de téléphone qui les a fait se précipiter dans leur bagnole ne m'a pas étonnée. Les mecs demandaient toujours un rabe de fric. Mais les gosses étaient sympas. Je ne voulais pas leur porter préjudice. C'étaient des petits, paumés.

» Elle était complètement exhibitionniste. Il fallait qu'elle montre à ses gosses quand elle se faisait sauter, et la longueur de la queue du mec. Une salope, une tordue. Elle aimait les partouzes, lui aussi d'ailleurs, et il fallait que ses gosses le sachent, les voient. Sales jusqu'à la moelle. Je me suis toujours demandé si un jour, ils n'essaieraient pas de convaincre leurs gosses de participer à leurs saloperies. Mais quand j'ai compris que ce que je disais pouvait mettre la pression sur Venice et son frère, j'ai fermé ma gueule.

— Vous vous êtes tue volontairement, c'est bien ça ?

— Oui. Il n'y a pas eu de menace. De la part de personne. Je vais vous dire un truc, même s'ils les ont butés, ils avaient raison. Mais si vous voulez un témoignage écrit, je dirai toujours que ce ne sont pas eux les coupables. Ça vous emmerde, hein ? Mais c'est comme ça. On peut faire ce que l'on veut avec ses fesses, mais on n'a pas le droit de faire subir ce genre de choses à des gosses. Voilà, vous savez tout. C'était pas la peine de vous déplacer. Je vous l'aurais dit au téléphone, parce que maintenant, c'était le bon moment.

— Vous signerez ?

— Sur les parents ? Je veux bien signer avec mon sang si ça vous amuse. Je ne dirai rien sur les gosses, d'abord parce que je ne sais rien et ensuite parce que quoi qu'ils aient fait, je les approuve.

Elle le regarda droit dans les yeux et ses larmes coulèrent. Elle serrait ses lèvres fardées d'un rouge sanglant pour retenir les sanglots qui se bousculaient dans sa gorge.

Cagney surprit l'expression du visage de Glover : il avait de la peine. Il faudrait lui apprendre que les femmes aussi peuvent être des meurtrières. Il avait pour elles toute l'indulgence de l'amour qu'il portait à sa sœur Tricia et à sa mère. Glover avait une passion pour les femmes et lui faire admettre qu'elles pouvaient aussi devenir leur proie serait difficile. Il y avait tant de flics comme lui. La femme était le havre, la paix, l'enfant, l'amour. L'homme était le sadisme, la torture et la violence. Foutaises, du moins dans leur monde où aucune règle ne s'appliquait plus.

— Helena, je sais à quoi vous pensez.

Elle le regarda à travers ses larmes :

— Non, c'est ce que vous croyez. Enfin du moins, j'espère que vous êtes sincère. Mais vous ne savez pas. Je n'ai pas pu avoir d'enfant. Vous vous en foutez et vous avez raison, mais moi, ça m'a minée. Même avec ce gros porc, j'en voulais un parce que je me disais que si je l'élevais bien, il ou elle me ressemblerait. Les gosses Hewitt étaient des amours. Vraiment. Venice... Je voulais une fille, c'est plus marrant. On peut jouer à la poupée et lorsqu'elle vieillit, ça devient votre meilleure copine. Venice, c'était la fille que j'aurais voulu avoir.

Elle s'interrompit, ravalant ses larmes.

— Et Cindy Robertson ?

— L'infirmière en chef ? Une brave fille. Une jolie nana. Elle était assez copine avec les Hewitt, trop copine si vous voulez mon avis. C'est des gens qu'il ne vaut mieux pas fréquenter, ça tache. Enfin, c'était. Venice m'écrit toujours, vous savez. Les deux enfants se sont installés dans le sud de la France. Elle est mignonne comme un cœur. Lui aussi d'ailleurs, mais il était plus réservé.

— Que voulez-vous dire par « trop copine » ?

— Cindy Robertson... Enfin, je me suis toujours demandé si elle ne se faisait pas le couple. De toute façon, ça ne me regardait pas. C'était une fille sympa qui vivait avec sa mère. Elle avait un bon salaire, mais il dépendait du bon plaisir des Hewitt. Du reste, il n'y avait pas qu'elle. Une partie du personnel de la clinique n'était pas vraiment qualifié, sauf pour les parties de jambes en l'air.

Soudain, alors qu'il voulait poser une autre question, Cagney vit les épaules de la grande femme maigre s'affaisser. Elle sanglota, incapable de reprendre sa respiration :

— Quelle vie de merde ! Je crois en Dieu, je crois que s'Il m'a mise là, c'est qu'Il avait une raison. Mais laquelle ? Je sers à quoi ? C'est le désert. Je nourris des cons de chats qui pissent partout. Quoi, c'est ça ma mission ? Mes voisins me détestent parce qu'ils croient que j'ai pété un plomb et ils n'ont sans doute pas tort. C'est ça ? Il s'agissait vraiment de ça ?

Une compassion, l'idée qu'avec d'autres mots, elle en était arrivée au même stade que lui. Il se leva et prit la femme hoquetante dans ses bras. Une sœur. Calmer la douleur, calmer sa douleur, parce qu'alors peut-être calmerait-il la sienne.

Elle pleura longtemps contre sa poitrine, s'accrochant au revers de son veston. C'était si vieux, si lointain, cette peine était si profonde qu'elle ne savait plus rien, si ce n'est que ses larmes contre l'épaule de cet homme inconnu lui faisaient du bien.

Lorsqu'ils la quittèrent, elle était plus calme, épuisée par ses sanglots.

La nuit tombait déjà lorsqu'ils remontèrent en voiture. Cagney conduisit comme en sommeil, méthodiquement. Soudain Glover lui demanda de faire halte. Il obtempéra sans demander pourquoi. Il vit le jeune homme pénétrer chez un fleuriste et en ressortir un peu moins tendu :

— Je lui ai fait porter des fleurs. Ça rassure les femmes, elles aiment les fleurs. Les fleurs, c'est une preuve d'amour pour elles.

— Comment savez-vous cela ?

Glover lui sourit et précisa :

— Je suis un homme à femmes, de femmes. Je viens d'elles, elles m'ont fait et elles me calment. Je sais. Vous pouvez dire ce que vous voulez et il y a des exceptions, c'est vrai. Mais elles sont moins tordues que nous, et lorsqu'elles le sont c'est notre faute. C'est qu'on leur a appris, c'est qu'on leur a fait peur, qu'elles ont cru que c'était la solution pour s'en sortir.

Gloria regarda à la dérobée le couple assis non loin d'elle. Ils n'étaient pas mariés, c'était évident. Elle s'était arrêtée dans le salon de thé du *Bread & Circle* où elle faisait ses courses. Elle avait froid. Elle avait commandé une infusion au nom étrange et le regrettait. Les vapeurs verdâtres qui s'échappaient de la théière évoquaient une désagréable odeur d'urine.

Il était assez beau garçon. Un brun, élancé, nerveux, avec une épaisse gourmette en or au poignet droit. Sa jambe, posée sur la pointe du pied, tressautait à toute vitesse, sans même qu'il s'en rende compte. Il avait instantanément déplu à Gloria à cause de sa manie de crisper les maxillaires, qui faisait saillir les petits muscles de ses tempes. C'était pour Gloria l'indice d'une violence extrême, sans doute parce que *lui* faisait cela juste avant de cogner. La fille était plus que quelconque, une petite brune trop forte, sanglée dans une courte jupe de mauvaise qualité qui découvrait des cuisses grasses lorsqu'elle était assise. Ses petits cheveux maigres, malmenés par les teintures et les permanentes maison, pendaient, un peu roussis aux pointes. Elle était trop maquillée, beaucoup trop. L'épais trait d'eye-liner rétrécissait ses yeux. Mais elle le regardait avec tellement d'amour, souriant de ses silences, de ses absences lorsque son regard se perdait dans la salle de restaurant, comme s'il espérait une visite.

La jeune femme caressa d'un index à l'ongle court, recouvert d'un vernis presque noir, la gourmette de son amant. Elle eut une moue ravie. Sa main chercha celle de l'homme par-dessus la table et elle infiltra ses doigts entre les siens. Il se dégagea rapidement, parut réfléchir, puis tira d'une poche son téléphone cellulaire. Gloria était trop loin pour entendre la conversation, mais elle était sûre, au rire de l'homme, à sa joie, pour la première fois réelle, qu'il parlait à un copain.

Une peine aussi soudaine qu'idiote lui fit monter les larmes aux yeux. Pauvre gourde ! Pauvre gourde qui n'avait pas compris que tout son amour ne valait rien, en comparaison des quinze kilos qu'elle aurait pu perdre et de cette coupe de cheveux qu'elle avait retardée pour lui offrir sa gourmette en or.

Elle se leva et sortit du restaurant sans un autre regard pour le couple.

Gloria rangea ses courses méthodiquement, l'ordre étant le seul luxe qu'elle ait toujours pu s'offrir. Il est vrai que depuis deux jours, elle apportait un surcroît de soin à chaque menu rien. Toute chose capable de retenir son attention quelques secondes était la bienvenue. Elle avait rangé tous les placards dont l'ordre pourtant ne laissait pas à désirer. Elle repassait l'aspirateur derrière la femme de ménage, examinait minutieusement chaque plante des deux jardins d'hiver, cherchant la plus petite feuille jaunie, la moindre indication d'une contagion par une maladie ou des insectes. Mais le jardinier qui venait chaque semaine la frustrait de cette occupation. Elle n'avait pas revu James. Il était parti très tôt le lendemain, comme elle l'espérait ou le redoutait, elle n'en savait plus rien. Il n'avait pas appelé.

Elle termina par la salle de bains attenante à sa chambre et sortit les deux paquets de serviettes périodiques du petit sac. Elle ne supportait pas les tampons. Cette sorte de pénétration passive mais continue la rendait malade. Elle avait essayé à plusieurs reprises mais à chaque fois, ses muscles se révoltaient sans qu'elle puisse les contrôler. Les parois vaginales se contractaient, expulsant, comme un greffon, le petit tube d'ouate compactée.

Gloria resta étonnée devant le tiroir, les paquets à la main. Ceux prévus pour le mois précédent étaient intacts, nettement rangés à leur place. Elle vérifia la légitimité de l'achat sur sa liste informatique.

La panique lui fit trembler les cuisses : depuis quand n'avait-elle pas eu ses règles ? Elle n'avait jamais rien noté, négligeant avec soin toutes les manifestations de sa fécondité. Puis elle se rassura et se servit un grand verre de vin. James était stérile. Il n'avait jamais pu avoir d'enfant au cours de son mariage.

Merde, elle ne se souvenait plus ! Elle avait fait tant d'efforts pour oublier tous les signes que tant de femmes attendent avec impatience, avec joie. Il y avait cette nausée, mais elle avait toujours eu la nausée. C'était une façon pour elle de rendre ce qu'elle ne supportait pas. Elle hésita encore puis composa le numéro de Maggie, espérant qu'elle serait assez sobre pour lui répondre. La voix de l'amie était un peu lente, mais encore nette.

— Comment tu vas, ma puce ?

— Bien. Enfin, je ne sais pas trop. Je me demandais si une pizza te tenterait ?

— Ce soir ?

— Oui.
— Ouais, ça me branche super.
— Je t'envoie un taxi si tu veux ?
— Ça se refuse pas, ma poule.
— Maggie... Comment sait-on si on est enceinte ?
— Tu veux dire que...
— Réponds-moi.
— Ben, y'a des tests. Le mieux, c'est d'aller dans un laboratoire, mais sans cela, ils vendent des trucs en kit dans les pharmacies. C'est fiable. Tu fais pipi dedans et si ça devient bleu, c'est que t'as gagné le gros lot. Tu veux que je m'arrête dans un drugstore en chemin ?
— Oui, s'il te plaît.

Maggie déboula, hilare, peu avant le livreur de pizzas, brandissant un petit sachet. Elle s'installa sur le canapé et demanda :
— Bon, on y va ?
— Je préférerais que l'on boive un verre avant.
— Ça ne changera pas le résultat, tu sais.
— Non, mais ça va me calmer les nerfs.

Elles burent en silence. Gloria tentait de raisonner la peur qui montait en elle, en vain. Elle se leva soudain et déclara :
— Bon, passe-moi ce test.

Elle revint quelques minutes plus tard et Maggie lâcha :
— À ton teint de lys sur le point de tomber dans les pommes, j'en conclus que c'est positif.
— Oui.
— Ça fait combien de temps ?
— Je ne sais pas. Qu'est-ce que je vais faire ? Mais il n'a jamais pu avoir d'enfant avec sa femme, et le problème venait de lui !
— Tu sais, il y a pas mal de stérilité partielle chez les hommes.
— Qu'est-ce que cela veut dire ?
— D'abord, il y a des cas de stérilité psychologique, comme chez les femmes, moins, mais quand même et

puis, t'as des mecs qui ont un compte de spermatozoïdes assez bas, mais avec des spermatozoïdes normaux. Il suffit qu'ils tombent sur une femme très féconde et bingo !

— Bingo, répéta Gloria et sa voix se cassa.

— Pas de panique, ma puce. Il y a quelques faux positifs avec ces tests, à moins que ce soit des faux négatifs, je me souviens plus. Il faut une vérification.

— Il faut surtout que je trouve une clinique pour une interruption de grossesse.

Maggie la contempla, l'air sérieux, et murmura :

— Assieds-toi, Gloria. Je nous sers un verre, même deux. On ne prend pas ce genre de décision comme ça.

Au bord des larmes, Gloria gloussa :

— Tu veux dire qu'il vaut mieux les prendre ivre ?

— Je ne rigole pas, Gloria.

— Moi non plus. Je ne veux pas de cet enfant.

Maggie vida son whisky d'un trait, réfléchit puis déclara :

— Tu sais, je suis prête à défiler, à manifester, à faire ce qu'il faut pour que les intégristes, les moralisateurs, ne parviennent pas à enlever le droit fondamental des femmes de décider si elles peuvent ou non avoir un enfant. Moi, je sais ce que c'est que la peur, je sais ce que c'est de morfler, de toucher le fond et de te dire que tu ne pourras jamais remonter, parce qu'à ce moment-là, y'a plus personne pour t'aider. Mais certaines décisions sont tellement lourdes, se prolongent tellement loin, qu'on ne les prend pas comme ça en trente secondes.

— Tu l'as fait, pourtant.

— Oui, parce que j'ai eu peur, justement. Mais dans mon cas, c'était une connerie. J'ai eu la trouille de ne pas être à la hauteur, qu'un jour il ou elle s'aperçoive que sa mère n'était qu'une merde. Je me disais que c'était bien mieux pour le gosse. Je n'avais pas de boulot, je dessaoulais rarement et j'étais en général incapable de me souvenir avec qui j'avais passé la nuit précédente. Mais dix ans plus tard, je me dis que si quelqu'un avait pu changer le cours des choses, c'était cet enfant. Je suis passée à côté, de ça comme du reste, et le plus con, c'est que je n'ai plus peur.

— Non, je ne peux pas avoir cet enfant, c'est impossible !

— Si, tu peux. Tu es encore jeune, tu es en bonne santé, tu as de l'argent, une super-belle maison. En plus, tu travailles en indépendante, aucun employeur te prendra la tête avec le congé maternité. Le père t'aime et je suis sûre qu'il veut cet enfant. Si tu dois trouver des raisons de ne pas l'avoir, trouve les bonnes parce que ça me ferais chier que tu aies mal.

Gloria se leva et s'installa contre l'amie. Un an plus tôt, elle aurait été incapable d'un tel contact, elle n'y aurait même pas songé.

— Oh, Maggie, Maggie, qu'est-ce que je vais faire ? Je ne supporterai pas d'avoir cet enfant en moi. Je me souviens à peine, pour Clare. J'ai vécu sept mois dans une sorte de brouillard parce que je savais que je deviendrai folle si je réalisais vraiment ce qui se passait.

— Tu avais treize ans, tu étais seule. La seule chose qu'il y avait à voir si tu ouvrais les yeux, c'était la terreur. Rien n'est plus comme ça, Gloria. (Maggie la serra contre elle et murmura :) Bon, pour l'instant, je suggère qu'on prenne une cuite et qu'on bouffe nos pizzas. On verra après. D'autant que pour toi, ça risque d'être la dernière cuite avant longtemps.

Pratique, elle ajouta d'un ton satisfait :

— Au moins, tu ne clopes pas.

Base militaire de Quantico, Virginie
19 novembre

Richard Ringwood suçotait sa lèvre inférieure.

— On lâche les enfants Hewitt ?

Cagney répondit d'un ton las :

— Non, bien sûr que non. D'après Helena Binasky, ils se sont installés en France, dans le Sud. Elle a sûrement menti pour nous compliquer la tâche. Essayez de les localiser par l'intermédiaire de nos ambassades. Pour l'instant, il est inutile de se mouiller davantage. Si besoin est, on sortira l'artillerie légale.

Il avait mal au dos, mal partout. Ils avaient à peine dormi cette nuit, mais Glover s'en tirait frais comme une rose. On accepte toujours les privilèges d'un corps jeune comme une évidence. Il faut l'engourdissement des membres au réveil, ces vagues douleurs itinérantes, ce besoin de sommeil pour comprendre que le corps a vieilli et que sa désobéissance, sa résistance ne fait que commencer. Il poursuivit :

— Où en êtes-vous de vos recherches sur les commerciaux de *Denta'prep* ?

— J'ai la liste des types qui travaillaient avec Dale et Barr à l'époque qui nous intéresse, et j'ai lancé une recherche par le biais de leurs numéros de Sécurité sociale, juste avant que vous n'arriviez. J'ai téléphoné chez Owens, hier. J'ai eu sa femme, sa deuxième femme, une Mrs Laura Owens. Le père et le fils travaillent ensemble et ils étaient en déplacement à New York. Ils devaient rentrer le soir. J'ai dit à Mrs Owens que nous souhaitions rencontrer son mari. Elle voulait connaître la raison de notre intérêt, mais je ne me suis pas trop mal débrouillé pour lui glisser entre les doigts. Charles Owens doit nous rappeler ce matin.

— Je peux voir la liste en question ?

— Bien sûr, monsieur. Je vais vous la chercher. Un café vous tente ? demanda-t-il en jetant un regard aux deux hommes.

Un murmure collectif qui pouvait passer pour un assentiment lui répondit.

Richard sortit. Lionel Glover laissa échapper un petit bruit de succion, un bruit agacé, dubitatif. Cagney demanda :

— Oui ?

— Nous n'en sommes pas très loin, n'est-ce pas ?

— Non, c'est le moins que l'on puisse dire.

— Je me demande si on en « fait » assez.

— Que voulez-vous « faire » lorsqu'un meurtre est vieux de plus de dix ans ? À part solliciter le souvenir des témoins ? Et c'est traître le souvenir, même lorsqu'on est honnête. Quant aux meurtres des jours précédents, votre peu de confiance dans votre ancienne maison est étonnant. Vos anciens collègues du Boston PD font bien leur boulot. Dans cette affaire, le Bureau n'est pas là pour collecter des indices. Sa fonction est d'avoir du recul, de recoller les morceaux. Mais vous marquez...

La sonnerie du téléphone l'interrompit. La standardiste du bâtiment Jefferson lui annonça un certain Charles Owens.

— Non, c'est mon adjoint. Je suis James Irwin Cagney.

La voix lourde et prudente de Charles Owens accusa :

— Vous avez téléphoné à ma femme.

— Nous ne parvenions pas à vous joindre. L'avons-nous inquiétée ?

Owens comprit le sous-entendu et rectifia le tir :

— Non, mais je n'aime pas qu'on la dérange.

— C'est tout à votre honneur. Nous souhaiterions vous rencontrer au plus vite.

— Et pourquoi ?

— Dans le cadre d'une enquête fédérale au sujet des récents meurtres de messieurs Dale, Ritter et Barr. Vous connaissiez professionnellement deux d'entre eux, n'est-ce pas ?

— Oui, mais c'est vieux tout ça. J'ai appris la nouvelle par les journaux.

— Quand pouvez-vous nous recevoir ?

— En ce moment, ce n'est pas trop facile...

— Préférez-vous une convocation officielle par le Boston PD ? Nous pouvons également y inclure Mrs Owens.

Le ton d'Owens devint plus hargneux :

— Non. Quand voulez-vous ?

— Demain, 14 heures.

— D'accord. Les bureaux de ma compagnie sont à Milton, Hasburgh Road, au 174-178.

— Bien, à demain donc, Mr Owens.

Cagney raccrocha et déclara :

— Il sait quelque chose. Et il ne veut surtout pas que sa femme y soit mêlée.

— C'est plutôt un point en sa faveur.

Cagney eut un sourire mauvais :

— Pour nous aussi. Les femmes et l'amour des hommes ont toujours été un atout majeur des flics.

Ringwood pénétra en trombe dans le bureau, essoufflé, suant, comme s'il venait d'accomplir un effort athlétique, sans café, brandissant un fax :

— Le sang correspond ! Pour les deux meurtres, je veux dire.

Glover déclara :

— Ce n'est pas vraiment une surprise.

Cagney parcourut rapidement le rapport. L'échantillon de sang étranger retrouvé chez Thomas Barr appartenait au même individu que celui prélevé chez Dale. L'anomalie génétique rare signait la ressemblance. Suivaient quelques commentaires analytiques : l'empreinte génétique avait été un peu gênée parce que le sang trouvé chez Barr, bien qu'en quantité plus importante, était abîmé, sans doute par la chaleur et un récent shampouinage de la moquette de la chambre. Mais l'identité des deux sangs était indiscutable.

Ringwood précisa :

— Inconnu dans notre base de données. Le type n'a jamais été enregistré. Je peux consulter mon mail sur votre ordinateur, monsieur ?

— Pourquoi ?

— Ça m'évite de retourner dans mon bureau. Ça me crève, moi, ces allées et venues.

— Ringwood, votre bureau est situé à quinze mètres du mien, même pas.

— Et alors ? Je fais au moins vingt voyages dans la journée, ça finit par taper du trois cents mètres ! Je vous rappelle que je suis en hypocalorie.

— J'en reste sans voix !

— Une fois n'est pas coutume, et c'est assez plaisant.

Il s'effondra presque dans le dos de Cagney et tapa son code d'accès confidentiel par-dessus sa tête.

Ringwood avait une curieuse odeur, une odeur que Cagney avait appris à tolérer au fil des années, mais qui lui déplaisait toujours autant. Il avait d'abord pensé que Richard était socialement sale, de cette crasse diffuse pas suffisamment évidente et déplaisante pour engendrer la réprobation des autres. Mais il n'en était rien : c'était son odeur, âcre, toujours présente et éminemment masculine. Comment Ringwood, qui ne supportait pas son corps, tolérait-il son odeur ? Peut-être ne la sentait-il pas.

Gloria détestait les odeurs corporelles avec une insistance qui confinait à la pathologie, même les siennes, surtout les siennes. Elle utilisait une batterie de déodorants dont les effluves subtils se mélangeaient pour produire un parfum improbable mais séduisant. Un spray vaginal. Cagney ne savait pas que de telles choses existaient vraiment. La première fois, l'odeur et le goût de tilleul l'avait sidéré. Il attendait le musc, le sel, pas cette sensation un peu écœurante, tant elle était déplacée. Il en avait plus tard trouvé l'explication dans la salle de bains. Un spray et des petites lingettes en pochettes aluminium. L'idée lui avait semblé aussi absurde que ces préservatifs au goût de fraise ou de cassis. Quoi ? L'odeur du sexe était-elle si irritante, si compromettante ? Cette odeur lourde qui règne dans une chambre, qui se mêle à celle de la transpiration, qui reste durant quelques minutes la seule preuve qu'à un moment plus rien n'a eu d'importance que le souffle, le désir, enfin la paix. Mais Gloria se levait et ouvrait les fenêtres.

Ne pas penser à cela maintenant.

— Bingo, bingo ! Je vous gêne, là ?

— Non, j'adore avoir votre abdomen comme casquette, Richard.

— Bon, j'imprime.

Le ronronnement de l'imprimante laser accapara le silence des trois hommes durant quelques secondes.

Cagney tira les feuilles au fur et à mesure de leur sortie et lut à haute voix :

— Anthony Blair, touche une pension de retraite. Thomas Barr, décédé. Bernie Bronsky également. Rand Dale aussi. Frederick Hearne, retraité. Paul Linet, toujours en activité, Emilio Negri, décédé et Jenny Waxweiler, la seule femme du groupe, toujours en activité. Richard, Lionel, vous me vérifiez si on a quelque chose au sujet d'Emilio Negri et de Bernie Bronsky. Je veux savoir comment sont morts ces messieurs.

— Vous croyez que le lien est professionnel ?

— Je n'en sais foutre rien, mais cela ou autre chose, au point où on en est...

— Bon, ça roule.

Cagney reprit :

— Glover, vous m'accompagnez demain. Owens doit cracher ce qu'il sait. Il faudra sans doute y aller à l'intimidation.

San Francisco, Californie
20 novembre

Le laboratoire d'analyses avait confirmé le résultat du test. Le reste avait été très rapide. L'argent gomme tant de difficultés, rend tout si facile.

C'était ce ventre qu'elle ne tolérait pas. Ce ventre qui allait pousser, devenir si évident que tout le monde le verrait, saurait qu'elle était enceinte, donc qu'elle était bien là. Cette sorte de déclaration physique lui donnait la nausée.

Elle s'était toujours appliquée à la transparence, choisissant ses vêtements avec soin mais sans goût particulier, pour qu'ils ne remplissent qu'une fonction, la diluer au regard des autres. Gloria ne riait, ne haussait le ton ou le geste qu'en compagnie de Clare, parce qu'elle ne voulait avoir d'existence tangible que pour elle et sa fille. Elle mangeait le moins possible, regrettant presque le peu de substance qu'elle ingérait parce qu'elle donnait de la chair, du volume à ce corps que l'on pouvait toucher, que l'on pouvait remarquer.

Et ce ventre allait pousser, comme une excroissance, accaparant encore davantage d'espace et ensuite, il y aurait un enfant qui n'était pas Clare.

L'idée qu'elle soit capable de produire un autre individu l'avait bouleversée, sans doute parce que Gloria avait fini par se convaincre que toute sa vie, toute sa physiologie, dépendait de Clare.

Elle reposa son verre de chablis sur la table basse et se resservit. Il était neuf heures du matin. Un brouillard, hésitant et chagrin, couvrait la ville. Elle était prête, habillée d'un tailleur gris boutonné jusqu'au col de son chemisier en soie beige. Voilà, il suffisait d'enfiler le manteau couleur chameau qu'elle avait posé sur le canapé à côté d'elle et de monter dans sa voiture. Cet après-midi, elle irait rendre visite à Clare. Tout cela allait très vite.

Elle essuya la buée du verre glacé contre son front et but lentement.

Elle gloussa, retenant la vague de larmes qu'elle sentait monter. Il ne servait à rien de tenter d'étouffer cette odieuse partie de vérité dans un coin quelconque de sa tête, parce que son cerveau ne la laisserait pas faire. Il détestait les approximations.

Statistiquement, il n'y avait aucune chance pour que cet enfant soit comme Clare, et l'idée de cette différence insupportait Gloria. Une injustice ? Non, c'était plus intolérable que cela, c'était d'elle-même qu'elle avait peur. Elle avait peur du monde que découvrirait et lui ferait découvrir cet autre enfant, qu'il la fascine, l'éloigne de Clare. Pour la première fois, sa passion pour l'intelligence la terrorisait. Et elle se sentait impardonnable d'avoir ces craintes, parce qu'elles prouvaient que son amour pour Clare n'était pas un choix. C'était brusquement comme si tout ce qu'elle avait été, tout ce qu'elle avait lutté, construit, depuis cette nuit au Charity Hospital où elle avait mis bas, n'existait plus.

Gloria reposa sèchement son verre et se leva pour éviter de fondre en larmes.

Elle gara sa Mercedes sur le parking réservé aux visiteurs et se dirigea vers la réception de la clinique.

Ne plus penser.

Dans quelques minutes, penser n'aurait plus d'objet.

Regarder plutôt le joli parc, soigneusement entretenu, qui entourait les deux bâtiments paisibles de la clinique. S'y promener devait être délicieux en été. Il y avait sans doute une salle de sport et une piscine.

Une jeune femme souriante l'accueillit et vérifia l'heure de son rendez-vous sur un écran d'ordinateur. Elle se leva, rajusta sa blouse blanche et la précéda :

— Suivez-moi. Je vous conduis à la salle d'attente. Détendez-vous, une infirmière viendra vous chercher.

— Il y en a pour combien de temps ?

— Vous serez sortie dans deux heures.

— Bien.

Une autre femme attendait déjà, plongée dans la lecture d'un magazine. Elle tournait une cigarette entre ses doigts, jetant des regards inconscients à la pancarte discrète qui invitait à l'abstinence. Elle était extrêmement jolie, sans doute pas aussi jeune qu'elle l'aurait souhaité. Voyante, mais pas dans un sens désagréable, très parfumée aussi. Elle leva la tête et adressa à Gloria un sourire vague, la regardant s'installer dans un fauteuil de cuir, en diagonale d'elle, le plus loin possible. La proximité incite à la confidence et Gloria n'avait pas envie de parler, même pour ne rien dire.

Gloria prit le magazine du haut de la pile, sans véritablement se soucier de son contenu ; c'était juste un autre symbole de son envie de rien.

La salle d'attente était tapissée d'un papier de soie sauvage vieux rose. Des vases de fleurs étaient disposés sur les petits meubles XVIIIe qui cassaient judicieusement l'espace. Gloria écouta la musique qui diffusait d'un invisible baffle, la maintenant inévitable *Pavane pour orchestre* de Gabriel Fauré, et s'étonna d'un mouvement de l'escarpin de sa voisine, qui battait un rythme de rock. Curieux monde dans lequel une musique doit servir à vendre des pâtes ou des serviettes périodiques pour rejoindre la célébrité. D'un autre côté, sans cette utilisation, elle ne vivrait plus que dans l'amoureuse confidentialité des musiciens.

Gloria feuilleta son journal et s'arrêta sur une publicité pour une montre. Un top model dont elle avait oublié le nom, aux jolies épaules dénudées, semblait lui attribuer son succès. C'était véritablement une belle montre, un des rares bijoux que Gloria se tolérait. La ligne était sobre, les matériaux nobles sans cette imbécile ostentation qui confond luxe et élégance. Bien sûr, elle coûtait cher, très cher.

Elle tourna la page et son regard fut attiré par la photo d'un petit garçon, le crâne rasé, les bras repliés derrière le dos par une camisole de force qui ressemblait à un vieux chiffon noué. Le regard de Gloria fut piégé par ses yeux, deux gouffres qui lui mangeaient le visage, sombres. Elle sut le désespoir, la faim, la peur, l'incompréhension avant de lire l'article. Elle connaissait tout cela, mais ce qu'elle ignorait, c'est qu'il existe encore des instituts spécialisés, que l'on organise toujours l'agonie d'un enfant comme Clare.

Elle lut l'article jusqu'au bout et referma le magazine. Son cœur lui remontait dans la gorge et elle avait du mal à inspirer la quantité d'air nécessaire à ses poumons. La voix de l'autre femme la fit sursauter :

— Vous avez lu l'article sur ces enfants russes ? Ces petits débiles qu'ils parquent comme des bêtes, en attendant qu'ils meurent ? C'est dégueulasse. Je n'ai pas pu terminer.

Gloria rouvrit les yeux et regarda la femme. Elle la trouva sympathique parce que la rage déformait sa jolie bouche peinte. La femme poursuivit.

— Et on leur file du fric ! On devrait exiger des contreparties humanitaires. C'est invraisemblable. On est tout de même au troisième millénaire.

— Oui, c'est...

— Moi, je dis que les parents devraient être responsables et ne pas en avoir dans ces conditions. Enfin, maintenant, il y a des moyens, même en Russie, je suppose...

Elle désigna de sa jolie main manucurée, ornée d'une splendide bague, les vases de fleurs, les petits guéridons XVIIIe et quelque chose lâcha dans la tête de Gloria. Elle se leva et le magazine tomba par terre. Il lui sembla que la pièce se rétrécissait, qu'elle arrivait sans faire un mouvement à hauteur de la femme, qu'elle gifla de toute sa force. Elle s'entendit hurler : « Connasse ! » Et puis, plus rien, une sorte de gouffre froid. Elle sanglotait au volant de sa Mercedes, dans le parking.

La fille de la réception sortit et regarda la voiture d'un air sidéré.

Gloria embraya et fonça hors du parc.

Milton, Massachusetts
20 novembre

Une jeune femme flic, très sage et très silencieuse, leur servit de chauffeur. Ses cheveux bruns étaient tirés en queue de cheval et Cagney pouvait sentir le parfum de chèvrefeuille de son shampooing.

Le ciel de Nouvelle-Angleterre pesait dans toute sa morosité grise.

Elle gara la voiture de service devant la haute grille en fil de fer galvanisé qui protégeait un petit cube de béton de deux étages. Une pancarte économe indiquait qu'ils étaient bien chez Owens & Owens. Deux camionnettes et un chariot élévateur jaune bile étaient garés sur la dalle bétonnée du parking, ainsi que quelques voitures. Des petites touffes d'herbe s'obstinaient à pousser entre les fissures de la dalle, touches vertes incongrues dans cette masse de gris beigeâtre.

Lionel Glover remarqua :

— Dites-moi, c'est d'une sobriété !

— Vous voulez dire que c'est sinistre, comme boîte. Peut-être la réception est-elle un peu plus chaleureuse ? À priori, j'en doute.

— Pourquoi ?

— Oh, je crois que je vois assez bien le genre de type qu'est Owens. Le fonceur, qui s'est fait seul. Qui a peiné, mais avec un sens aigu des priorités. Il a chargé sans se préoccuper des détails. Mais il a dû se trouver une très jolie femme, élégante, plus jeune, qui lui a organisé un petit nid où chaque détail est étudié avec soin, où tout est beau.

— Le cas classique du monsieur qui construit sa vie grâce à une femme et qui en profite avec une autre, plus jeune.

— C'est assez ressemblant, à ceci près qu'Owens n'a pas divorcé. Bon, allons-y.

Cagney ne s'était pas trompé. Le coin triste qui faisait office de bureau de réception était à l'image spartiate du reste de l'immeuble. Des cartons, des piles de prospectus encombraient le peu d'espace laissé à la disposition d'une secrétaire-réceptionniste-standardiste aussi avenante que son environnement.

Elle ressemblait à un vieux héron vindicatif et décati et se tenait, assise raide derrière un comptoir en aggloméré beige fané. Elle mâchonnait une demi-cigarette éteinte et portait une blouse en polyester bleu ; l'anachronisme de l'accoutrement étonna Cagney. Une énorme boucle d'oreille unique, en forme de fleur, composée d'une multitude de paillettes rose fuschia, dissimulait la moitié inférieure de son oreille. Il se demanda si cette fantaisie voyante était volontaire où si elle avait perdu l'autre boucle.

Elle les regarda avancer d'un air agacé et demanda d'une voix hargneuse :

— Ouais ?

— Bonjour madame, nous avons rendez-vous avec Mr Owens.

— Je sais. (Elle regarda ostensiblement la grosse horloge ronde murale accrochée au mur en diagonale de son comptoir et déclara :) Vous avez sept minutes d'avance. Je vais voir s'il est libre.

Elle téléphona, hurlant dans le combiné :

— Charles, y'a ton rendez-vous qu'est là. Je fais monter ?

Elle raccrocha, les fixa d'un air vachard. Lèvres découvertes, elle mordait maintenant son mégot avec hargne. Elle soupira, fit un signe de menton et siffla :

— L'escalier est derrière vous. C'est au premier, la porte au fond du couloir.

— Merci de votre gentillesse, madame, susurra Cagney avec un petit salut de la tête.

Ils gravirent les marches en béton cru l'un derrière l'autre. Au milieu de l'escalier, Cagney se retourna vers Glover et un fou rire les secoua. Ils s'adossèrent contre le mur et Lionel, hors d'haleine, parvint à articuler :

— Oh, non, je ne peux pas le croire ! Mais où il l'a trouvée cette bonne femme ? Ça doit rassurer les clients, une gueule d'empeigne comme ça.

Cagney répondit :

— Elle a peut-être des talents que nous ignorons.

Glover grimaça, prenant l'air paniqué :

— Ah mon Dieu, je vous en supplie, ne me laissez pas seul avec elle !

— Si vous êtes sage.

Charles Owens les attendait au sommet de l'escalier et Cagney fit un effort pour retrouver son calme.

— Melly déroute toujours un peu lorsqu'on ne la connaît pas. C'est une brave fille, très compétente. Elle n'a pas eu beaucoup de chance, dans la vie, je veux dire. En plus, elle essaie d'arrêter de fumer, ça n'arrange pas les choses. Je suis Charles Owens.

Il ne tendit pas la main.

— Bonjour, monsieur. James Irwin Cagney et Lionel Glover, FBI.

— Suivez-moi. Mon bureau est au fond.

Cagney et Glover pénétrèrent à sa suite dans une grande pièce, chichement meublée, sans goût, sans doute fonctionnelle.

Un grand bureau métallique au plateau vert trônait au milieu, encombré de dossiers, de magazines professionnels, et d'un gros ordinateur. Deux cendriers promotionnels en plastique rouge débordaient de mégots fumés jusqu'au filtre. Le mur situé derrière Owens était tapissé de casiers, métalliques eux aussi. Trois grandes barres de néon éclairaient la pièce, dans laquelle régnait une fraîcheur à la limite du supportable.

— Asseyez-vous, proposa Owens, en désignant deux chaises en plastique moulé noir.

Il contourna le bureau et se laissa aller dans un vieux fauteuil en Skaï qui avait dû connaître des jours meilleurs vingt ans plus tôt. Il contempla les deux hommes durant quelques secondes. Cagney avait décidé de lui laisser l'initiative. Enfin Owens déclara, d'un ton plus las que curieux :

— Je n'ai pas très bien compris pourquoi vous vouliez me voir.

— Au sujet des meurtres de messieurs Dale et Ritter et de celui de monsieur Barr. Vous les connaissiez, je crois ?

— Ce n'est pas la police locale qui s'occupe de ce genre d'affaires ?

— Non, pas dans ce cas.

— Je peux savoir pourquoi ?

— Bien sûr, c'est une enquête fédérale. L'arme qui a servi à tuer les deux hommes avait déjà été utilisée dans un double meurtre, dans un autre État.

— Ah ! Mais comme je vous l'ai dit au téléphone, je les connaissais professionnellement, enfin, je veux dire, on ne s'est jamais vraiment fréquentés en dehors du boulot. Et puis, quand j'ai quitté *Denta'prep*, je ne les ai jamais revus.

— Vous êtes à l'origine de la faillite de *Denta'prep*, n'est-ce pas ?

Owens alluma lentement une cigarette et répondit d'un ton égal :

— Vous pouvez le voir comme ça.

— Il y a une autre façon ?

— La stratégie commerciale de *Denta'prep* était ringarde, pas adaptée aux nouveaux marchés. Ils perdaient du fric. De toute façon, moi ou un autre, ils n'auraient pas tenu longtemps. Le patron de la boîte, Edmond Quale, se la jouait pas mal. Mais ce n'était pas vraiment sa faute, je crois qu'il n'avait pas le sens des réalités. Un gosse de riches : *Denta'prep*, c'était un jouet de consolation que papa lui avait offert quand il avait foiré ses études de médecine dentaire. On ne peut pas avoir une boîte de taille moyenne, saine, qui fait des bénéfices et changer de Porsche tous les six mois. Il louait un hélicoptère à l'année. Vous savez combien ça coûte. Bien sûr, tout cela passait en notes de frais. Moi, quand j'invite ma femme au restau, je paie sur mes deniers. Mon fils, Charles, sera comme moi. Il sait d'où on vient.

Cagney profita d'un arrêt d'Owens pour revenir à l'objet de leur visite :

— Je croyais que les commerciaux formaient des équipes soudées. Ce sont des gens qui se connaissent bien, surtout dans un domaine aussi spécifique que le vôtre ?

Owens éteignit sa cigarette à moitié consumée et répondit :

— Pas vraiment.

— Vous me surprenez.

— En plus, ce Ritter ne faisait pas partie de la boîte.

— Nous le savons.

Owens fronça les sourcils, décroisa les bras et les allongea sur le bureau, devant lui. Il ne quittait pas Cagney du regard. Il croisa les doigts et lâcha :

— Alors, qu'est-ce que vous voulez que je vous dise ?

— Parlez-nous de Dale et de Barr, par exemple.

— Je me souviens pas vraiment, mais Dale, je ne l'aimais pas trop.

— Comment ça ?

— C'était un loubard en costard, si vous voyez ce que je veux dire. Pas franc du collier, enfin, pas le genre de mec avec lequel j'avais envie de sympathiser au-delà d'un verre, un soir. Pour tout vous dire, je n'en garde pas vraiment un souvenir flatteur.

— Je vois. Et Barr ?

— Oh, Thomas, c'était différent. Un rigolo, un joyeux drille. On se moquait de lui parce qu'il n'avait pas de chance avec les femmes. Il faut dire qu'il ne savait pas vraiment s'y prendre.

— Vous pouvez préciser ?

— Ben, c'était le genre je-t'offre-un-verre-et-on-monte. Quand vous arrivez à emballer aussi vite, il ne faut pas vraiment espérer tomber sur une pucelle. D'autant qu'il n'était pas un Adonis.

— Et Emilio Negri ?

— Emilio ? Il s'est aussi fait descendre ?

— C'est ce que l'on cherche. En tout cas, il est mort.

Owens délaça ses doigts. Il tâtonna sur son bureau, localisa son paquet et son briquet et alluma posément une autre cigarette. À l'aisance de son geste, à son demi-sourire de fumeur qui s'était trop longtemps abstenu, Cagney sentit qu'il était soulagé.

— Merde ! C'était un type bien, pas très bavard, mais correct. Sa femme souffrait d'une grave maladie, un machin immunitaire, le genre qui évolue durant des années et qu'on ne sait pas soigner. Je crois qu'il avait trois gosses, si je me souviens bien.

Il baissa les yeux et acheva d'un ton à peine perceptible :

— Negri, ça c'est vraiment dur.

— Et Bernie Bronsky ?

Le regard d'Owens se riva à nouveau à celui de Cagney. Il éteignit sa cigarette et ses mains disparurent sous son bureau.

— Quoi, Bernie ?

— Il est également décédé. On cherche de ce côté-là.

— Oh, il était à peu près le seul avec qui je me sentais des affinités, enfin, c'est un bien grand mot. C'était un solitaire, il avait la bougeotte. Mais il était clair. Non, c'était non et il n'y avait pas à discuter. D'ailleurs, il n'était pas très bon vendeur. Il ne montrait aucune patience avec les emmerdeurs et Dieu sait qu'on tombe sur des cas dans la vente. Mais on s'est perdus de vue après *Denta'prep*. À l'époque, je crois qu'il habitait Portland, Maine. C'est pas la porte à côté.

Soudain, Cagney demanda :

— Vous envisagez de vous étendre vers la côte Ouest ?

— Non, faut connaître ses limites. Ça a été la grosse erreur de *Denta'prep*. Quale avait les yeux plus gros que les couilles, si vous voyez ce que je veux dire. C'est un marché à part. On n'est pas de taille, du moins pas encore. Mon fils, peut-être.

Ils quittèrent Owens peu après, sur une série de questions dont la banalité l'inquiéta. Cagney sentit à sa démarche, alors qu'il les précédait dans le couloir, à sa façon de sortir les épaules, qu'il s'attendait à quelque chose de différent. Mais quoi ?

Ils rejoignirent le hangar glacial, au bout des pistes de Logan International Airport, qui faisait office de terminal pour les passagers d'hélicoptères militaires. Une machine à café récalcitrante accepta, après un coup de pied de Glover, de leur délivrer deux gobelets d'une boisson dite « au goût de thé parfumé au citron » et dont Cagney ne voulait surtout pas connaître la composition chimique.

— Qu'en avez-vous pensé, monsieur ?

— Et vous, Lionel ?

Glover hésita. Cagney insista :

— L'important n'est pas que vous vous plantiez. Ce que je veux savoir, c'est où vous vous plantez, parce que ce sont ces failles-là qu'il faut surveiller.

— D'accord, je me lance. Je crois que vous avez raison, il sait quelque chose. Soi-disant, tout cela est très vieux, mais il se souvient de la maladie de la femme de Negri, du nombre de gosses, du prénom de Barr, bref c'est un monsieur qui possède une mémoire sélective.

Il se tut et regarda Cagney.

— Et ? Ce n'est pas tout, Glover ?

— Euh, alors là, c'est vraiment au feeling...

— Vous croyez que notre expertise, comme on dit maintenant, c'est quoi ?

— Okay. Il était complètement sur la défensive, bras croisés sur son torse. Ce mec a vraiment manqué de fric, il fume ses cigarettes jusqu'au mégot. Le genre d'habitude inconsciente que l'on perd difficilement, même lorsqu'on peut s'acheter toutes les cartouches de clopes qu'on veut. (Il sourit, amusé mais triste, et précisa :) Ça, je le sais. J'oublie toujours d'acheter des boîtes de mouchoirs en papier quand je fais mes courses parce que chez nous, on se servait de papier hygiénique, même Tricia pour se démaquiller. On n'achetait que l'essentiel. Les pauvres restent toujours des pauvres, même quand ils sont riches.

Il s'interrompit quelques instants et devant le silence de Cagney, reprit :

— À deux reprises, Owens a éteint ses clopes à moitié fumées, parce qu'il avait peur que l'on voit ses doigts trembler. C'est aussi pour cette raison qu'il ne vous lâchait pas des yeux, comme font souvent les gens qui s'apprêtent à mentir. Ils fixent leur regard sur vos yeux, mais ils regardent en dedans. En fait, je ne crois pas qu'il avait la trouille, mais l'incertitude lui usait les nerfs. Il se demandait ce que l'on savait.

» Et puis, enfin, personnellement, je ne me casserais pas trop au sujet d'Emilio Negri. S'il y a vraiment une affaire, il n'est pas dedans. Owens était à la fois triste de la nouvelle, mais soulagé, parce qu'il savait que c'était une fausse piste. Par contre, le petit père Bronsky me paraît juteux. Voilà, c'est tout. Je crois que notre hélico est prêt. Vous savez que je n'étais jamais monté dans un hélico avant le Bureau ? Je trouve ça assez frime. Comment je m'en sors ?

— Plutôt pas mal. Bien même. Une fois rentrés, Glover, je veux tout sur Bernie Bronsky. Vous avez raison, inutile de se fatiguer avec Negri : juste une petite enquête de routine. Et surtout, je veux tout sur Owens, son passé, sa femme, sa maîtresse, même si je doute qu'il en ait une, sa mère, son fils, la grand-tante si nécessaire. Tout.

— Bien, monsieur.

Base militaire de Quantico, Virginie
20 novembre

Il faisait nuit lorsque le Bell Jet Ranger se posa, le nez levé, sur la petite piste ronde de la base. Les phares halogènes qui éclairaient l'asphalte, perchés en haut de leurs mâts, trouaient une brume de fines particules d'eau glacée. Il régnait un silence inhabituel et presque dérangeant.

Quantico est toujours le siège d'exercices de simulation : arrestations, poursuites en voiture. Les marines et les agents du FBI se relayent sur les champs d'entraînement de tir, pulvérisant des silhouettes en tôle peinte. Si elles ont une forme humaine, c'est qu'un jour, il faudra tirer sur un homme. Des armées de morts qui reproduisent une humanité fantôme, statistiquement équivalente à ces milliards d'êtres qui souffrent, vivent, croient, meurent.

Le souvenir des cheveux orange de Mrs Binasky fit une brève incursion dans le cerveau de Cagney. Mais, quel était le but de tout cela ? Qu'est-ce qui changerait vraiment si nous n'étions pas là ? Nous, c'est tout.

Cagney emboîta le pas à Glover après avoir remercié Bob, leur pilote. Celui-ci lui avait annoncé, juste avant de décoller, qu'il partirait à la retraite dans quelques mois. Que cet athlète — qui paraissait plus jeune que lui — atteigne la limite d'âge avait choqué Cagney. Il entrait dans cette période où ceux qui avaient constitué ses repères durant des années allaient partir, les uns après les autres, comme une attestation de sa propre vieillesse. Pendant tout ce temps, ils s'étaient enfoncés dans la vie au même rythme, si bien que le mouvement avait été imperceptible. D'autres les remplaceraient, qui vivraient à *leur* rythme, différent du sien. Le désert s'installerait ensuite, par vagues successives, et tous les témoins de sa vie, de sa réalité mourraient, le laissant à chaque fois un peu plus isolé.

Ils découvrirent Richard Ringwood mastiquant une grosse bouchée de sandwich, sa chemise flottant sur son abdomen amaigri et encore plus flasque qu'avant.

— Je croyais que vous n'aviez pas droit au pain, Richard ?

Il avala bruyamment et déclara d'une voix approximative :

— Ah, maintenant si, je suis en phase de réadaptation alimentaire !

— Fichtre !

— Vous en voulez un morceau ?

— Non, merci. À trois, ce serait un peu léger. On montera un peu plus tard.

— Il est huit heures. Il ne devrait plus y avoir grand-chose. Enfin, j'ai des trucs assez intéressants, je crois.

— Nous sommes tout ouïe, Richard.

— Negri s'est éteint après la mort de sa femme. Elle avait une maladie auto-immune assez rare. Il a chopé une double pneumonie. Il n'a pas tenu le choc, l'usure sans doute, le chagrin. C'est triste.

— Oui, c'est le moins que l'on puisse dire. C'est tout ?

— Non. Bernie Bronsky a été assassiné. Il y a cinq ans. Par une prostituée, d'après certains témoignages. Enfin, par une prostituée et son mac.

Richard arracha une autre énorme bouchée à son sandwich. Des miettes de thon à la mayonnaise tombèrent sur son bureau encombré. Il les balaya d'un revers de main et les envoya sur la moquette. Tout dans cette scène agaça Cagney. Les miettes imbibées de graisse, la moquette, l'absence de serviette, les taches, le bruit liquide de la mastication.

— Richard, prenez une serviette et, s'il vous plaît, remettez la satisfaction de votre estomac après notre discussion !

— Excusez-moi... (Puis, geignard :) Mais j'ai faim, moi !

— Nous aussi.

Ringwood posa son sandwich débordant sur une pile de dossiers et murmura :

— Pardon. Bon, je continue. Je vous le fais dans le désordre. Bronsky n'était pas marié. Il s'était reconverti dans les voitures. Tout cela s'est passé à Edison, New Jersey, où il habitait et travaillait depuis quelques années. D'après les voisins, il montait fréquemment des filles chez lui. C'est le patron de la concession automobile dans laquelle il travaillait qui a appelé les flics. Bronsky ne s'était pas présenté au boulot depuis deux jours. En bref, le macchabée se décomposait depuis environ quatre jours lorsqu'on l'a retrouvé. Il semble qu'il ait été buté le samedi soir. Un premier voisin a vu Bronsky monter avec une blonde bouclée, cheveux mi-longs, un style vestimentaire pas vraiment distingué, si vous voyez ce que je veux dire. Elle était grande, mais juchée sur des talons hauts. Plus grande que Bronsky, qui mesurait 1,75 m. Comme le témoin n'a pas vu la fille de face, on ne peut pas exclure l'hypothèse d'un travesti, sauf que Bronsky n'avait visiblement pas de tendances homos. Un autre témoin, une vieille dame qui promenait son chien sur la pelouse devant l'immeuble, aux environs de 23 heures, a vu un homme pénétrer dans le hall de l'immeuble. Selon la vieille dame, il ne s'agissait pas d'un homme jeune.

— Elle a vu son visage ?

— Non, il faisait nuit noire. C'est sa démarche qui lui faisait dire cela. Une fois dans l'immeuble, l'homme n'a pas allumé, et cela a étonné la dame. C'est un petit bâtiment de 3 étages. Il y a 3 escaliers, de 6 appartements chacun. Les flics ont interrogé tous les locataires et propriétaires de l'escalier de Bernie Bronsky. Personne n'a reçu la visite d'un homme à 23 heures ce soir-là. Par élimination, ils en ont donc conclu que le mystérieux visiteur se rendait chez la victime. D'après le rapport d'autopsie, Bronsky avait ingéré juste avant sa mort une bonne dose d'alcool, assaisonnée d'une louche de Valium. Il devait être dans un état comateux lorsqu'il a été saigné à blanc.

— Il a été égorgé ?

— Oui, saigné comme un poulet.

— Pas d'arme à feu ?

— Non.

— D'autres indices ?

— Oui, les cheveux de la pute. Du synthétique, une perruque, modèle classique, acheté dans un supermarché, made in Asie quelque part, comme les 4/5 des perruques vendues sur notre continent. Bronsky n'a même pas eu le temps de conclure l'affaire. Pas d'autres prélèvements si ce n'est son sang, environ quatre litres répandus sur le lit, la moquette, le mur, de quoi faire. Il n'y avait qu'un verre, celui de Bronsky, dans lequel on a retrouvé des traces de Valium. La fille a dû emmener le sien.

— Il y a eu vol ?

— Oui. Le portefeuille de Bronsky a été vidé, sa montre manquait, ainsi que des boutons de manchette en or.

— C'est tout ?

— Oh, non. C'est là que ça se corse. On a retrouvé les boutons de manchettes et la montre dans une des bennes à ordures, derrière l'immeuble. Pas l'argent.

— Ou ils sont vraiment futés mais tuent pour des clopinettes, ou le vol n'est pas du tout le motif du meurtre, des meurtres.

— Vous croyez que ce sont les mêmes ?

— Oui : ils sont deux, le vol est inconsistant. Les rites, l'arme ne sont pas identiques. Oui, ce sont les mêmes.

— Mais pourquoi ? Une vengeance ?

— Non, c'est trop... Comment dire... plat. Ce serait plus féroce, plus démonstratif. L'appartement a été saccagé ?

— Saccage n'est pas le mot. Un gros désordre, sans plus. Mais un peu partout, dans toutes les pièces, même la salle de bains, comme si on cherchait quelque chose.

— Merde. Rien ne colle vraiment dans cette histoire. Le salon de Dale gardait l'empreinte d'une réelle envie de détruire, mais elle ne se retrouve pas dans le cas de Bronsky. Il y a un peu de tout, mais rien de flagrant. Si ce n'est Owens. Owens est le nœud de tout cela. Je veux qu'on sache tout de lui, s'il pisse assis ou pas... Tout !

— Ah, j'oubliais ! Vous vous doutez que Bronsky n'était pas vraiment un fan de musique classique ou de littérature, et encore moins de haïkus. D'ailleurs, il n'y avait que des revues de sport et de cul plutôt soft, chez lui. On a retrouvé une sorte de poème en prose, dans un des tiroirs d'un meuble de cuisine, sous le casier de rangement des couverts. Étrange endroit. Peut-être ce que les meurtriers recherchaient, je ne sais pas. C'est assez chouette dans le genre hermétique. Un texte imprimé. Imprimante laser.

— Faites voir.

Richard fouilla dans la poche droite de son pantalon et en sortit un papier froissé qu'il tendit à Cagney.

Échappe de la bulle.
Entraîne la bulle.
La bulle est une idée.
C'est un nom, comme un songe.
Une lumière qui explose, qui attire,
mais qui fait mal.
Les bouches ouvertes ne mordent pas.
Elles rient.
L'énigme du visage qui est dans la bulle
mais qui parfois se renverse.
Elle se renverse.
Elle tombe mais elle ne le sait pas.
Car la bulle, douce et molle, est une forteresse.

Cagney lut et relut le texte ; il n'avait aucun sens, surtout retrouvé dans l'un des tiroirs de cuisine de feu Bernie Bronsky. Aucun sens pour l'instant, mais il savait que ces lignes incompréhensibles renfermaient une signification bouleversante. Quelqu'un avait écrit cela pour décrire une vie.

Ringwood récupéra son sandwich dont le pain trempé de mayonnaise menaçait de couler sur sa chemise.

— Vous montez manger un morceau ?

— Ça vous tente, Glover ?

— Oui, j'ai faim.

Ringwood embraya, ravi :

— Je vous tiens compagnie, si ça ne vous ennuie pas.

Cagney réprima un sourire :

— Volontiers, Richard. Mais... Vous avez déjà mangé, vous n'aurez droit qu'à un café ou un soda *light*. C'est une réadaptation alimentaire, pas une tolérance à l'orgie.

Ringwood se rembrunit et déclara, penaud :

— Je l'avais bien compris ainsi.

Ils dînèrent rapidement, puis se séparèrent peu de temps après sur le parking du bâtiment Jefferson, chacun remontant dans sa voiture. Ils passèrent au ralenti sur les larges dents rabattues de la herse qui protégeait l'entrée de la base, répondant les uns derrière les autres au salut courtois mais jovial du marine de garde.

Ce n'est qu'une fois chez lui que Cagney se rendit compte qu'il avait glissé le poème dans la poche intérieure de son veston.

San Francisco, Californie,
Fredericksburgh, Virginie
20 novembre

Gloria resta un long moment devant son télécopieur, une feuille à la main. Elle hésitait entre l'apaisement et la crise de nerfs.

Cette journée avait été effroyable. Elle était rentrée de la clinique sans même savoir comment elle avait pu conduire, et avait trouvé sur son répondeur plusieurs messages de Maggie. La succession des émotions de l'amie, l'angoisse croissante de sa voix lui avaient causé une peine terrible. Alors, Gloria avait bu un verre et puis d'autres, jusqu'à vider deux bouteilles de chablis, jusqu'à s'écrouler sur la moquette, coincée entre la table basse en érable et l'un des canapés.

Elle avait sans doute été malade. Lorsqu'elle s'était réveillée, son chemisier empestait le vin vomi, l'odeur aigre des sucs gastriques. La moquette sous elle était tachée et puait. Elle avait tendu la main, s'attendant à rencontrer une truffe fraîche, de grandes bajoues froissées et humides de salive. La pression familière et amie du boxer dans son dos lui manquait. Elle avait combattu la migraine qui lui faisait trembler les joues en avalant une forte dose d'aspirine. Merde, elle croyait se souvenir qu'on ne doit pas prendre d'aspirine lorsqu'on est enceinte. À moins que ce ne soit au bout d'un certain nombre de semaines.

Tant pis.

Elle s'était douchée, s'ébouillantant presque, avait nettoyé la moquette avec une rage qui l'avait un peu calmée. Elle avait téléphoné à Jade pour lui demander d'avertir gentiment Clare qu'elle ne passerait pas aujourd'hui, qu'elle était malade. Ce n'était pas faux, elle se sentait terriblement mal.

Et puis elle s'était assise. Et puis les heures avaient passé.

Le téléphone avait sonné à plusieurs reprises, mais c'était si loin, si compliqué de tendre le bras derrière elle pour décrocher l'appareil... Sans doute Gloria avait-elle pensé, réfléchi durant toutes ces minutes, mais elle n'en gardait qu'un souvenir très flou. C'était un processus intellectuel qu'elle connaissait bien, sans savoir le maîtriser, sans, du reste, en avoir vraiment envie. Elle se laissait partir quelque part, dans un endroit vide, où rien n'évoquait rien, où les pensées devenaient muettes et invisibles, indolores aussi. Son cerveau, débarrassé de ses pesanteurs, s'emballait, recrutait toutes ses impulsions. Elle ne le gênait plus avec « ses mièvreries », comme les appelait Hugues de Barzan.

Lorsqu'elle se leva enfin, l'après-midi déclinait, et son cerveau avait conclu. Le choix était définitif, irrévocable, elle n'en saurait tous les détails et toutes les implications que plus tard, comme d'habitude. D'ailleurs, cela n'avait plus vraiment d'importance.

Ce petit amas de cellules indifférenciées allait pousser, se diviser d'abord comme un kyste, puis comme un embryon. Le reste suivrait parce qu'elle pouvait tout faire, tout exiger d'elle, elle se l'était déjà démontré.

Elle avait su captiver Hugues de Barzan, elle avait pu lui mentir, le trahir lorsqu'il avait fallu. Non, jamais lui. Elle n'avait jamais trahi le respect qu'elle ressentait pour son intelligence unique, contagieuse. Elle avait conservé cette curieuse tendresse mêlée d'une infinie reconnaissance qu'elle ressentait pour lui. C'était son désir d'homme qu'elle avait bafoué parce qu'elle n'en voulait pas.

Elle avait su accoucher d'un bébé-ange lorsqu'elle avait treize ans.

Elle avait supporté qu'une conne dégoulinante de bons sentiments et de compassion professionnelle le lui vole pour l'institution parce qu'elle savait déjà qu'elle le récupérerait. Et elle y était parvenue.

Et puis, elle avait trouvé assez de force, assez de rage pour tuer.

Et Clare vivait. Clare riait en frappant dans ses mains des facéties prétentieuses du grand paon du parc de Little Bend. Oui, Gloria pouvait tout faire, elle le savait.

Il n'y aurait pas d'autre petit garçon aux yeux bruns assombris de désespoir, lui mangeant les tempes, les bras tordus dans un chiffon, attendant une mort dont il n'avait pas l'idée.

Parce qu'il ne fallait pas que ce soit une fille. Parce que son unique bébé fille serait Clare.

Elle relut une fois encore le fax de James. Même le jeu de mots, peu subtil, étonnant de sa part, la bouleversait. Il y avait un poème, étrangement doux et terrible, écrit de cette belle écriture, haute, lisible, d'homme mûr et quelques mots :

Tu m'aides ? Tu m'aimes ?

Il décrocha dès la deuxième sonnerie. Avant même qu'elle ne parle, il demanda :

— Comment vas-tu ?

— Mieux, oui, je crois, beaucoup mieux. Demain, c'est le week-end. Je t'invite à boire une bouteille de champagne chez moi.

— Tu m'invites dans ta tanière ? Je ne sais même pas à quoi elle ressemble.

— Elle est belle, enfin, elle me va. J'aimerais bien qu'elle te plaise.

— Mais tout me plaît chez toi. Sauf tes absences.

— Je sais. On pourrait peut-être déjeuner avec Clare dimanche ?

Il y eut un silence. Cagney était ému, comme il avait réappris qu'on puisse l'être. Il ressentait une sorte de vide étrange qui se formait sous le diaphragme, l'impression que plus rien n'avait de poids. Il avait peur aussi. Gloria n'avait jamais voulu le laisser pénétrer dans ses territoires : sa fille, sa vie, sa maison. D'une voix qu'il voulait légère, il demanda :

— Qu'est-ce qui se passe ?

— Rien, j'ai envie de boire du bon champagne en ta compagnie. J'ai envie de dormir avec toi. Je suis un peu fatiguée. Qui a composé ce poème ?

Il comprit qu'elle ne voulait plus parler d'elle, d'eux. Une sorte d'urgence joyeuse remplaça l'émotion. Il eut envie de partir tout de suite, de passer ces quelques heures de vol dans la tension, dans l'impatience. La vie lui revenait. Gloria savait si bien la faire partir et revenir que c'en était effrayant. Il ne guérirait jamais d'elle ; du reste, ces quelques jours lui avaient démontré qu'il ne le souhaitait pas.

— Tu sais, je peux prendre un avion de nuit. Avec le décalage horaire, je serai chez toi dans quelques heures. J'aurai encore le temps de t'éblouir avec ma plus prestigieuse création culinaire.

Elle rit doucement :

— Des tagliatelles au basilic ?

— Oui, sans fromage.

— Mais avec de la tomate ?

— Plein, on ne verra même plus le vert des pâtes.

— Tu sais parler aux femmes.

— Pourtant je manque d'entraînement.

— C'est une affaire qui marche. Je vais appeler le *delicatessen* et me faire livrer.

— J'ai tout dans le réfrigérateur. Je t'attendais et j'avais stocké les armes de la séduction.

— Tu vas avoir l'air fin avec ton petit sac plastique dans l'avion.

— Je ne suis plus à ça près.

Il regretta son ton sérieux, un ton de reproche, et ajouta précipitamment :

— Mais tu peux commander le champagne, je n'avais que du chablis.

— D'accord. C'est quoi, ce poème ?

— Plus tard. Je t'aime.

Il raccrocha et fonça, ramassant dans le réfrigérateur pâtes, tomates, poivrons et basilic, qu'il jeta dans un sac plastique du *Safeway* où il faisait ses courses. Il ajouta deux paires de chaussettes, des caleçons, un jean, un sweat-shirt, et deux chemises par-dessus. Il parvint à y fourrer le dossier qui se trouvait sur la table du salon, et sur lequel il avait pensé travailler ce week-end. Le sac publicitaire débordait et menaçait de craquer, mais il n'avait plus le temps de chercher une valise. Une fois dans la voiture, il sourit. Il allait avoir l'air d'un vrai con, avec son costume chic, sa silhouette austère et des manches de chemise dépassant d'un sac en plastique. Il hésita, jetant un regard à son téléphone cellulaire posé sur le siège passager. Non ; il appellerait Ringwood et Glover une fois en Californie. La crainte superstitieuse qu'un nouveau meurtre, une nouvelle piste, n'importe quoi, l'empêche de rejoindre Gloria le poussa à déconnecter l'appareil.

Elle ouvrit l'un des battants de la grande double porte en bois blond alors que le taxi n'avait pas encore redémarré.

Elle portait un long kimono d'épaisse soie beige et seul le bout de ses pieds nus dépassait de l'étoffe. Elle était très pâle, l'air fatigué. Lui-même se sentait épuisé.

Il gravit les quelques marches qui menaient à elle et attendit, incertain. Elle leva le visage vers lui et posa légèrement ses lèvres sur les siennes. Ce geste lui ressemblait si peu qu'il eut envie de la serrer à lui faire mal. Dans l'avion, il avait décidé, après avoir passé en revue toutes les possibilités, que cette fin de soirée, ce début de nuit seraient légers, sans menace pour elle.

— Bonjour, madame. Tu es ravissante. Désolé, il n'y avait plus de place dans mon bagage luxueux de chez *Safeway* pour un bouquet de fleurs.

Elle sourit en regardant le sac gonflé. Il reprit :

— J'ai fait tache en première. Mais je l'ai pris de façon très hautaine. Il faudra trouver quand même un truc un peu plus décent pour le retour.

Il lui entoura les épaules de son bras et demanda :

— Tu me fais visiter ta maison ?

— Ma tanière ?

— Oui.

— Viens, j'ai froid aux pieds sur ces marches.

Il la suivit. La maison était magnifique, d'une sobre élégance, comme Gloria. Elle était trop grande, beaucoup trop grande pour cette femme menue, comme si elle attendait que d'autres existences la meublent. Mais peut-être lui octroyait-il ses rêves...

Il reconnut le bureau arrondi en érable blond qu'il avait entraperçu dans l'ancienne maison de Diamond Heights. Qu'elle eut conservé ce lien avec son passé le rassura. La débauche luxuriante des deux jardins d'hiver le combla. Il y avait dans ces plantes superbes des réserves de vitalité, d'énergie. L'odeur lourde et métallique de l'humus lui donna faim.

— La cuisine, madame !

— Ah, je la gardais pour la fin ! C'est mon grand œuvre. Du cent pour cent Parker-Simmons. J'ai fait pipi sur tous les murs pour marquer mon territoire.

— Oh ! Faisons connaissance tout de suite. J'enlève mes chaussettes de dessus les pâtes et j'œuvre. Des chaussettes propres, je le précise.

Il adora la cuisine parce que, selon lui, elle représentait ce que Gloria aurait dû être, ce qu'elle était, derrière la peur, derrière la mémoire. Chaude, sensuelle, efficace, forte.

Il joua au cuisinier caractériel pour la faire rire et s'émut d'y parvenir.

— Non, parce que tu vois ma chérie, tout est vraiment dans cette goutte d'huile — d'olive-vierge-première-pression-à-froid — que l'on ajoute à l'eau afin que les pâtes n'attachent pas et qu'elles prennent un goût subtil, pour les connaisseurs. Le sel, aussi. Le sel est très important. Ça peut foutre en l'air tout le repas. Quant aux tomates, leur fermeté, mais leur sapidité, enfin, bon... C'est très compliqué, des tagliatelles réussies. Je te sers un verre de champagne ?

— Oui.

Elle était assise sur l'une des paillasses en teck et le regardait s'agiter, les reins serrés dans un torchon, les manches relevées sur ses avant-bras. Il était beau, sain, confortable.

— Un magnum !

— Oui, français, bien sûr. J'ai décidé de te soûler pour abuser de toi ensuite.

Il la regarda, étonné, et fit un effort pour ne pas l'allonger là, sur le bois roux foncé. Il parvint à répondre :

— J'apprécie, mais tu peux abuser de moi à ta guise : à jeun, dans la douche, dans la voiture, où et quand tu veux.

— J'en prends bonne note.

Cette réponse coupa la voix de Cagney. Gloria avait pour le sexe une inappétence, une peur qui le pétrifiait depuis des mois. Elle continua, avalant sa coupe à petites gorgées :

— Tu sais, c'est très bon les tagliatelles, mais il faudra sans doute que tu te renouvelles.

— Mais j'y songe.

— Non, parce que je ne crois pas qu'il faille que je me lance là-dedans. Je n'ai aucun talent pour la cuisine.

— Bon, je te propose d'établir une liste. Je sais que tu adores les listes. On trace deux colonnes : ce que tu sais faire dans une maison, ce que je sais faire.

— Oh, ce sera rapide, je ne sais rien faire.

Il écarta les bras, l'air ravi :

— Ça tombe à pic, ma chérie, je sais tout faire.

Soudain sérieuse, elle le contempla et demanda dans un murmure :

— Même les bébés ?

Il crut d'abord à... à rien. Si, il crut à une méchanceté, mais cela ne ressemblait pas à Gloria.

— Qu'est-ce que tu veux dire ?

— ...

— Gloria ? Qu'est-ce que tu veux dire ?

Elle souffla, bouche ouverte :

— Je m'y prends comme une nulle. Mais je ne sais pas comment on fait d'habitude. Je suis enceinte.

Il mit un moment avant de comprendre la signification du mot et resta bouche bée. Elle enchaîna :

— C'est mon dernier champagne. Je... Je suis allée dans une clinique ce matin. Mais je suis tombée sur un magazine avec des enfants russes, des petits débiles et puis il y avait cette femme, qui attendait, elle aussi. Elle n'était pas méchante je crois, mais elle était si stupide, elle ne savait pas ce qu'elle disait, à quel point ça pouvait faire mal... Enfin de toute façon, je n'ai pas envie d'en parler ce soir. Je te raconterai plus tard. Ce soir est une bonne soirée. N'est-ce pas ? Je veux que ce soit une bonne soirée.

Il la fixa, le cerveau en sommeil, incapable de faire, de dire.

Soudain nerveuse, elle insista :

— James, dis quelque chose.

Il parvint à articuler :

— Gloria... si tu savais comme je t'aime.

— Les pâtes débordent. Je t'assure, les pâtes débordent !

Il retira la casserole de la plaque à induction sans s'en apercevoir et s'avança vers elle. Il avait le sentiment de bouger dans un rêve. Il ne sentait plus ses jambes, ni ses pieds. Il n'y avait plus que ses yeux qui fixaient le regard bleu pâle, l'élargissement de la pupille sombre. Il comprit qu'elle ne dirait rien, parce qu'elle ne savait pas encore qu'il attendait depuis des mois qu'elle prononce les mots.

Cette nuit-là, il sut qu'elle était venue vers lui, que toute cette passion, toute cette envie avaient été deux. Lorsqu'elle referma les cuisses convulsivement sur ses hanches, lorsqu'elle serra les lèvres, lorsque ses ongles meurtrirent ses fesses, il sut. La bouche de Cagney avait gardé le goût du sexe de Gloria et lorsqu'il l'embrassa avant qu'elle s'endorme, il y mêla le goût du sien.

San Francisco, Californie
21 novembre

Depuis quand ne s'était-il pas senti aussi bien ? La paix du sexe, sans doute. Celle de l'amour, de sa certitude, certainement. Il chantonnait — faux — dans la cuisine, en préparant le petit déjeuner. Il était épuisé, courbatu, mais Gloria avait mis le réveil, parce qu'elle déjeunait avec Clare. Il aurait bien dormi autour d'elle jusqu'à midi. La sonnerie électronique étouffée mais insistante l'avait réveillé en sursaut. Gloria l'avait poussé hors du lit en grommelant : « Non, non » et s'était rendormie en déglutissant bruyamment.

Pas d'œufs. Cagney avait de la grossesse une connaissance d'anecdotes, qui venait de tous ces hommes qu'il avait côtoyés qui attendaient un bébé comme s'ils le portaient. Durant les premiers mois, pas d'aliments qui sentent trop fort ou trop connotés parce qu'elles ont mal au cœur dès le matin. Ensuite, ça passe. Il pouffa de rire sur les toasts : il allait devenir un de ces néo-pères abusifs et terroristes, qui savent tout sur les bébés mieux que tout le monde et qui ne tolèrent aucune discussion. Il le sentait. Du reste, il avait déjà envie de sortir pour acheter des bouquins.

Il redevint sérieux d'un coup. Merde, il ne savait rien, si ce n'est qu'elle était enceinte, que cela le bouleversait jusqu'au plus intime de lui, qu'il avait cinquante-sept ans, l'âge d'être son père, et qu'elle avait voulu avorter.

Lorsqu'il remonta dans la chambre, portant précautionneusement le plateau chargé de toasts, de marmelade, d'un thé de Chine, léger pour elle, presque noir pour lui, et dans un verre, d'une petite branche de ficus qu'il avait arrachée d'un arbre, parce qu'il n'y avait pas de fleurs dans les jardins d'hiver, elle était assise dans le lit, ébouriffée, les yeux fermés. Il sourit en se disant qu'il n'avait jamais connu de matin plus parfait.

— Bonjour, madame, comment vas-tu ?

— Bien, très bien. Qui a écrit ce poème que tu m'as faxé ? C'était quand, hier ?

— Oui, grosse journée. Et si on parlait de ce bébé ? Tu veux ?

Elle rit bouche fermée, les yeux toujours clos.

— Ce n'est pas un bébé. Ça s'appelle encore une morula, ensuite ce sera une blastula. Après il y aura un fœtus et enfin un bébé. Ça prend environ neuf mois, tu sais. Qui a écrit le poème ? (Elle ouvrit les yeux et renifla la théière.) Hum, j'ai soif. (Elle le regarda, avança le visage vers lui.) Embrasse-moi.

Elle se débattit, parvint à se dégager et couina :

— Je n'ai pas dit renverse-moi.

— Ah bon, j'avais cru. Je ne sais pas qui l'a écrit, déclara Cagney en servant le thé. Je suis certain qu'il a une signification. On l'a trouvé dans un des tiroirs de cuisine d'une victime. Un homme abattu il y a cinq ans, dans le New Jersey, pas le genre à collectionner les poèmes cryptiques.

— Il fait partie de la même série que les autres, les plus récents ?

Il fit la moue et déclara :

— Gloria, je prends deux jours de vacances avec toi.

— Dommage, moi pas. Allez raconte, de toute façon, je ne te laisserai pas tranquille.

— Je me rends. Oui, je crois qu'il fait partie de la même série, peut-être même qu'il l'initie.

— Comment est-il mort ? Comme les autres ?

— Non, c'est pour cela que je pense qu'il était le premier. La tactique des meurtriers n'était pas mature. Il a été égorgé, simplement, vidé de son sang.

Elle le regardait sans broncher, écoutant attentivement, et il songea pour la millième fois qu'aucun de ces poncifs sur les femmes, qui rassurent tant les hommes, n'était de mise avec elle. Il demanda :

— Tu veux les dossiers, n'est-ce pas ?

Elle hocha la tête en souriant et il eut envie d'elle.

— Ils sont dans mon sac plastique, avec le parmesan et mes caleçons. Je savais que tu me les demanderais.

— Mince, il faut que je me dépêche ! Je ne suis pas allée voir Clare hier. La journée avait été trop dure, trop chaotique.

— Je viens avec toi ?

— Non. Pas aujourd'hui. Demain. Demain, on déjeune ensemble. Tu te souviens, tu voulais nous emmener dans ce restaurant, juste avant d'arriver à Little Bend. C'était quand ?

— Il y a deux ans. Je m'en souviens très bien. J'ai cru que tu allais m'arracher les yeux.

Elle répondit, le plus sérieusement du monde :

— J'allais t'arracher les yeux. Du reste, si Clare n'avait pas été là, je l'aurais fait. Mais je ne voulais pas l'effrayer.

Il n'eut aucun doute qu'elle disait la vérité.

— Je rentrerai de Little Bend juste après le déjeuner.

— Il y a une librairie dans le coin ?

— Oui, une grande, juste en bas de la rue.

Elle termina sa tasse et se leva. Elle n'avait rien mangé. Il la retint par une manche de son kimono froissé :

— On pourra parler après ?

— Si tu veux, mais il n'y a pas grand-chose à dire.

— Toi peut-être, moi si.

Il surveilla la sortie du coupé Mercedes par l'une des grandes baies vitrées du salon.

Tout allait si vite qu'il avait le sentiment d'avoir vécu deux ans en deux jours. Mais il se sentait presque jeune et cela, c'était nouveau et très délectable. Comme si la promesse de cet enfant gommait des années.

Une fille, ce serait une fille, bien sûr. Gloria accepterait peut-être qu'ils l'appellent Savannah. Cagney adorait cette ville dans laquelle il n'aurait jamais pu vivre. Une ville folle, tendre, féroce, intelligente, beaucoup trop anarchique pour lui. Il voulait sa fille comme cela.

Un fou rire lui coupa le souffle. Depuis quand n'avait-il pas ri aux larmes ? Jamais, sans doute. S'il ne se calmait pas, dans deux jours il suivrait un cours intensif de préparation des biberons. Il paraît que les hommes aussi font leur nidation. Il était en plein dedans.

Il téléphona à Glover et Ringwood, tous deux à la base, et annonça aussi naturellement que possible qu'il se trouvait à San Francisco. Glover, bien sûr, s'en fichait, Ringwood aussi sans doute, mais Cagney devait faire un effort pour ne pas se justifier, expliquer son départ soudain. Il n'y avait rien de bien neuf et il raccrocha en leur laissant le numéro « permis » de Gloria. Il y avait deux lignes, l'une archi-confidentielle, l'autre moins occulte.

Il se doucha, s'habilla d'un jean et de son sweat-shirt noir et se rendit compte qu'il mourait de faim. Cela aussi, c'était une sensation précieuse, oubliée. Il avala le reste des toasts un peu racornis et sortit en rebranchant le système d'alarme ultrasophistiqué qui protégeait Gloria et sa tanière. Il flâna dans Castro Street, s'arrêta pour boire un cappuccino et acheta une dizaine de livres, un monceau d'inutilités charmantes ou bizarres, dans les innombrables petites boutiques qui bordent cette rue folle, gaie et gay.

Il en était resté à la méthode du Dr Spock qui faisait fureur trente ans plus tôt, et qui de toute évidence était oubliée de tous, sauf de lui. Il fit composer un énorme bouquet de fleurs, dont émergeaient, hirsutes, de petites têtes d'ananas vert rosé, et prit un taxi pour rentrer.

Gloria était installée à son bureau, une théière fumante devant elle, plongée dans le dossier qu'il avait amené. Elle leva la tête, le détailla de la tête aux pieds et déclara :

— Tu sais, Germaine me manque. Ça fait presque un an qu'il est mort, mais je n'arrive pas à faire comme s'il n'avait jamais été là. Mes pieds le cherchent sous le bureau et de temps en temps, quand je dors, je tends la main, mais il n'y a plus de coussin en bas de mon lit. Je crois que je n'arrive pas à me concentrer aussi bien sans chien.

— Tu veux un chien ?

— Non, ce ne serait pas une bonne idée. Je ne peux pas le traîner dans les soutes d'avion à chaque fois que je me déplace.

— Comment va Clare ?

— Bien, très bien même. Elle est ravie d'être invitée au restaurant. Elle se souvient de toi. Tu avais apporté des marshmallows, n'est-ce pas ?

— Oui, j'essayais de la séduire. Il faut toujours convaincre la fille lorsqu'on est amoureux de la mère. C'est pathétique, mais on fait ce qu'on peut.

— La perspective d'aller au restaurant la rend folle de joie. Je crois qu'elle est amoureuse, ou du moins attirée, j'ignore comment ça ce passe dans sa tête. Il a l'air très doux, un peu ailleurs. (Elle réfléchit, puis ajouta :) Ce ne sera pas simple, tu sais, je veux dire le restaurant.

— On a déjà eu cette conversation, il y a deux ans. Le regard des autres m'est indifférent. Gloria, je me suis tellement battu depuis des années pour arriver à toi, j'emmerde les autres. Tu n'as pas encore compris, je suis comme toi, un survivant.

Elle tendit la main au-dessus du lourd plateau de son bureau en souriant. Il s'avança, se pencha et embrassa sa paume. Elle murmura de sa voix grave, étouffée, qu'il aimait tant :

— Bien. C'est ce qu'il faut.

— Tu veux qu'on invite ce garçon avec Clare ?

— Non. J'ai eu mal lorsque j'ai découvert, ou plutôt accepté de comprendre, qu'il existait. Mal et très peur. Je crois que tout s'est emmêlé avec tout. Clare, toi, ce garçon... le...

— La blastula, quoi que soit cette chose ?

— Oui.

— Tu veux me raconter ?

— Non, parce que je n'ai pas encore bien réussi à faire le tri.

Puis, parce que le moment était passé, elle reprit d'un ton plus ferme :

— Ces dossiers sont squelettiques. Il manque pleins de trucs, j'en suis sûre.

— Je peux demander à Ringwood de me faxer la totalité de ce que nous avons, si tu veux ? Il doit encore être à la base.

— Oui, appelle-le.

— Tu veux dîner dehors ce soir ?

— Non. Appelle Ringwood, maintenant.

— À vos ordres, madame.

— Où sont passées les tagliatelles ?

— À la poubelle. Elles avaient triste figure après une nuit dans l'eau.

— Dommage.

— Je peux récidiver, si tu veux.

— Volontiers. Mais cette fois, on les mange.

Il posa la main sur son cœur et déclara :

— Promis. Croix de bois... Tu veux que je te laisse travailler ? C'est ça ?

— Une petite heure encore.

— Entendu. Je nous prépare un verre ?

— Oui, mais pas d'alcool pour moi.

— Qu'est-ce que tu veux ?

Elle tapa du pied sous son bureau et lui répondit, excédée :

— Choisis. Il faut que je finisse de rentrer ces données avant ce soir. Pas d'alcool, c'est tout. J'ai droit à un verre de vin pendant le repas. Point. Et je veux du vin rouge, bon, épais. (Elle sourit et ajouta d'un ton plus doux :) Pardon, je crois que je n'ai pas vraiment l'habitude de la vie de couple.

Il ne releva pas, mais qu'elle ait utilisé le mot couple lui fit plaisir.

— Une dernière chose avant que tu rentres dans ta coquille informatique : je prends ta voiture et je vais faire les courses. Si je ne suis pas rentré dans deux heures, et si tant est que tu lèves le nez de ton ordinateur pour t'en apercevoir, c'est que je me suis perdu. Dis-moi juste où se trouve ton supermarché.

— *Bread & Circle*, en bas de Castro Street. Et appelle Ringwood avant d'y aller. J'ai besoin de ce dossier au plus vite.

Il appela Ringwood qui était sur le point de partir.

— Bonsoir, monsieur. Le mandat du juge est arrivé, en début d'après-midi. On a le feu vert pour demander aux instituts et hôpitaux l'identité de leurs patients souffrant d'ochronose. Mais on n'aura le droit de comparer l'empreinte génétique de nos échantillons de sang aux banques de données hospitalières que lorsqu'on présentera un suspect et des arguments « recevables », je cite.

— Il fallait s'y attendre. Il s'agit de patients ayant accepté le stockage de leur empreinte à des fins scientifiques, aussi avais-je espéré que les choses seraient plus faciles. Tant pis, on fera sans, pour l'instant. Avez-vous lancé une recherche plus générale sur les patients atteints d'ochronose ? On procédera par cercles. Le quart nord-est du pays, en premier.

— Oui, c'est parti. Avec le week-end, nous n'obtiendrons pas de réponse avant lundi, je pense.

Ringwood hésita quelques secondes, puis acheva sa pensée :

— Mrs Parker-Simmons nous aide ?

— Oui. Elle est plongée dans son logiciel.

— Bien. Vous savez, nous avons eu des problèmes relationnels, elle et moi, il faut dire, enfin... J'ai trouvé qu'elle n'y mettait pas beaucoup du sien. Mais, bon, comme disait mon ex-femme, je ne suis pas tous les jours une affaire non plus.

— Je sais.

— C'est une bonne, vraiment une excellente analyste, bien au-delà même. Elle, elle crée, moi je n'ai jamais su. Je suis moyen, là comme ailleurs.

— Ringwood, qu'est-ce qui vous arrive ? Vous êtes irremplaçable, et je suis très sérieux. En plus, vous êtes un type bien ; j'ai eu des doutes mais plus maintenant. Simplement, elle fonctionne différemment de vous ou de moi. Par moments, j'ai l'impression que c'est une martienne. *C'est* une martienne. Son vrai langage, celui qu'elle comprend, qu'elle maîtrise le mieux, ce sont les mathématiques. Elles lui disent des choses que nous ne sommes pas capables d'assimiler.

— Ouais, je sais. Je suis informaticien. Elle est mathématicienne et se sert de l'informatique mieux que moi. Ça fiche un coup. Bon, je vous envoie tout par fax. Mes salutations cordiales à Mrs Parker-Simmons.

En même temps qu'il annonçait cela, Cagney s'insulta. Il fallait que quelqu'un d'autre que lui le sache pour que cela devienne vraiment réel et, de toute évidence, Gloria n'avait aucune envie d'épiloguer sur le sujet. Oui, un autre homme comme témoin, c'était mieux :

— Je vais avoir une petite fille, Ringwood.

— Quoi ?

— Gloria est enceinte.

— Mais depuis quand ?

— Je n'ai pas l'impression qu'elle le sache très bien. Je dirais un mois.

— Mais vous ne pouvez pas encore savoir que c'est une fille !

— Non, mais enfin, je le sens.

Il y eut un silence coupé par le souffle de Ringwood qui lui parvenait en différé. Puis, une voix lourde, heureuse :

— Oh, bordel, je suis ravi, monsieur ! Un bébé, un truc qui vit. Ça va nous changer de tous ces cadavres ! J'adore les bébés.

— Je croyais que vous n'aimiez pas les enfants ?

— Faut pas généraliser non plus. C'est théorique. Et puis, les bébés ne sont pas des enfants.

— Ça a toutes les chances de le devenir.

— Oui, enfin, je me comprends. Je vous envoie les pièces.

— Merci, Ringwood.

— Monsieur, je suis ravi. C'est vrai vous savez. Dans ce monde à la con, ça fait du bien, quelques kilos d'humain neuf, sans haine.

— Oui, je sais. Merci, Richard. À lundi.

Lorsqu'il rentra de *Bread & Circle* où il avait acheté tout ce qui lui plaisait — des kilos de victuailles — elle était plongée dans le fax de plusieurs dizaines de pages envoyé par Richard. Cagney s'était un peu perdu et il était six heures du soir. Il prépara deux cocktails de fruits frais sans alcool et les monta dans son bureau. Lorsqu'elle leva la tête de son écran, il eut la conviction qu'elle mettait du temps avant de le reconnaître. Elle s'excusa :

— J'ai presque fini. Tu comprends, le classement des données est crucial. Ce sera plus facile ensuite.

— Okay. Je peux m'asseoir ? Je te dérangerai pas, je ne dirai rien.

— D'accord.

Elle travailla encore une heure, inconsciente de sa présence, marmonnant des bouts de phrases incompréhensibles.

Cagney se sentait bien. Il n'avait pas envie d'une gentille petite épouse, il l'avait déjà eue et s'en était lassé très vite. Il voulait Gloria, toujours, ses impatiences, ses passions qu'il ne pourrait sans doute jamais partager parce qu'il n'en possédait pas les clefs.

— Voilà, c'est fini pour ce soir.

— Tu en as sorti quelque chose ?

Elle rit.

— Tu es trop mignon. Ça ne se fait pas comme ça. On n'agite pas la machine une fois que c'est dedans et ça sort tout cuit avec le résultat noué d'une faveur rose. Demain, il faut que je comprenne les données. Pour l'instant, elles sont stockées, c'est tout. Quand j'aurai compris, je saurai comment les faire parler. Pas avant. On mange, j'ai faim.

— Mais ce n'est pas prêt !

— Comment cela, ce n'est pas prêt !

Massachusetts
Novembre

Ce rire, cette bouche béante, rouge. C'est comme un charnier. Ça mâche, ça salive, ça déglutit. C'est un charnier à avaler la vie.

Je suis sale.

La gangrène s'est-elle mise dans ma tête à cause de ce rire, où était-elle déjà là, prête à dévorer ?

Ce n'est pas de la peine, ni même de l'amour, c'est de la haine, sans plus. L'amour reviendra-t-il ? Pourquoi le ferait-il s'il n'a jamais été là ?

Je guette. Je guette sa mort, parce que j'ai peur de la mienne. Elle est aussi inévitable et futile que la sienne.

Était-ce véritablement la solution ? Ce n'est plus très certain, mais c'est trop tard. De toute façon, la bouche doit mourir. Elle doit cesser de déglutir, d'avaler. Elle doit oublier ce qu'elle sait faire.

Bien sûr, après, il y en aura d'autres. Des bouches. Aussi béantes et aussi rouges. Aussi féroces. Celles-là parleront, s'insurgeront, éructeront.

La mort des autres est toujours plus évidente.

San Francisco, Californie
22 novembre

Gloria se réveilla en sursaut, en sueur mais paisible. Le corps long et nerveux de Cagney dégageait une chaleur dont elle n'avait pas l'habitude et qui la faisait transpirer.

Elle se leva, descendit et prit une douche dans la salle de bains d'invités. Il était quatre heures du matin et elle se sentait bien, en dépit des spasmes de nausées qui lui remontaient dans la gorge.

Gloria s'installa devant le gros ordinateur, ouvrit le fichier, lut et relut les tableaux de données qu'elle avait passé des heures à entrer. Elle connaissait le dossier de James et le fax de Ringwood par cœur. Ses déductions confirmaient ce qu'elle avait d'abord baptisé « l'instinct » de James, à défaut de comprendre comment une discipline aussi élusive que le comportementalisme pouvait devenir une science. Pour Gloria, les sciences se bâtissaient sur des règles, qui toléraient des exceptions. Si l'exception devenait la règle, il s'agissait d'une discipline ou d'une tactique. Et puis elle avait compris. James appartenait à cet ensemble que Barzan appelait « les sauteurs ». Il possédait une des ces intelligences qui assimilent les règles sans jamais pouvoir les formaliser ou les retrouver. Il sautait d'une étape à l'autre sans saisir le mécanisme ou le chemin qui l'avait mené de l'une à l'autre. Du reste, Hugues de Barzan ne croyait pas à l'instinct chez l'homme. C'était, selon lui, le fatras de toutes les choses que l'on ne sait ni analyser, ni nommer, mais qui proviennent d'une culture, d'un apprentissage, aussi inconscients soient-ils.

Le vol n'était pas le mobile, même si le ou les meurtriers avaient maladroitement tenté de le faire croire.

— Tu ne dors pas ?

Gloria sursauta :

— Jamais les yeux grands ouverts, assise devant mon ordinateur.

— Ça ne va pas ?

Étonnée, comme si le souvenir de ces dernières semaines, de ces derniers mois, de toute sa vie s'était estompé, elle répondit :

— Si, pourquoi ? Ça ne te trouble pas, cette histoire de vol ?

— C'est-à-dire ?

— Tous ces meurtres sont admirablement organisés. La preuve, vous pataugez. Or lorsque les agresseurs mettent en scène un vol, c'est de façon si désordonnée et malhabile que personne n'y croit.

Cagney fit une moue affolée et déclara :

— Oh, attention, ma chérie, tu vas devenir psychologue !

— Rigolo ! En fait, c'est toi qui fais des mathématiques sans le savoir, et surtout sans l'accepter. Tu amasses des données cohérentes entre elles. Tu mets de côté celles qui n'offrent aucune similitude avec les premières. Tu en conclus que tu es face à deux ensembles de données distincts. Ce sont des maths.

Cagney sourit. La puissance intellectuelle de cette femme imprévisible le sidérait, l'émouvait. C'était comme la contemplation d'un mutant très précieux. Et le mutant était à ses côtés. Et il avait la permission de se l'approprier, tant qu'elle le souhaiterait.

— Tu me fais un peu peur parfois.

— Pourquoi ? Ne me dis pas que tu fais partie de cette catégorie d'hommes qui n'aiment pas les femmes qui pensent.

— Non, je fais partie de l'autre catégorie. Les amateurs d'intelligence, ceux qui ont peur qu'elle baisse.

— Flatteur, en plus ! Mais ça n'arrivera pas. Réponds.

— Quoi ? Que tu as raison, que le vol n'est pas le mobile ?

Impatiente, elle insista :

— Non, mais cela, nous le savons ! Pourquoi sont-ils si maladroits, si spécifiquement ?

— Parce qu'ils veulent qu'on sache que ce ne sont pas des voleurs.

— Alors pourquoi cette vague mise en scène ?

— Parce qu'ils n'en sont pas vraiment conscients. Leur instinct de survie leur dicte la mise en scène. Le même instinct exige qu'ils nous échappent. Mais leur besoin de transmettre leur vérité fait foirer la mise en scène. Bref, il y a là-dedans un besoin d'expliquer, de faire connaître, qui exclut aussi l'hypothèse d'un règlement de comptes.

— Je vois. C'est bien.

— Je peux t'aider ?

— Non. Pourquoi ne pas te recoucher ?

— Je te gêne ?

— Oui.

— Bien, je te fais une théière et je relis *Guerre et paix*.

— Excellente idée.

— J'en doute. Je me perds à la trentième page. Je ne parviens pas à retenir les noms russes.

Elle leva à peine la tête lorsqu'il posa la théière fumante sur son bureau.

Gloria soupira de soulagement lorsqu'elle entendit la porte de la chambre se refermer.

« Descendre dans sa tête sans *a priori* ni mièvrerie. »

C'est ce que serinait Hugues : vider l'inutile. L'inutilité des pensées est, elle aussi, organisable. Ce futur bébé, James, et même Clare étaient inutiles pour l'instant.

Gloria descendit dans son cerveau. Elle pianota une heure durant. Elle disséqua les données, s'interdisant l'énervement, et surtout la précipitation. Elle croisa les variables, tentant de dégager leur essence : *sui generis*. Trouver l'essence caractéristique du problème pour trouver le bon système d'expression. Le reste suivrait.

Elle tenta différents tests paramétriques qui la déçurent. Elle s'appliqua ensuite à découvrir si les valeurs que formaient ces hommes morts, leur âge, le lieu de leur décès, sa date, leur état marital, leur profession, étaient liées ou indépendantes. Il s'agissait, là encore, d'une situation mathématique et poétique. Cela n'avait rien à voir avec ce que l'on entend habituellement par poésie. Et pourtant l'essence de la poésie est l'unicité d'une vision. C'est en ce sens qu'elle rejoint les exceptions mathématiques, comme un assemblage parfait de faits, de circonstances déterminantes mais dans ce cas non maîtrisées et à l'origine fluctuante.

Elle leva la tête et écouta le silence presque animal de sa maison. La maison lui faisait penser à une grosse bête, entre les pattes de laquelle elle pouvait dormir. Elle en connaissait chaque respiration, chaque murmure. Elle avait passé des nuits entières à les surveiller, à les mémoriser. James ne dormait pas, elle le sentait au silence différent qui venait de s'installer.

Gloria soupira de frustration. Ça ne marchait pas. Elle inséra les données correspondant au double meurtre des Hewitt, puis opéra une soustraction. Elle tenta à nouveau l'expérience en ne gardant que l'un des deux époux, d'abord la femme, puis le mari. Merde ! Elle ne parvenait même pas à savoir si ces meurtres s'engendraient l'un l'autre ou pas. Et c'était pourtant un point fondamental. Ils étaient liés mathématiquement par l'identité du ou des tueurs, cela tombait sous le sens. Mais s'agissait-il d'une série logique, une liste de noms à éliminer pour une même raison, ou de meurtres en série, voire de contrats ? B avait-il été égorgé parce que A venait de l'être et que C le suivrait, ou l'identité de A, B, C n'avait-elle aucune importance pour le tueur, si ce n'est reconnaître la personne à abattre ?

Réfléchir, réfléchir et trouver parce que le test dépendait de cela.

Elle ferma le fichier et se massa les tempes. Il était sept heures. Comme d'habitude, le temps avait filé sous ses doigts, derrière l'écran.

Cagney lisait, ses lunettes posées au bout de son nez.

— C'est un polar ?

— Non, du sang qui tache. *Crime busting*, un historique des meurtres les plus abjects de ces dernières années. Pas mal.

— Tu n'en sors jamais ?

— Ce sont les victimes qui n'en sortent jamais. Moi si, parfois, quand tu me fais un câlin, lâcha-t-il en tapotant la place vide à côté de lui.

Elle secoua la tête, l'esprit ailleurs.

— Je patauge un peu.

— Ça se voit à ton regard.

— Ah oui ?

— Oui, il n'est pas tourné vers l'extérieur.

— Vous m'avez vraiment tout donné ?

— Je crois.

— Un peu plus de certitude m'arrangerait.

Elle avait repris ce ton neutre grâce auquel elle était parvenue, durant des années, à l'empêcher d'approcher. Il ne fallait pas ; pas après ces deux nuits, pas après tout ce qui venait de se passer en quelques heures, tout ce qu'elle n'arrivait pas encore à dire. Il trouva la seule parade convenable :

— Tu veux que je regarde ?

Elle se détendit et sourit.

— Oui, je veux bien. Les dossiers sont sur mon bureau. Je prépare le petit déjeuner. Les toasts, je sais faire, ne t'inquiète pas.

Gloria ouvrit la grande baie vitrée après son départ. L'air de cette fin de nuit très fraîche lui fit du bien. Elle s'approcha du sac de chez *Ward & sons*, la grande librairie du bas de Diamond Heights dans laquelle elle aimait flâner, et s'agenouilla.

Elle étala les livres sur le parquet blond et resta là, incapable de bouger parce qu'elle ne savait pas si elle allait éclater de rire ou fondre en larmes. Il y avait même un album naïvement enluminé, n'attendant que les photos de bébé, rose.

James l'avait choisi rose.

Elle remit les livres dans le sac et son regard tomba sur l'illustration d'un format de poche. Un homme d'une soixantaine d'années, aux cheveux blancs, dorlotait un nouveau-né dans ses bras. Le titre était évocateur : *The Trauma of the Older Father.* Gloria bâilla profondément à plusieurs reprises, un truc qu'elle avait découvert pour s'empêcher de pleurer. Ça marchait assez bien.

Pas toujours. Pas aujourd'hui.

Bien sûr qu'il leur fallait parler. Durant tous ces mois, James et elle n'avaient fait qu'additionner les silences, les remises à plus tard. Finalement, ils s'étaient tus pour la même raison : pour l'épargner, la protéger, *elle*. Une fulgurante lassitude lui donna envie de s'allonger sur le tapis. Son égoïsme radin, sa lâcheté finalement confortable lui avaient permis de croire que James n'avait rien à dire, puisque elle-même se taisait. Elle se faisait penser à ces gens si préoccupés d'eux qu'ils ne voient pas le cancer dévorer l'autre.

Elle descendit à la cuisine. Quelque chose changeait en elle, quelque chose était en train de casser. Un sentiment à la limite du perceptible, mais elle le sentait. Elle en ignorait encore la raison : James, ou ce gigantesque bouleversement d'hormones. Du reste, elle s'en foutait. C'était là, un truc encore indéfinissable, pas vraiment un calme ou un apaisement, mais la certitude de son pouvoir sur les choses, sur la vie.

L'odeur du pain brûlé la fit sursauter.

— Je savais bien que même les toasts ne se trouveraient pas dans ta colonne d'aptitudes domestiques.

Gloria s'approcha de James, passa ses mains sous le sweat-shirt dans lequel il dormait et le poussa doucement vers l'escalier.

Little Bend, Californie
22 novembre

Clare était assise devant le grand aquarium où rampait son Axolotl. Son visage était fermé. Ils étaient en retard d'une demi-heure.

Gloria comprit que la jeune fille avait eu peur qu'ils ne viennent pas, que la fête du restaurant lui échappe, et elle avait faim. Clare possédait une horloge biologique d'une troublante précision. Elle était toujours incapable de déchiffrer l'heure mais n'en avait pas besoin. Son corps savait qu'il était l'heure de manger, l'heure de rêver, l'heure de dormir.

Sa colère disparut sitôt Gloria assise à ses côtés, pour être remplacée par une sorte de chagrin.

— Oh, ma caille, je suis désolée. Tata-caille ne le fera plus jamais. Elle sera toujours à l'heure. Mais c'est la première fois, non ?

— Nooon ! Pas venue.

— Je n'ai pas pu venir vendredi, mon ange. J'étais malade, je te l'ai expliqué. Mal au ventre. Tata-caille avait mal au ventre.

Clare se tourna vers elle, des larmes dans les yeux. Elle attrapa la main de Gloria et la posa très fort sur son front. Elle murmura :

— Pas grave, hein, pas grave ?

— Non, ma chérie, ma caille. Plus rien, c'est passé, fini. J'ai faim, tu as faim ? Ma caille a faim ?

Clare se leva d'un bond, tirant Gloria par la manche de son manteau. Elle hurla de bonheur :

— Oui... Frites ! Glace !

Gloria se leva à son tour. James n'avait pas bougé, il attendait en souriant. Elle expliqua :

— C'est James. Tu te souviens, ma chérie ? Tu as joué avec lui. Avec le paon et puis après, avec des écureuils. Tu m'as dit que tu te souvenais.

— Oui. Gentil. Faim.

Clare s'avança vers l'homme et l'embrassa bruyamment. Elle passa son bras sous le sien et l'entraîna vers la grande porte massive. Gloria les regarda descendre les marches du perron. Il désigna quelque chose qu'elle ne vit pas dans le ciel et Clare rit.

Gloria se dirigea vers la belle pièce en pierres crues qui servait de bureau à Jade. Elle la trouva derrière sa table de travail, chargée de corbeilles de fruits, de pots de bonbons. Jade se leva et s'avança vers Gloria :

— Bonjour, Mrs Parker-Simmons. Nous avons eu du mal à tenir Clare. Elle ne parle que du restaurant depuis hier.

Elle entoura Gloria de ses bras, comme d'habitude, une étreinte à la fois légère mais véritable. Il y passait la force, la tendresse de Jade.

— Nous reviendrons vers trois heures, je pense, Jade.

— Bien. Amusez-vous. (Elle hésita, puis acheva sa phrase d'un ton plus sec.) Ne la laissez pas blesser, Mrs Parker-Simmons.

— Jamais.

Gloria rejoignit Clare et James, inconfortablement installé sur le siège arrière du coupé, et démarra. Elle faisait depuis quelques secondes des efforts pour lutter contre la peur qu'elle sentait monter. Quelle idiotie d'avoir accepté cette invitation au restaurant ! Il y aurait nécessairement ces regards, ces questions, ces gênes, peut-être ces apitoiements. Même si elle ne les percevait pas tout de suite, Clare finirait par les sentir. Elle aurait mal, puis peur, et elle s'énerverait. La rage des peurs de Clare effrayait Gloria, une rage si physique, si destructrice, contre les autres, contre elle-même. La seule parade que Gloria ait trouvé pour lutter contre les accès de violence de sa fille était son propre corps. Elle était la seule « autre » que Clare ne voulait pas frapper. Elle entourait sa fille de ses bras, de son ventre et la plaquait contre elle, jusqu'à ce que les muscles tendus s'adoucissent, oublient la souffrance et la haine. James ne savait pas cela, elle aurait dû le lui dire. Brusquement, elle comprit qu'elle avait surtout peur d'une chose : qu'il ait honte de Clare, ou pire, qu'il vive cette invitation comme un beau sacrifice.

Une main se posa sur son épaule, une voix autoritaire mais tendre murmura :

— Tu te calmes. C'est dans ta tête, et si c'est dans ta tête ça passera forcément dans celle des autres. Si tu es forte, personne ne songe à te transformer en victime. Tu le sais bien. Relève la queue, dresse les oreilles, et avance droit devant toi sans regarder ce que font les autres loups de la meute, ni si tu dois les contourner.

— Et s'ils me barrent le chemin ?

— Fonce dans le tas. Ils s'écarteront. Et si une peignée s'ensuit, tu es de taille et je suis là. Toujours.

— Je t'aime.

Elle prononça cette phrase comme s'il s'agissait d'une seule syllabe, très bas. Clare hurla :

— Moi aussi, moi aussi !

— Oh, mon ange, mon bébé. Ma caille. Qu'est-ce que tu veux manger, ma chérie ? On arrive.

— Frites ! Glace ! Plein glace.

— Tu ne peux pas manger de frites et de glace si tu ne manges pas autre chose. Ma caille doit bien manger.

— Nooon !

— Si.

James proposa un arrangement :

— Oh, pour une fois, on peut faire une petite entorse.

La réponse fusa :

— C'est hors de question ! Clare a une mémoire très sélective. Elle se souvient surtout de ce qu'elle aime. Si on cède une fois, elle ne l'oubliera pas.

La domesticité de cette conversation fit du bien à Cagney, en dépit de sa banalité, ou peut-être à cause de cela. Lui qui avait fui ce couple qui l'étouffait, fui le savant agencement quotidien établi par son ex-femme, discutait de l'alimentation d'une enfant dont il voulait que Gloria reconnaisse qu'elle devenait la sienne. Il était assez honnête pour admettre que sa volonté d'accaparer Clare naissait de son besoin d'investir pleinement la vie de Gloria, d'y semer des ancrages dont elle ne pourrait plus se passer.

Il ne pouvait pas progresser comme il l'aurait souhaité, lentement, régulièrement, simplement parce que le déséquilibre de Gloria ne le permettait pas. Au contraire, elle l'avait coincé, durant des mois, puis soudain, il avait accompli un pas de géant en quelques heures, jusqu'à ce que, sans doute, sa progression soit encore bloquée. Mais maintenant, cela n'avait plus d'importance, parce que le mouvement était possible, même de façon anarchique. Il l'avait appris dans ses bras, dans ses larmes, dans son ventre.

Gloria gara la Mercedes sur le parking du restaurant, un faux restaurant de route, typiquement américain, constellé de multiples petites fenêtres aux rideaux à carreaux rouges et blancs. L'inévitable roue de diligence, décorée d'inévitables pots de géraniums roses et rouges, ornait un inévitable carré d'herbe en face de l'entrée. Cagney avait passé son bras autour des épaules de Clare et propulsait Gloria d'une main ferme et tiède.

La sueur. La sueur lui dégoulinait entre les seins. Elle détestait cette sensation humide, et chaude. La sueur pue. La nausée lui fit pincer les lèvres et la tête lui tourna. Gloria se sentait de plus en plus mal, sans savoir vraiment à quoi elle devait ce malaise qui l'étouffait de plus en plus.

Elle avait peur et il le sentait. Comment pouvait-il être si calme ? L'était-il ? Sans doute, et c'était le pire. Merde, après tout, ce n'était pas sa fille. Les doigts de Clare serrèrent sa main :

— Tata-Caille ?

Elle était inquiète.

— Oui, ma chérie. J'ai faim.

Cagney regarda le regard de l'homme qui s'avançait vers eux et dont le sourire se crispait.

— Bonjour. Nous sommes trois, non-fumeurs.

— Bonjour madame, monsieur et... mademoiselle. Suivez-moi.

Ils traversèrent la salle de restaurant. Clare couinait de joie.

Les regards, comme des millions de regards qui n'ont jamais rien vu, qui épinglent, qui jaugent.

La voix de James qui lui parvint :

— C'est dans ta tête. N'oublie pas. La meute.

Gloria leva la queue en panache, redressa les oreilles et avança, tout droit. Pourquoi fallait-il cela ? Pourquoi ne pouvait-elle pas avancer, sans plus ?

Faire taire la peur.

Il avait raison, l'homme debout à ses côtés. La peur ne sert à rien, qu'à énerver davantage le prédateur.

Elle serra la main qu'il glissait contre sa paume. C'était une belle main, une main de caresses, de passion. Une main qui savait consoler, aimer, tuer. Clare hurla qu'elle voulait des frites, de la glace, beaucoup de glace. Et du sirop de fraises.

— Si tu prends de la viande, du poisson, ou bien une omelette, ma caille.

— Nooon ! Pas bon !

— Si, mon ange.

Gloria regarda Cagney. S'il cédait, c'est qu'il avait peur du scandale, lui aussi. Il serra Clare contre lui et déclara calmement, de cette voix étrange, péremptoire et si douce à la fois :

— Ma chérie, tu fais ce que tata-caille dit. Si tu ne manges pas autre chose, il n'y aura ni frites, ni glace. C'est comme ça.

Clare serra les lèvres de mécontentement.

— Hamburger. Oui, hamburger.

— Bien, hamburger-frites et plein de glace derrière si tu manges la viande, d'accord ? Clare ? Tu es d'accord ?

— Voui.

Elle l'embrassa au moment où le patron venait prendre la commande.

Leurs assiettes arrivèrent. Il avait commandé un excellent vin de Loire, le seul vin français de la carte. Clare, dévorée par la faim, attaqua son assiette à pleines mains. Il était inutile de tenter de l'en empêcher avant qu'elle ne soit partiellement rassasiée.

Gloria tourna la tête. Elle avait senti leurs yeux, leurs quatre paires d'yeux sur elle, sur sa fille. Ils n'étaient sans doute pas méchants, mais ils phagocytaient les moindres mouvements de Clare. Elle les fixa, la queue en panache, les oreilles dressées, mais ils ne comprirent pas. Ils étaient tous blonds, propres, parfaits. Le père, la mère et leurs deux photocopies enfantines. Il sembla soudain à Gloria que le seul bruit qui traversât le restaurant était le rire gêné des enfants. Une fille et un garçon, décidément, une vraie pub de *l'American Way of life*. Gloria les détesta, en bloc.

La mère se tourna vers sa fille et fronça les sourcils. Elle lui murmura quelque chose à l'oreille et l'enfant ouvrit la bouche d'un air atterré. Il n'y a rien de plus compromettant que des regards qui s'évitent. Heureusement, on leur apportait leur dessert et Gloria songea qu'elle serait bientôt débarrassée d'eux, de leur compassion évidente, de leur gêne, de leur jubilation de ne pas être à sa place.

Et puis soudain, la petite fille blonde fut devant leur table. Elle tendit à Clare le minuscule éventail en papier crépon bariolé qui avait décoré sa glace. Elle était ravissante.

— Tiens, c'est pour toi. Ma mère a dit que c'était pas de ta faute. Elle dit que tu es mongolienne, et qu'il faut être gentil avec toi, c'est vrai ?

Gloria se sentit partir vers l'avant. Elle se cramponna à la table et au regard de la femme debout, bouche ouverte, un air paniqué sur le visage. Elle entendit, très loin :

— Jennifer, reviens tout de suite ! Laisse la jeune fille tranquille.

Clare ne comprit pas. Cette petite fille parlait trop vite, trop aigu.

Mais tata-caille n'allait pas. Elle avait fermé les yeux, et respirait très fort, comme si elle allait mourir. À cause de cette fille, avec son truc en papier dans la main.

Gloria vit, comme au ralenti, Clare qui bondissait de sa chaise, attrapait les longs cheveux blonds de la petite fille à pleines mains et tirait. Elle vit sa jambe se lever, frapper l'abdomen de l'enfant qui criait. Elle hurla et s'effondra.

Lorsqu'elle reprit conscience, Clare était collée contre son flanc sur la banquette. Elle pleurait. James parlait avec le patron. Le restaurant était désert.

Il s'approcha d'elles :

— Ça va mieux ?

— Oui. Où sont-ils ?

— Partis. Nous nous sommes expliqués. Je crois qu'ils étaient secoués et désolés. La petite fille a eu très peur, mais pas grand mal.

— Clare aurait pu la tuer.

— Non, j'étais là. Et puis, elle a eu peur lorsque tu t'es évanouie et elle l'a lâchée. Gloria, est-ce que tu te rends compte que c'est toi, ta trouille qui a provoqué tout cela ? Clare a senti ton insistance, ton regard sur eux, et c'est là qu'elle s'est énervée. Eux, elle ne les avait pas vus, parce qu'elle ne sent que toi. Ce n'est peut-être pas le moment, n'est-ce pas ?

— Si. Et je m'en rends compte. Mais ce sont eux qui m'ont appris à avoir peur d'eux. Pas ceux-là, précisément, mais tous les autres.

— Tu ne peux pas leur en vouloir, Gloria. Clare est visiblement différente, la différence appelle la question. Ce qui est inacceptable, c'est lorsqu'elle engendre la suspicion ou l'exclusion.

D'un ton glacial, elle répondit :

— Si, je leur en veux. Je leur en veux, précisément, parce que leur fille ne joue pas avec la mienne sans question.

— C'est fini. Viens, on rentre à Little Bend.

Il se tourna vers Clare qui tentait de s'enfoncer dans Gloria.

— Tu viens, ma chérie ? On va voir le paon.

— Tata-caille malade. Peur.

— Non, mon ange, je vais mieux. Tout va mieux. Je t'aime, viens. On rentre.

Ils dînèrent tous les trois à Little Bend. Clare avait oublié et Gloria se calmait.

Elle avait craint qu'il ne soit pas à la hauteur, pas assez fort, qu'il la force à le mépriser.

La haine, la peur, la méfiance se savent d'instinct. La confiance est si longue à apprendre.

Base militaire de Quantico, Virginie
23 novembre

Il était arrivé à dix heures passées, épuisé, n'ayant que somnolé dans l'avion qui traversait la nuit d'ouest en est, comme pour la battre de vitesse. Épuisé, mais conscient à nouveau de sa force.

Lorsque une fois rentrés de Little Bend, il avait lâché : « Mais j'ai cinquante-sept ans ! », elle avait répondu d'un ton neutre : « Oui, je sais. » D'une certaine façon, il n'y avait rien d'autre à ajouter.

— On dirait que vous avez la tête dans le mur, monsieur.

— Votre sens de l'observation me ravit, Richard. Ce n'est plus de mon âge de sauter à l'autre bout du pays pour chanter sous le balcon d'une dame.

— Oh, ça, ça dépend de la dame. Et puis, on prend l'âge de ses artères, lorsqu'on n'a plus l'âge de ses passions.

— Elle me plaît bien, celle-là, je la ressortirai. Où est Glover ?

— Au gymnase. Il entretient ses muscles.

— Il a raison. Où en sommes-nous ?

— Le petit a eu une idée, juste après votre appel, samedi.

— Richard, cessez d'affubler les nouveaux agents de surnoms, s'il vous plaît. Il s'appelle Lionel Mary Glover.

— Il a l'âge d'être mon fils.

— Ils vont *tous* avoir l'âge d'être nos enfants ou nos petits-enfants. Alors, cette idée ?

— Il a téléphoné à Jenny Waxweiler, qui faisait partie de la bande de commerciaux de *Denta'prep* à la même époque. Il avait branché le haut-parleur et j'ai pu écouter la conversation.

— Et ?

— Et c'était une bonne idée, parce que figurez-vous que cette dame ne donne pas la même version que Charles Owens des relations existant entre les différents « protagonistes du drame », comme on dit.

— Mais encore ?

— Elle était très extérieure au groupe, puisque c'était la seule femme de la bande. À l'époque, il n'existait pas beaucoup de commerciales, sauf pour les produits de beauté et les vêtements. De plus, Lionel et moi avons eu la nette impression qu'elle n'éprouvait pas une affection débordante pour ses collègues, sauf pour Emilio Negri dont elle a parlé avec gentillesse. Selon elle, Bronsky et Owens se connaissaient bien et s'entendaient comme larrons en foire. Ils se voyaient en dehors du travail, allaient aux matches et, à l'occasion, chassaient le soutien-gorge ensemble.

— Et avec les deux autres, Barr et Dale ?

— Des liens moins amicaux sans doute, mais de bons copains, du genre copains de soirées entre mecs, si vous voyez ce que je veux dire.

— Ils sortaient tous ensemble ?

— Oui. Jenny Waxweiler affirme qu'après les réunions ou les conventions, ils sortaient tous les quatre et rentraient en général au petit matin, pas vraiment frais. Elle, elle passait la soirée avec Emilio Negri et Anthony Blair, qu'elle qualifie de bon petit pépère, pas trop futé.

— Donc, nous avions raison, Charles Owens sait pour quelle raison ses anciens petits camarades se sont fait descendre, à moins que ce soit carrément lui qui ait commandité leurs meurtres.

— Oui, mais le lien avec les Hewitt ? Parce qu'aucun des quatre hommes n'a été opéré dans leur clinique. On a vérifié les listings clients et personnel. Les flics, à l'époque, l'avaient déjà fait parce qu'ils pensaient que le meurtrier pouvait se trouver parmi les anciens patients ou les employés.

— Ça, c'est le problème. Bien, on retient donc plusieurs hypothèses. La première, c'est que les quatre hommes ont vu ou fait quelque chose ensemble et que quelqu'un a peur et les élimine. Dans ce cas, Owens risque d'y passer et il le sait. Deuxième possibilité, Owens veut se débarrasser pour une raison ou une autre de trois témoins ou comparses gênants. Auquel cas, nous aurons du fil à retordre parce qu'il joue très bien la comédie.

— Juste. On en est arrivés à la même conclusion avec Glover. Qu'est-ce qu'on fait maintenant ?

— On va rendre une petite visite de courtoisie à Mrs Laura Owens. Si possible chez elle. Je ne crois pas qu'elle sache grand-chose, puisqu'elle n'est mariée à Owens que depuis quatre ans, mais ça devrait emmerder le mari amoureux. Vous l'appelez ?

— Ça roule.

— Précisez à Mrs Owens que nous ne souhaitons pas la présence de son époux. S'ils font des difficultés, convocation personnelle au Boston PD, mais je ne vous cacherai pas que j'aimerais bien voir où ils vivent. Dans la foulée, je ferais bien un saut au Boston PD. Nous n'avons rien reçu de notre sympathique couple de flics ?

— Non.

— C'est bien ce que je pensais.

— Vous croyez qu'ils font de l'obstruction ?

— Ça m'étonnerait de Bob Da Costa, mais la petite demoiselle m'avait l'air assez remontée contre le Bureau. Ah, tant que j'y pense, autre chose, Richard. Gloria demande si nous n'avons pas omis de lui transmettre des renseignements, même mineurs.

— Je ne crois pas, non.

— Elle vous répondrait d'un ton exaspéré qu'en la matière, il ne s'agit pas de croire mais de savoir.

Ringwood pouffa, et fut reconnaissant à Cagney de cette sortie :

— Vous l'imitez à la perfection. Vous savez, j'ai bien réfléchi, et je crois qu'elle me flanque la frousse.

— Oui, à moi aussi.

— Je vais fouiller dans mes notes et vérifier.

— Eh bien ! Nous ne sommes pas sortis de l'auberge.

— Ah, mais pardon. J'ai mis au point un désordre extrêmement construit. Je m'y retrouve.

— Vous êtes bien le seul, mais je suppose que c'est ce qui compte.

— Euh... Surtout si c'est indiscret, n'hésitez pas à me le dire. D'ailleurs, vous n'hésiterez pas. Et le bébé ?

— Selon Gloria, ce n'est pas un bébé. C'est une blastula, à moins que ce soit une morula, je ne sais plus dans quel sens ça vient. En d'autres termes, je vais avoir un bébé, point.

— Ah. Oui, c'est assez cohérent avec le reste de sa personnalité.

— Et Dieu que la cohérence rassure, n'est-ce pas ? Nous nageons en plein brouillard, mais en pleine cohérence.

— On a les compensations qu'on peut.

Ils se regardèrent et sourirent.

Ringwood fouilla dans tous les recoins de son désordre constitutif pour en tirer des dizaines de petits papillons jaunes autoadhésifs qu'il collait les uns sous les autres lorsqu'il griffonnait des notes.

Lionel Glover, qui partageait transitoirement son bureau jusqu'à ce que le Bureau lui en attribue un, correspondait électroniquement avec tous les hôpitaux et instituts de recherche du pays pour recenser les patients atteints d'ochronose.

— Vous êtes plutôt du genre ordonné, n'est-ce pas Lionel ?

— Non, pas vraiment. Mais je n'aime pas les objets. Je préfère les espaces vides.

— Ah, je vois : calviniste tendance minimaliste ?

— Je suis catholique. Enfin, de baptême. Mais on peut être catholique et minimaliste. Et vous ?

— Je suis méthodiste. En réalité, je me sens parfaitement bien dans le bouddhisme.

Il fixa Glover quelques instants, poings sur les hanches, et déclara d'un ton soulagé :

— Bon, au moins ça ne vous fait pas sourire, comme Cagney !

— Non, pourquoi ? À ceci près que je me suis toujours demandé si la majorité des Occidentaux tentés par le bouddhisme l'était pour de bonnes raisons. Enfin, ce que je veux dire, c'est que je ne suis pas certain qu'ils ont intégré ce qui faisait l'intérêt et la particularité du bouddhisme. J'ai l'impression qu'ils prennent ça comme ils prendraient un anxiolytique.

— Ah, ça recommence ! Mais qu'est-ce que vous croyez ! J'étudie, je vais à des réunions. Ce n'est pas une adoption de confort dans mon cas, mais une conviction, fondée sur la réflexion.

Glover sourit. Richard pensa qu'il avait du charme et une vague de tristesse le fit taire. Non, ce n'était vraiment pas le moment de songer au vide. Glover conclut :

— Alors, c'est bien.

Ils travaillèrent en silence durant une demi-heure. Puis Richard émit un claquement de langue satisfait et grommela :

— Voilà ! La preuve irréfutable qu'un désordre bien construit est plus efficace qu'un ordre de convention. J'ai tout retrouvé.

Il déboula dans le bureau de Cagney, suivi par une guirlande de petits papillons jaunes, qu'il secoua devant la porte. Il avait scotché les petits morceaux de papier pour qu'ils ne se décollent pas, gâchant son menu triomphe et sa revanche.

— Ce n'est pas palpitant, selon moi, mais j'ai tout ! Des bribes d'informations ramassées dans les différents dossiers et témoignages. Mrs Parker-Simmons va être déçue.

— En attendant, nous aurons fait ce qu'elle désirait et c'est le principal.

Cagney jeta un regard au bon mètre de papillons et déclara :

— Mais enfin, Ringwood ! Comment voulez-vous que nous faxions ce truc ?

— Ça dépend si son télécopieur fonctionne avec rouleaux ou feuilles.

— Par moments, vous me cassez vraiment les pieds.

— Oui, mon ex-femme prétendait que j'avais un don particulier pour cela. Selon elle, c'était même un de mes rares dons.

Cela faisait combien de temps que Ringwood était divorcé ? Huit, dix ans ? Peut-être davantage. Pourtant, sa femme ne cessait jamais de lui servir de référence pour apprécier sa propre vie. Il n'avait plus aucun contact avec elle depuis le jour où elle avait quitté leur maison, n'emmenant qu'un petit chat et quelques livres. Cagney se demanda pour la dixième fois au moins ce que vivait son adjoint. Rien, sans doute. La base, le bunker, les autres agents, et de l'autre côté une maison vide, très probablement bordélique jusqu'au plafond. Et puis des neveux, des nièces, des repas de famille auxquels on assiste scrupuleusement parce que c'est bien et que l'on a rien d'autre à faire. Cagney connaissait ce scénario par cœur. Il l'avait vécu, pendant sa femme, avant Gloria. Son agacement imbécile devant cette traîne de papiers jaunes disparut. Il proposa :

— Bon, on va les découper et les coller sur des feuilles.

— Ah, pas bête !

— Je deviens une vraie petite fée du logis. C'est vital lorsque l'on vit avec une femme qui ne sait même pas faire griller deux toasts.

Pourquoi avait-il dit « vivre » ? Il ne vivait pas avec elle.

— Moi, j'ai toujours eu le sentiment que les femmes pouvaient tout faire si elles s'y attelaient.

— Je vous ignorais féministe, Richard.

— Oui. Le hic, c'est que ma femme aussi.

— Elle s'est remariée ?

— Non, pas aux dernières nouvelles, selon ma mère. Elles se téléphonent régulièrement. Elles se sont toujours très bien entendues. Il est vrai qu'elles se ressemblent sur pas mal de points, dont le fait que je les agace en permanence.

Cagney hésita, puis se lança dans ce qu'il avait toujours évité jusque-là :

— Pourquoi ne pas la revoir ? Discuter.

— Oh, non, je ne peux pas. C'est trop tôt.

— Vous êtes divorcé depuis combien de temps ?

— Onze ans. Douze au mois de juillet.

— Trop tôt ?

— Oui. Très long mais trop tôt. Vous savez, d'abord je l'ai détestée. Merde ! Elle n'a rien dit, rien expliqué ! Elle s'est tirée comme ça. Le matin elle était là, et le soir envolée. Elle n'a même pas essayé de me faire payer, rien, aucune demande de pension alimentaire. Pourtant, elle l'aurait obtenue : elle ne travaillait pas. Je crois qu'elle ne voulait pas que le divorce traîne.

— Ce n'est pas comme mon ex-femme. J'ai vu le moment où elle me demanderait le remboursement de l'alliance qu'elle m'avait offerte. Sa liste de dettes ressemblait un peu à votre guirlande jaune.

— Vous avez peut-être eu de la chance. Je veux dire, c'est sans doute mieux, ça casse tout ce qui reste.

— Il ne restait rien, Richard. Au demeurant, peu de choses avait existé.

Ringwood soupira, se tut quelques instants, puis :

— Et avec... elle ?

— Oh, c'est compliqué mais j'ai l'impression de vivre ce que je suis. C'est la première fois et c'est vertigineux. D'autant plus que j'ai cinquante-sept ans et qu'il faut que je me dépêche si je ne veux pas tout rater. Et ensuite ?

— Ensuite quoi ?

— Après avoir détesté votre femme ?

— Ensuite j'ai réfléchi. Je ne suis pas un brutal, je ne suis pas un menteur, je ne suis pas un méchant. Je ne comprenais pas. Et puis, je me suis rendu compte qu'elle ne voulait pas de qualités en négatif. Le problème n'est pas de ne pas être méchant mais d'être gentil, vous voyez, quelque chose d'actif. Que je me pousse, que je fasse des choses. Que je sorte de l'ordinaire, quoi. Je crois que je l'ai profondément déçue et elle ne me l'a pas pardonné. C'est marrant, j'ai déçu les deux seules femmes qui ont compté dans ma vie, ma femme et ma mère, et pour les mêmes raisons. Elles se ressemblent vraiment.

— Ce n'est peut-être pas un hasard.

— Non, sans doute pas.

— Que comptez-vous faire ?

— Je change, mais c'est long. Il faut repenser à tous les trucs qu'on fait, qu'on produit et qu'on a toujours considéré comme parfaitement légitimes.

— Vous avez déjà beaucoup changé, Richard.

— C'est gentil.

— Non, c'est vrai.

— J'ai encore du pain sur la planche, après j'aviserai.

Cagney sentit qu'il n'avait pas envie de poursuivre la discussion, mais il était soulagé de lui avoir parlé, d'avoir fait état du lien qu'il ressentait avec lui. Ils appartenaient tous les deux à cette race d'hommes vieillissants qui craignent de parler à d'autres hommes. Les blagues de cul sont plus faciles parce qu'elles n'impliquent personne. Ringwood redressa les épaules et déclara :

— Bon, je vais aller voir où en est le petit, pardon, Lionel. Ah, au fait, vous avez rendez-vous avec Mrs Owens demain à 15 heures. Vous vous chargez de mes découpages pour Mrs Parker-Simmons ?

— Oui, vous pouvez l'appeler Gloria, vous savez.

— Certainement pas, du moins pas avant qu'elle me le demande. Et franchement, je doute que cela arrive un jour.

Il était presque une heure de l'après-midi lorsqu'ils rejoignirent le bureau de Cagney. Après son envoi, James avait attendu un appel de Gloria, mais elle dormait sûrement encore.

— Ça n'a pas l'air d'aller, Glover ?

— Non, il y a la bagatelle de 1 131 cas recensés dans tout le pays. Si on exclut les femmes, les individus âgés de moins de quinze ans et ceux qui sont au-dessus de soixante-dix ans, il nous en reste quand même 247.

— Et vous n'êtes pas satisfait ? Ça vaut quand même mieux que 300 millions de personnes.

— Juste, vous avez raison, monsieur. Mais j'avais en tête cette histoire de maladie génétique rare.

— Et vous pensiez donc que nous n'aurions que trois suspects ?

— C'est un peu ça.

— Et si on se limite à la côte Est ?

— Les résidents atteints sont 68. Dans le Massachusetts, 27. Dans les hôpitaux et instituts bostoniens, 9.

— Mais c'est Byzance. Neuf hommes de quinze à soixante-dix ans. Vous avez les noms ?

— Oui. J'ai tout, les noms, les âges, où ils sont traités.

— Laissez-moi la liste, s'il vous plaît. Nous allons déjeuner ?

— Volontiers, souffla Ringwood. Je meurs de faim.

— Je faxe cette liste et je vous rejoins au self. Gardez-moi une place.

Il attendit que les deux hommes soient sortis et, n'y tenant plus, forma le numéro paranoïaque de Gloria, celui que deux ou trois personnes au monde possédaient.

Les mesures du *Concerto pour violons n° 3 en sol majeur* de Mozart se succédèrent. Une vive discussion de cordes, dont rien ne semblait pouvoir altérer la joie.

Il n'y avait rien d'autre que cette musique. Elle avait créé un message muet, comme si sa voix, déjà, était compromettante. Il s'annonça et raccrocha, déçu. Elle était sortie et elle ne l'avait pas appelé.

Il faxa la liste à l'autre numéro et sortit de son bureau.

San Francisco, Californie
23 novembre

Durant le déjeuner, Clare avait parlé de James. Du reste, ses pôles d'intérêt du moment semblaient être deux hommes : ce garçon brun si doux, si seul, et James. Elle avait relégué sa bagarre et l'évanouissement de Tata-caille dans un coin de son cerveau, ne conservant que le souvenir de ses frites.

Elles flânèrent ensuite dans le parc. Il faisait assez frais et Clare avançait par petits bonds pour se réchauffer. Elle prit les deux mains de Gloria dans les siennes et souffla dessus.

— Chaud, chaud !

— Tu es gentille, mon ange. J'ai beaucoup moins froid. Mes mains sont chaudes maintenant. Merci, ma caille.

— Chaud, bon. Ohhh ! Beau !

Clare était en arrêt et désignait du doigt un merle, posé sur l'herbe à quelques mètres d'elles. Elle mit un doigt devant sa bouche et produisit un « chutt » mouillé.

Le merle dodu trépignait au milieu de la pelouse. Il tourna soudain la tête vers elles, les fixant d'un œil rond mais sans panique. Lassé de sa contemplation, il reprit son sautillement. Il arrachait de son bec jaune orangé de petites touffes de gazon qu'il abandonnait d'un coup de tête vif et piquait le sol avec une telle brutalité que les plumes de sa queue se hérissaient. Il extrayait de l'humus gras des vers de terre qu'il avalait voracement, surveillant parfois les deux femmes comme s'il les soupçonnait de lui disputer sa chasse. Gloria sourit en contemplant les minuscules monticules d'herbe coupée qui déparaient dans la soigneuse perfection des jardins de Little Bend.

Puis l'oiseau voleta lourdement et se perdit dans le feuillage d'un cyprès. Clare eut un « Oooh » déçu et s'avança vers le terrain de chasse abandonné. Elle s'accroupit et Gloria vit son index s'enfouir dans les petits trous vidés de leurs occupants. Elle la rattrapa au moment où elle en extrayait un ver remuant qu'elle porta à sa bouche. Gloria lui fit lâcher et expliqua :

— Non, mon bébé ne mange pas un ver. C'est un ver, les oiseaux mangent des vers, pas les petites filles.

— Ben, ben.

Elle disait toujours cela lorsqu'elle faisait une bêtise, sans la comprendre.

— Ma caille lâche le ver. Le petit ver est vivant. Tu ne lui fais pas mal. Ma caille ne mange pas des choses vivantes. Ma caille n'est pas un oiseau. Lâche-le, ma chérie. C'est mauvais les vers, pas bon, caca.

Clare lâcha le ver à regret en hochant la tête, dubitative.

Gloria trouva le fax et le message de James en rentrant vers quinze heures. Elle aurait dû appeler avant de partir pour Little Bend, elle voulait le faire. Mais elle était fatiguée, curieusement détendue. Il fallait qu'elle réfléchisse à des tas de choses, sans lui. Étrange comme cet homme si discret, dont la présence savait se faire si légère, était en fait envahissant. C'était sans doute ce qu'il voulait, une tactique, et Gloria admettait qu'elle le laissait faire, peut-être même l'encourageait-elle, à investir sa vie.

Elle s'installa devant son ordinateur, une théière de tari-souchong devant elle. L'alcool ne lui manquait pas. Cela aussi était une surprise. Elle était suffisamment lucide pour admettre son alcoolisme, et du reste, cette addiction ne l'avait jamais gênée. C'était un moyen comme un autre de continuer lorsque les heures devenaient trop intolérables, trop dangereuses. Elle ne buvait même pas ce verre toléré aux repas, cette soupape qu'elle s'était accordée. L'aspect socialement choquant de l'alcoolisme lui était indifférent puisqu'elle n'était pas un animal social. La destruction progressive et sournoise de son corps, de ses neurones aussi. Enfin, c'était avant, parce qu'avant, son seul étalon de temps était Clare. La longévité de Clare était limitée, on le lui avait maintes fois dit, mais elle ne l'avait cru que lorsque Jade l'avait confirmé. Il lui avait alors semblé évident qu'elle devait mourir juste après sa fille, puisque Clare était le seul lien que Gloria possédât avec sa propre vie.

Mais les choses changeaient, peut-être à cause de James, sûrement depuis que cet ensemble indistinct de cellules poussait dans son ventre. Maggie avait dit un soir, d'une voix un peu approximative : « Les hommes ont des humeurs, les femmes ont des hormones. » Sur le moment, elle n'avait pas compris. Parce qu'elle connaissait Maggie, elle avait exclu le machisme des explications possibles. Maintenant, elle savait. Cette usine biochimique, parfaite, sécrétait des molécules qui faisaient d'elle une force vivace, parce qu'elle devait survivre pour cette promesse d'humain qui n'était encore rien. Maggie disait aussi : « Tu n'as pas remarqué que les femmes enceintes sont des tours, même l'ancienne quatrième greluche en partant de la droite ? C'est robuste, une tour, ça tient debout par grand vent. » Gloria sourit : les métaphores et les aphorismes de Maggie la plongeaient toujours dans un monde de spéculations, parce qu'elles résumaient de façon désordonnée l'intelligence de cette femme qui ne s'était jamais trouvée.

Gloria forma son numéro de téléphone. La voix amie répondit.

— On dîne ensemble, ce soir ?

— Ah, quand même ! éructa l'Irlandaise. Je me disais que tu allais me faire le plan de la femme amoureuse. Les copines aux chiottes !

— Je n'ai pas de copines. J'ai une seule amie, toi. Tu m'as fait du bien avant lui. Je vous aime tous les deux. C'est d'accord pour ce soir ?

— Tu m'aimes vraiment ?

— Oui.

— Pourquoi tu ne l'as pas dit avant ? Je croyais que c'était surtout à cause du chien, parce que je le gardais.

Il y eut un silence, puis un sanglot, et Gloria serra les dents pour ne pas pleurer à son tour.

— Je regrette, Maggie. Je ne sais pas très bien dire ces choses. Je fais des efforts, mais ce n'est pas simple. C'est vrai, c'est tout. Tu es importante et j'ai besoin de toi.

La réponse lui parvint, entrecoupée de reniflements :

— On est vraiment deux connes ! Bon, on ne va pas sangloter l'une sur l'épaule de l'autre. Oh, ma puce, ouais, on est deux connes ! Tu sais, faut s'aimer. C'est jamais parfait, parce que c'est pas dans la nature humaine, mais même si ça à l'air con de dire des trucs comme ça, c'est la seule chose qui vaille le coup. Bon, qu'est-ce qu'on bouffe ?

— Je ne sais pas, comme tu veux : chinois, pizzas, ce que tu veux. Maggie, je ne bois plus.

— C'est bien. Et t'as pas intérêt devant moi parce que tu prends un savon. Mais, moi j'ai le droit. De toute façon, l'alcool te rendait pas drôle du tout. Chinois.

— Ça marche. Je travaille un peu, tu débarques vers 19 heures. Tu prends ton pyjama ?

— D'accord. Les cafards ont envahi ma piaule et c'est triste. Ils font des traitements, mais trois mois après, tout est à recommencer. Je préfère ta maison, elle est belle.

Lorsqu'elle raccrocha, Gloria souriait. C'était une belle journée. Elle avait ri avec Clare, elle se sentait bien, Maggie allait venir. Décidément, une bonne journée !

Elle entra les données contenues dans les pages de fax et s'étonna du message de James : « Je ne crois pas que ce soit très significatif. » Qu'en savait-il ? Mais, comme Hugues de Barzan le lui avait enfoncé dans le crâne :

— L'esprit probabiliste est profondément anti-naturel. Tu pourras, par exemple, aligner toutes les statistiques que tu veux sur les rapports entre tabac et cancer du poumon, il y aura toujours cet argument : mon grand-père fumait et il est mort à cent ans. C'est une face de la pensée magique, la pensée qui, au fond, a constitué l'Homme. De tout temps, les sciences ont lutté contre ça. On nous a brûlés comme sorciers en place de Grève, ou on nous a vénérés. Mais l'Homme est l'Homme. Heurter de front la pensée magique, c'est courir à l'échec. Fais les choses, ne tente surtout pas de les leur expliquer. Ils ne comprendraient pas. Ils verront au résultat que tu avais raison et, la prochaine fois, ils te croiront. Les démonstrations ne servent qu'entre nous, leur manifestation est le seul argument convaincant que nous puissions offrir aux autres.

Hugues, toujours et encore. James n'était-il pas un autre Hugues ? Pourquoi ces hommes toujours plus âgés ? Cela n'avait rien à voir avec une réductrice recherche de père. Foutaises. Elle se souvenait à peine de son père et, du reste, la chose lui était parfaitement indifférente. Non, c'était cette accumulation de données, ce regard qui s'écartait des événements pour les analyser, bref cette intelligence.

Elle était amoureuse de l'intelligence sauteuse de James, de celle parfaite, époustouflante de Hugues, comme elle l'avait été de cette intelligence animale, débordante d'énergie de Sam. Une collection d'intelligences qui, finalement, lui avaient permis de survivre. Et puis, il y avait l'intelligence irascible, désordonnée, bouillonnante de Maggie. Gloria se nourrissait d'elles.

Les analyses de probabilités apparurent sur l'écran. Merde, ça n'avait aucun sens. Qu'est-ce qui n'allait pas ?

Descendre dans sa tête. Ne pas se compromettre avec la pensée magique. La pensée magique était une aberration, un frein. S'en dégager. Ne rien croire à priori, ne pas se laisser aller à ces choses instinctives qui fascinent parce que l'on croit qu'il s'agit d'un pouvoir divin accordé à l'Homme, unique. Penser. Réfléchir. Rien n'avait d'importance spécifique, tant que cette importance n'était pas démontrée. Helena Binasky avait des chats. Ne pas les exclure pour l'instant, sous prétexte qu'un animal est peu de chose. Tout entrer. Gloria ne savait rien, ne jamais oublier l'ampleur de sa méconnaissance.

Elle travailla plusieurs heures, jusqu'à ce que le carillon de la porte d'entrée résonne. Elle descendit l'escalier à la hâte, se demandant quelle heure il pouvait être. Maggie souriait sur le pas de la porte.

— Oh, mince ! Je n'ai pas appelé le traiteur.

— Tu bossais ?

— Oui, je suis désolée.

— T'inquiète pas ma puce, remonte. Tu me donnes le numéro et je m'occupe de tout. Pas de fromage, hein ?

— Il n'y a jamais de fromage dans les plats chinois.

— Alors c'est parfait. Je commande, je bois un verre et quand ça arrive, je t'appelle.

Gloria posa son nez dans le cou de Maggie.

— Ça marche, ma belle. Merci. Après, on papote.

Gloria refit toutes les combinaisons, intégrant même les chats de Mrs Binasky, les bougies désodorisantes de Rand Dale comme facteur de liaison, c'est-à-dire comme tueurs. C'était un échec ou, plutôt, une série d'échecs, mais elle savait que chacun d'entre eux la rapprochait de la solution.

Elle ne pouvait pas encore tenter une sification de données. C'était un test très lourd, très prédictif, mais sournois. Le logiciel rassemblerait ce qui, selon lui, apparentait ou séparait les données. Mais son jugement était nourri par les renseignements fournis. S'ils étaient faux ou incomplets, le test conclurait quand même, sur une erreur.

Gloria passa en revue les différentes possibilités : Owens meurtrier de ses complices, pour une raison qui restait à déterminer, *versus* Owens, prochaine victime d'une liste. Rien. Le double meurtre des Hewitt lui posait un problème, la variable « temps » désordonnait le reste.

— Ma puce ? La bouffe est arrivée, tu descends ?

Le cri de Maggie la fit sursauter.

— J'arrive.

Elle éteignit l'ordinateur et soudain une idée lui vint. Elle hurla :

— Attends Maggie, je dois vérifier un truc !

Elle entra ce qu'elle avait négligé jusqu'alors : l'environnement du double meurtre Hewitt. Les données s'organisèrent. Le fax qu'elle envoya à James était squelettique mais résumait ce qui lui manquait :

« J'ai besoin de détails plus précis sur les Hewitt. Avaient-ils du personnel de maison ? Des animaux ? Qui est au juste Cindy Robertson ? Qu'est-elle devenue ? Je t'appelle ce soir chez toi. »

Elle éteignit et descendit rejoindre l'amie qui trépignait de faim.

Milton, Massachusetts
24 novembre

La femme qui ouvrit la porte leur sourit. Elle devait avoir une soixantaine d'années, un peu plus peut-être. Ses cheveux trop bruns pour être naturels étaient tirés en chignon.

— Bonjour, je m'appelle Lucinda. Laura est au salon, elle vous attend.

Elle parlait avec un très léger accent mexicain.

— Bonjour, madame. Je suis James Irwin Cagney et voici Lionel Glover, FBI.

Des aboiements aigus de hargne leur parvinrent de l'étage.

Lucinda sourit à nouveau :

— Nous avons bouclé Mister Mong, le pékinois de Laura : une vraie terreur ! Suivez-moi. Je vous prépare un café, un thé ?

— Ne vous donnez pas cette peine, merci.

— Je prépare un thé pour Laura, de toute façon.

— Alors, volontiers. Nous nous joindrons à Mrs Owens.

Lucinda les précéda dans un large hall d'entrée d'où partait l'escalier qui menait à l'étage. Au centre trônait une lourde table ronde en acajou sur laquelle un vase chinois ventru accueillait un bouquet de hautes tulipes blanches. Les murs étaient peints d'un jaune doux et de grands tapis chinois bleu marine et blanc atténuaient la fraîcheur des dalles de marbre gris léger.

Ils pénétrèrent dans le salon, immense pièce lumineuse, dont les baies vitrées ouvraient sur un jardin soigneusement entretenu. Des canapés de cuir crème, disposés en U, entouraient un gros coffre en camphrier qui faisait office de table basse. L'épaisse moquette pêche du sol semblait lécher la soie champagne qui tendait les murs.

Cagney fut surpris. Il y avait très peu d'objets, juste quelques jolis meubles, et des matériaux somptueux. Il s'en voulut d'avoir dessiné prématurément Mrs Owens. C'était une erreur et il devait se débarrasser de ce qu'il avait senti d'elle au travers de son mari. Il l'avait prévue un peu maniérée, conventionnelle, avec un goût certain pour les détails. La seule chose sur laquelle il ne s'était pas trompé était son physique : elle était indiscutablement très belle, d'une élégance raffinée dans son pantalon large en grosse soie noire, ses mocassins souples en daim gris, de la même nuance que l'ample chemise dont elle avait remonté les manches.

Elle se leva et tendit la main en souriant. Son regard mordoré était accueillant.

— Bonjour, madame. Tout d'abord, nous souhaitons vous remercier de nous recevoir.

— Avais-je le choix ? demanda-t-elle en riant.

Elle avait le même genre de voix que Gloria, une de ces voix graves, chaudes, dont on se demande comment elles résonnent dans l'obscurité.

— Asseyez-vous, je vous en prie, Lucinda va apporter le thé.

Les deux hommes s'installèrent sur le canapé en face du sien.

Des coups sourds leur firent lever le regard. Laura Owens précisa d'un ton attendri :

— C'est Mister Mong. Il se jette contre la porte de ma chambre. Il est infernal. Mon mari a raison, je n'ai aucune autorité avec lui. Je l'ai affreusement mal élevé.

— Vous pouvez le relâcher. À deux, nous sommes sans doute capables de le maîtriser.

— Vous plaisantez. Mister Mong n'a peur de rien. Je crois qu'il n'a pas conscience de sa taille et il n'hésiterait pas à vous attaquer. Vous savez, les Chinois prétendent que les Pékinois étaient les lions de Chine. Leur fierté et leur témérité finirent par agacer les dieux qui les miniaturisèrent pour les punir. Mais le courage et l'arrogance sont intacts. Ah, merci Lucinda. Posez le plateau là, je me débrouillerai.

Laura Owens servit calmement le thé. Elle ajouta du lait dans le sien, leur proposa des petits sablés et leur tendit leurs tasses.

Cagney demanda, surpris :

— L'objet de notre visite de vous intéresse pas ?

— Si, bien sûr. Mais vous finirez bien par me le dire ?

Elle était intelligente. La réconciliation de l'intelligence et de la beauté faisait partie des grandes satisfactions de Cagney. Un peu comme une œuvre rare. Que la génétique puisse parfois, au hasard d'une combinaison, rivaliser avec l'art le troublait.

— Nous enquêtons sur une série de meurtres, trois récents dans l'État, un autre plus ancien. La victime habitait le New Jersey.

— C'est ce que Charles m'a expliqué, en effet. Il connaissait tous ces hommes, professionnellement, n'est-ce pas ?

— C'est ça.

Elle pencha le buste vers Cagney et appuya les coudes sur ses cuisses. Elle serra les lèvres, rentra les joues et demanda d'une voix plus sèche :

— Épargnons-nous d'inutiles préliminaires. Vous n'avez pas rendu visite à mon mari par hasard. Charles est menacé, c'est cela ?

— C'est une des hypothèses.

— Quelles sont les autres ?

— C'est lui qui a éliminé ses anciens collègues.

Laura Owens se redressa et déclara d'un ton sérieux mais vaguement méprisant :

— Vous êtes fou. Vous ne connaissez pas Charles. Il est *vital*. Charles déteste tout ce qui a un rapport avec la mort. C'est sans doute une des nombreuses raisons pour lesquelles le décès de sa première femme l'a tant marqué. (Elle réprima un petit rire.) Il ne supporte même pas les fleurs fanées. Charles est un roc, une force de la nature. Il peut sans doute devenir dur, mais il n'est ni violent, ni brutal. Son fils est comme lui. C'est stupide. Vous savez, la stupidité est une énorme perte de temps. Je suppose que, dans votre métier, le facteur temps est crucial.

— En effet.

Elle leva la main, comme pour l'empêcher de poursuivre, et reprit :

— Est-il menacé ? Cette hypothèse me paraît largement plus recevable. Abandonnons l'autre. Je n'ai, moi non plus, pas de temps à perdre. Je veux savoir. Selon vous, quelqu'un éliminerait ce groupe d'hommes de *Denta'prep* ?

Elle laissa échapper un soupir. Cagney la détailla quelques instants. Le beau regard mordoré avait perdu sa chaleur. Il commença :

— Mrs Owens, vous êtes intelligente. Alors, en effet, gagnons du temps. Nous sommes convaincus que votre mari connaît le mobile de ces meurtres, et cela vaut pour les deux hypothèses.

Un léger affolement passa dans sa voix lorsqu'elle murmura :

— Mais il m'en aurait parlé, voyons. Charles n'a pas de secret pour moi.

— Tous les hommes ont des secrets, Mrs Owens, tous.

Elle hésita, le regard fixé sur la théière, puis inspira profondément :

— Essayez-vous de me faire comprendre que Charles aurait commis quelque chose de répréhensible par le passé ?

— Pas forcément. Il peut avoir vu ou appris quelque chose, et puis une vengeance n'est pas exclue.

— Une vengeance ?

— Votre mari est à l'origine de la faillite de *Denta'prep*, non ? Comment a-t-il obtenu les fonds pour monter sa propre société ?

Cinglante, elle rétorqua :

— Charles n'est pas à l'origine de la faillite de *Denta'prep* ; l'incompétence d'Edmond Quale, l'ancien patron de la compagnie, a suffi. Quant aux fonds, il n'a ni braqué une banque, ni fait chanter ses collègues. Il s'est couvert de dettes, d'emprunts à des taux prohibitifs, justement parce qu'il n'avait pas grand-chose à investir. Il s'est défoncé, il a travaillé comme une brute et il ne doit rien à personne. Vous devriez pouvoir le vérifier aisément.

— Mrs Owens, je vais vous avouer quelque chose : notre but, en vous rendant visite, n'était pas un interrogatoire. Si nous avons vu juste... (Il se tut, la fixa et fonça :) ... un tueur est sur les talons de Charles Owens. Votre mari sera égorgé dans peu de temps parce que c'est le dernier de la liste. Toutes les victimes ont été saignées.

Il avait choisi volontairement des mots crus, des mots rouges, qui coulent. Elle reposa si sèchement sa tasse que la fine soucoupe de porcelaine se brisa. Blême jusqu'aux lèvres, elle murmura :

— Pourquoi voulez-vous me faire peur ?

— Pour que vous nous aidiez.

Le silence. Elle poussait du doigt les morceaux de la soucoupe, les entassant dans l'un des coins du plateau.

— D'accord. Que dois-je faire ?

— Apprendre pourquoi. Je vous laisse mes coordonnées.

Il lui tendit une carte, qu'elle prit du bout des doigts, la tournant, la retournant. Puis elle la fourra dans la poche de poitrine de sa chemise.

Elle ne les raccompagna pas. Lorsque Cagney tourna la tête vers elle, sur le pas de la porte du salon, elle fixait un point du mur, bouche entrouverte.

Lionel Glover s'arrêta au feu rouge et lâcha :

— Elle avait la trouille. Vous n'y avez pas été de main morte !

— Je sais, mais nous n'avons plus de temps à perdre.

— Enfin quand même ! Elle voyait le cadavre de son mari égorgé, étalé sur la moquette.

— Voulez-vous que je vous dise, Glover ? Elle le voyait depuis longtemps, parce qu'elle est intelligente et qu'elle a compris, dès notre appel, que le danger était déjà à ses côtés.

Il regarda sa montre. Il était à peine seize heures. L'entretien avait été plus court que prévu.

— Nous rendons une visite de courtoisie à vos petits camarades du Boston PD. J'espère que Da Costa et Gordon seront là. Nous sommes un peu en avance.

— Ah, ouais, sympa.

— Je ne vous indique pas le chemin.

— Non, c'est inutile, mais vous savez, j'ai l'impression d'en être parti depuis des années.

— J'ai la même impression avec cette affaire alors que nous ne planchons dessus que depuis quelques jours. Une fois rentrés, pourrez-vous fouiner du côté Hewitt ? J'aimerais savoir s'ils avaient du personnel de maison et ce qu'est devenue cette infirmière amie et/ou maîtresse du couple, Cindy Robertson.

— Ah, c'est pour la mathématicienne qui bosse pour nous ?

À son naturel, à sa curiosité joviale, Cagney comprit que Richard avait été d'une discrétion sans faille.

— Oh, Lionel, comme vous y allez ! Mrs Parker-Simmons ne *bosse* pour personne. Elle nous fait l'honneur de nous prêter parfois ses neurones exceptionnels lorsque ça lui fait gagner de l'argent, ou que ça l'intéresse.

Glover tourna et poursuivit :

— D'après Ringwood, elle est réfrigérante mais plutôt canon ? Blonde, c'est ça ?

— Je vous remercie.

Lionel lui jeta un regard étonné.

— Gloria Parker-Simmons est, comment dire... la femme de ma vie et elle porte mon bébé, enfin, elle porte quelque chose qui deviendra mon bébé dans quelques mois. Il valait mieux que vous le sachiez.

La belle peau de Glover se teinta d'un marron plus sombre qui partait du menton pour remonter vers les yeux en amande. Il déglutit :

— Euh... Je suis désolé, je ne savais pas. Ringwood aurait dû...

— Ringwood a bien fait. C'était à moi de vous le dire. Et, oui, Gloria peut être réfrigérante.

Le reste du trajet fut silencieux. Cagney ne savait pas trop comment reprendre le fil de la conversation ; du reste, il n'en avait pas vraiment envie. Il avait besoin de retrouver la solitude de sa tête, cette solitude qui maintenant lui plaisait parce que c'était un luxe, plus l'obligation d'un homme que personne n'habite.

Elle avait téléphoné hier soir. Il était tard, sa voix était calme et heureuse. Elle avait dîné avec Maggie qui regardait un film dans le salon.

Gloria avait commencé en s'excusant presque brutalement de ne pas avoir appelé plus tôt. Mais elle avait tant de choses à faire, des choses à penser. Cagney lui en avait voulu toute la journée, mais maintenant, il s'en foutait. Soudain, interrompant une conversation qui de toute évidence ne l'intéressait pas, elle avait demandé :

— Pourquoi l'album photos est-il rose ?

Gloria possédait l'art de vider les choses, de les désamorcer, en utilisant le style indirect. C'était inconscient chez elle, mais elle n'aurait jamais formulé cette question comme une accusation, ni même une appropriation. « Pourquoi as-tu acheté un album photos rose ? » impliquait qu'elle en connaissait la raison et qu'elle la désapprouvait. Il valait bien mieux que l'album fût son propre sujet.

Il avait répondu, pas vraiment amusé parce qu'il savait que quelque chose de dangereux risquait de suivre :

— J'ai hésité. C'est joli le rose.

— Ces albums existent aussi en bleu. Tu sais... Bleu pour les garçons...

— Et rose pour les filles, oui. J'aime les filles, c'est doux, joli, drôle, intelligent.

— Je ne veux pas de fille.

— À cause de Clare ?

— Oui, mais pas seulement.

— Pourquoi ?

— Sais-tu qu'en Chine, les femmes n'ont droit qu'à un enfant ? On détermine le sexe du bébé dès que possible et l'avortement est gratuit s'il s'agit d'une fille. Beaucoup de Chinoises avortent plusieurs fois, jusqu'à ce que l'enfant qu'elles portent soit un mâle.

— Justement.

— Non, pas justement. Ces femmes le font parce que c'est ce que la société attend d'elles. Tu ne te rends pas compte. C'est tellement compliqué de construire l'ego d'une fille, de lui apprendre à se battre, de la convaincre qu'elle est importante, unique, aimée. C'est différent pour les petits garçons. La société se charge de leur montrer qu'ils sont merveilleux. Elle les adule, elle les veut. C'est magnifique pour les petits garçons mais... je... Enfin, je crois que je serais incapable de faire la différence.

Une peine très douce lui avait fait monter les larmes aux yeux. Il avait murmuré :

— Gloria, je suis un homme. Je ne saurais pas être autre chose qu'un homme. Tu as raison. Mais je ferai la différence. Écoute, c'est crétin de discuter du sexe de cet enfant, je ne veux même pas le savoir avant la naissance, parce qu'au fond, ce bébé pour moi, c'est un cadeau inespéré et je me fous du reste. Je serais ravi qu'il s'agisse d'une fille et, dans ce cas, elle saura qu'elle est unique, parce que c'est vrai.

Le décalage du silence, porté par les grésillements de plusieurs milliers de kilomètres. Il avait envie d'être avec elle, de la renifler, de la regarder descendre les marches de l'escalier. Il avait envie d'elle.

— Ce sera un garçon.

— D'accord.

Puis soudain, un éclat de rire comme il les aimait, rauque, essoufflé :

— Oh, quelle paire d'idiots nous formons ! Bon, je vais aller me noyer dans les reniflements de Maggie. Elle regarde *Alien III* et sanglote depuis les premiers mots de Ripley, lorsqu'elle découvre que la petite fille est morte, jusqu'à son suicide dans le plomb en fusion en plaquant son bébé alien sur elle.

— Ça fait beaucoup de sanglots. Vous n'avez rien de plus léger ?

— Si, mais je crois que Maggie aime pleurer devant un film, parce qu'elle se l'est toujours interdit dans la vraie vie.

— C'est assez sensé et très prudent. Et toi, tu vas joindre tes larmes aux siennes ?

— Oh moi, je pleure rarement parce que j'ai toujours beaucoup de difficultés à me convaincre que les choses sont réelles et que je suis dedans. Davantage maintenant.

Il ne lui demanda pas d'explications. Il était loin d'elle.

Cagney et Glover traversèrent le grand hall, une merveille d'art pompier, admirablement conservé parce que personne n'y avait jamais prêté attention. Des bergères roses comme des pétales tendaient leurs doigts potelés vers des moutons frisés et blancs, qui contemplaient le monde des hommes de leurs plafonds voûtés.

Ils trouvèrent Gordon et Da Costa assis épaule contre épaule, devant un ordinateur. Elizabeth-Ann apprenait les rudiments de l'informatique à son partenaire. Le contraste formé par ces deux dos mitoyens était saisissant. Il était si massif, elle si menue. Le flanc de leurs uniformes s'épousait, révélant aux deux hommes qui les contemplaient en silence à quel point cet homme vieillissant et cette très jeune femme se soutenaient mutuellement, à quel point leur rapprochement les rassurait, les rendait forts. Il n'y avait dans ce contact rien de sensuel, rien d'équivoque.

C'était toujours un étonnement pour Cagney que cette aptitude de l'esprit humain à réorganiser ses priorités, au gré des situations. Dans d'autres circonstances, le voisinage des corps, des peaux, l'échange de confiance, d'amour aurait posé la question du sexe. Une réponse se serait imposée, qu'il s'agisse d'écarter cette possibilité ou de l'accueillir. Mais l'identité sexuelle n'avait que peu de réalité dans ce genre de couple. Un partenaire masculin se souvenait toujours que sa partenaire féminine court en général moins vite qu'un homme, qu'elle tire moins instinctivement, mais avec une précision très supérieure. Il s'agissait avant tout d'efficacité, de l'attribution des rôles de chacun dans ce binôme dont le but profond consistait à renforcer, à accompagner, à protéger, à consoler. Même lorsqu'un échange de sueurs, de salive, de murmures s'imposait, un soir de débâcle, un soir de succès, il s'agissait avant tout d'un cadeau, d'un apaisement qui n'engageait à rien d'autre.

Da Costa se retourna le premier et mit quelques instants à reconnaître les deux hommes, debout à cinq mètres d'eux.

— Ah, Monsieur Cagney. Mais c'est... Glover. Ah, ben ça !

Elizabeth-Ann Gordon se tourna lentement. Son regard était attentif, lisse : une tache noisette qui crevait la pâleur de sa peau.

— Détective Gordon, commença Cagney, je ne pense pas que vous connaissiez Lionel Glover. C'est un de nos futurs agents. Un ancien de chez vous.

Elle le salua d'un petit coup de tête sec.

— Bonjour, détective Gordon.

Glover attendit, mais elle ne tendit pas la main. Da Costa se leva et allongea deux grandes claques dans le dos de Glover.

— Squirrel m'apprend à me servir de ce truc, dit Da Costa en désignant l'écran du vieil ordinateur. Le commandant Baker nous a informés de votre passage. On ne vous attendait pas si tôt.

Cagney sourit et embraya :

— Oui, nous sommes en avance. On peut discuter quelque part ?

— On a réservé la salle de briefing. Pas vraiment convivial, mais c'est plus tranquille qu'ici.

— Eh bien, nous vous suivons.

Cagney surprit le regard de Glover qui glissait sur Elizabeth-Ann. Il la trouvait jolie et elle le rendait curieux. La chose étonna Cagney, parce que la jeune femme était blanche. L'homme aime et convoite surtout ce qu'il sait, ce qu'il voit. L'apprentissage des femmes pour Glover avait été idéal entre sa mère et ses sœurs. Cagney en avait déduit que le jeune homme devait être attiré par les femmes noires, parce qu'elles avaient construit son imaginaire et ses repères. D'une certaine manière, son erreur lui fit plaisir. C'était une preuve que Glover faisait partie de ces individus assez rares qui savent imaginer ailleurs que dans leur vie et leurs souvenirs. Il apprendrait donc à imaginer autrement, avec les neurones d'un tueur, d'un bourreau satisfait, ce que ni Ringwood, ni même, dans une moindre mesure, Jude Morris, n'avaient été capables de faire. Il ne s'agissait pas d'un défaut d'intelligence, mais d'un défaut de fluidité, de versatilité intellectuelle.

Lionel Glover perçut l'intérêt de Cagney, sourit en hochant la tête et abandonna la contemplation de Gordon.

La grande pièce était terne. Le vide ne lui allait pas. On aurait dit une immense salle de classe avec un pupitre et un grand tableau noir où subsistaient les gribouillages à la craie du matin, résumant les affectations, les tâches quotidiennes.

Ils s'installèrent en cercle sur des chaises inconfortables en plastique orange. Elizabeth-Ann se plaqua contre son partenaire, laissant le plus d'espace possible entre elle et Cagney. Celui-ci commença d'un ton affable :

— Bien, où en êtes-vous ? Nous n'avons pas eu beaucoup d'échanges depuis quelque temps.

D'une voix que la rage, la timidité ou les deux faisaient trembler, le détective Gordon rétorqua :

— Ça, c'est le moins que l'on puisse dire !

— Non, attends, Squirrel !

Da Costa lui tapota la cuisse dans un geste d'apaisement. Cagney comprit qu'elle cherchait l'affrontement et qu'elle ne lâcherait pas le morceau tant qu'elle ne l'aurait pas trouvé. Il entendit le soupir de Glover : lui aussi le sentait.

— Détective Gordon, j'ai le sentiment que nous avons un problème.

La voix d'Elisabeth-Ann dérapa parce qu'elle s'énervait. Mais il était un supérieur hiérarchique important et elle avait peur pour sa carrière de flic. L'adrénaline l'emporta :

— Sans blague ! Vous vous foutez de notre gueule, hein ? C'est jouissif, non ?

Da Costa paniqua :

— Squirrel, arrête tout de suite, tu vas dire des conneries !

— Je m'en tamponne. J'en ai plein le cul !

Cagney, s'efforçant au calme, tenta de s'expliquer :

— Si vous suggérez que nous tirons la couverture à nous, c'est faux.

— Menteur ! Et Colin Burke, c'est quoi si ce n'est pas de la rétention d'informations ? C'est ça, votre conception de la réciprocité ? C'est nous qui donnons et vous qui recevez, puis qui tirez les marrons du feu quand les autres se sont bien brûlés ?

Cagney prétendit l'énervement, plus pour la calmer qu'autre chose :

— Je n'aime pas votre ton, détective Gordon.

D'un ton haineux qu'elle tentait, sans trop de succès, de rendre ironique, elle rétorqua :

— Mon Dieu, c'est affreux, je ne vais pas en dormir de la nuit ! Moi, ce que j'aime pas, c'est ce qu'il y a dans votre tête, monsieur.

Glover intervint. Sans doute aurait-il mieux fait de s'abstenir :

— Écoutez, ce n'est pas très constructif tout ce déballage, je crois...

C'était le détonateur qui manquait à Elizabeth-Ann Gordon :

— Toi, la ferme, Ducon ! Tu ne vas pas nous la jouer Grand-Super-Agent, Ray-Ban et costard anthracite. Au cas où tu l'aurais oublié, tout ce que tu sais, c'est chez nous que tu l'as appris ! Tu nous plantes, tu nous lâches parce qu'on n'est plus assez bons pour toi, c'est ton problème, mais tu ne la ramènes pas. Tu es un sale con qui ne se sent plus pisser et tout le monde le sait. Alors, nous gonfle pas en plus !

Glover la considéra, bouche ouverte. Il s'était attendu à quelques aigreurs, mais pas sous cette forme, et certainement pas de la part d'une femme qu'il ne connaissait pas et qui reprenait à son compte l'histoire de tout un département de police.

Un silence massif et hostile s'installa. Da Costa ne serait d'aucune aide. Sans doute partageait-il ce que venait de hurler *sa* Squirrel, sans doute regrettait-il qu'elle l'ait exprimé parce qu'il craignait des sanctions contre elle, mais il était de son côté. Cagney s'en voulait. La jeune femme avait raison, il avait menti. Il avait menti parce qu'il pensait à la grandeur du Bureau, aux attributions de budget, au bunker et à ses habitants, sa seule réalité en dehors de Gloria. Il fallait y mettre un terme, parce que les finesses politiques, les dérobades diplomatiques ne marcheraient pas avec cette jeune femme et que d'une certaine façon, elle et son mentor méritaient mieux.

— Lieutenant Da Costa, détective Gordon, je vous présente mes excuses. J'aurais dû vous parler le premier de Colin Burke. Je ne l'ai pas fait pour diverses raisons dont je ne souhaite pas discuter. Je vous propose une pause. Nous nous retrouvons ici, dans, disons, un quart d'heure. Nous mettrons cartes sur table.

— Ça marche, répondit Da Costa soulagé, qui n'avait qu'une hâte : sortir Squirrel de la pièce.

Il savait que la bourrasque nerveuse passée, elle allait éclater en sanglots, et qu'elle ne leur pardonnerait pas d'en être témoins.

Cagney suivit Glover à l'étage au-dessus. Il avait choisi un percolateur éloigné, pour ménager la trêve.

— Putain, elle m'a scié les pattes, cette fille ! Si ça avait été un mec, je lui aurais conseillé d'aller se faire enculer à sec, mais...

— Ah, vous retrouvez votre ancien vocabulaire, Glover ! Le naturel revient au grand galop.

Lionel le regarda avec une sorte de tristesse, sans rancœur.

— Non, ce n'est pas le naturel, c'est la rage qui revient au grand galop.

— Ça ne sert à rien.

— Franchement, je ne crois pas. Je souhaite ne jamais en être convaincu.

Cagney émit un bruit de gorge puis :

— Vous avez peut-être raison. Détail rassurant, le café est aussi mauvais pour tous les flics du pays.

Ils burent leur boisson insipide côte à côte, puis Glover demanda :

— On s'est conduits comme des cons ?

— Oui, elle a raison.

— Pourquoi ?

— Parce que je ne pouvais pas faire autrement.

— Pourquoi ?

— Parce qu'on est sur le gril. Ce n'est pas une nouveauté, mais à chaque fois, il faut endiguer l'incendie. On emmerde pas mal de politiques, des deux bords, au gré de leurs intérêts électoraux. Ils n'attendent qu'une connerie, un manque pour nous étouffer en nous coupant les fonds. Comme ça, ils pourront annoncer à leurs électeurs qu'ils font des économies. Mais ça leur permettra de financer un nouvel avion de guerre, de faire une fête somptueuse, pas d'augmenter le budget de l'éducation ou de la santé. Ça ne les fait pas fantasmer. Alors tous les ans, Harper me file une liste d'objectifs et je coche les bonnes cases. Cette série de meurtres n'est rien d'autre qu'une case parmi les autres.

— Merde, je ne peux pas le croire !

— Veinard.

— Tout est pourri, quelle connerie !

— Vous avez tort, Glover. Pour deux raisons. La première, c'est qu'on ne peut pas vivre avec la certitude que l'humanité mérite de disparaître, à moins d'aimer très fort ailleurs. La deuxième, c'est que nous sommes là pour continuer à faire la différence, comme ces deux flics. Tant que nous persisterons, les dingues ne pourront pas faire hurler comme il leur plaît, les rats ne pourront pas tout bouffer à leur convenance.

Da Costa et Gordon étaient déjà assis lorsqu'ils revinrent dans la grande salle fraîche. Le silence était pénible, mais prévu.

Elizabeth-Ann se leva à leur entrée. Elle débita d'un ton heurté :

— Je suis désolée. Je vous présente mes excuses. J'ai été grossière. Ces écarts de langage ne se reproduiront plus. Ils étaient le fruit de mon investissement dans cette enquête. Agent Glover, mes excuses vous sont particulièrement destinées.

Elle se rassit d'un bloc. Bob Da Costa avait eu peur pour elle. Il l'avait fait répéter durant cette pause et elle ânonnait la seule parade possible contre un blâme, parce qu'il avait fini par la convaincre qu'elle était allée trop loin.

Lionel Glover baissa les yeux et ne lui fut d'aucune aide. Cette fille lui plaisait. Plus. Elle avait la force, la pugnacité de Tricia, sa sœur aînée. Elle avait la même trouille, la même panique lorsqu'elle pensait que jamais elle ne parviendrait à les sortir de leur merde. Parfois, lorsqu'ils étaient tous couchés, il se relevait. Il la trouvait. Tricia était épuisée parce que chaque journée était une petite guerre, contre elle-même, contre les autres, contre la fatigue, le ras-le-bol, les insultes. Il fallait ramener de l'argent, faire vivre la meute, la rassurer parce que ses « petits loups », comme elle les nommait, étaient incapables de se défendre. Elle pleurait de fatigue, de découragement, assise devant la table de la cuisine. C'était sur elle que tout était tombé et ce n'était pas juste. Elle ne s'était jamais mariée, n'avait jamais eu d'enfant alors qu'elle les adorait. Injuste. Elle s'était dévouée, avait mené tout le monde vers la lumière, à coups d'amour, à coups de gueule et elle restait seule avec un vieux chat poussif que lui avait confié une voisine qui déménageait et qui n'était jamais revenue le récupérer.

Une vague d'amour bouleversa Glover. Il fallait qu'il appelle Tricia, qu'il lui dise à quel point il l'aimait, à quel point elle était importante. Il fallait qu'il devienne son héros, la seule justification de cette injustice. Il fallait qu'il soit parfait pour elle, parce qu'elle n'accepterait pas moins. Tant d'amour, il avait eu tant d'amour. Tout ce qu'il était, toute sa force, venait de cet amour.

Il vit que cette très jeune femme aux cheveux gris, tassée sur une chaise inconfortable, en face de lui, avait pleuré. Ses paupières supérieures étaient gonflées, rougies comme celles de sa sœur, quand tout était trop. Elle serrait les maxillaires parce qu'elle avait de la peine, parce qu'elle était en colère, comme Tricia. Soudain, la vision incongrue de son corps musclé, sec, coloré, contre cette peau trop pâle lui traversa l'esprit.

Il avait couché avec tant de femmes, de toutes les couleurs, par besoin ou par amitié, qu'il n'en gardait pas grand souvenir, autre qu'une gigantesque tendresse, indéfinie. Là, il savait qu'il aurait besoin que ses doigts emprisonnent les siens, qu'il voudrait la trace de ses dents sur sa chair. Il fallait qu'elle le veuille. Bordel, arrêter tout de suite. Écouter Cagney :

— Je vous remercie, détective Gordon. Vos excuses sont inutiles, mais elles nous rassurent. Nous sommes en faute, pas vous. J'ai commis une indélicatesse, j'avais d'excellentes raisons pour le faire, mais vous avez le droit de ne pas les admettre. En d'autres termes, nous sommes convaincus qu'un autre homme va mourir et notre devoir est de l'empêcher. Curieusement, en dépit de sa force, il court à l'abattoir. Reste à savoir pour quelle raison, ou alors c'est qu'il est le bourreau.

— Charles Owens ? demanda Gordon.

— Oui. Burke. Parlez-moi de Burke.

Elle le considéra, incertaine, et se lança :

— Je l'ai appelé, c'est comme cela que j'ai su qu'il vous avait déjà parlé et que vous ne nous aviez rien dit. Burke est un flic, un vrai. Il a compris que nous étions là pour reprendre derrière lui. Il m'a tout révélé. Les Hewitt, leur sexualité débordante, Mrs Binasky, ses soupçons sur les gosses. Alors, maintenant, je n'ai plus de temps à perdre. Bob n'est pas d'accord, okay ? Donc rien de ce qui se passe n'est de sa faute. C'est moi.

Le géant calme passa sa main derrière son dos :

— T'as tort, ma puce. Je marche avec toi. On est deux sur ce coup. Quoi que tu dises, je suis là. Mais plus de grossièretés, c'est moche chez une fille.

Elle prit sa grosse main entre les siennes et sourit à ses yeux. Glover pensa qu'il aimerait qu'elle lui caresse le regard de la même façon.

Cagney savait qu'il devait la rassurer complètement. Il aimait bien cette fille, ses maladresses, sa fougue, son besoin de faire le juste, quoi que cela signifie. Soudain, elle lâcha :

— Neuf hommes, d'âge approprié, présentent la même anomalie génétique que le ou un des tueurs. Dans notre État, je veux dire. J'ai cherché.

— Nous avons abouti au même chiffre.

— Oui, mais nous, on a creusé. On n'avait que ça à faire en attendant de vos nouvelles !

— Je crois m'être expliqué, excusé à ce sujet.

— Oui. Bon. Trois sont *out*. Ils étaient en traitement et trop mal en point pour lever leur fourchette. Il nous en reste six. En fait, si l'on se fie aux alibis, nous avons deux suspects : Eddie Fynch, 48 ans, et Jesus Alveraz, 24 ans. Dans l'État du Massachusetts, donc. Je leur ai rendu une petite visite, et si vous voulez mon sentiment, ni l'un ni l'autre ne sont des tueurs. Ce sont des gens malades qui se battent pour survivre. Ils n'ont ni le temps, ni l'envie d'enlever la vie aux autres.

— Alors ?

Elle réfléchit, le regarda et déclara :

— Alors, je crois que ce sang, si efficacement semé pour nous permettre des analyses génétiques, c'est du pipeau. Je crois que quelqu'un d'assez futé s'amuse avec nous.

Cagney se figea. Si cette fille avait raison, le problème redevenait aussi complexe qu'au début. Il ne cocherait pas sa case et Harper ne serait pas content de l'Unité.

— Vous pouvez être plus précise ? insista-t-il, plus sèchement qu'il ne le souhaitait.

— Je crois que quelqu'un a piqué du sang quelque part pour nous lancer sur une fausse piste. Quelqu'un avec des bases solides en ce qui concerne nos moyens de détection. Cela explique que le deuxième prélèvement soit abîmé. Ce n'est pas dû à la chaleur ou au produit utilisé pour nettoyer la moquette comme le diagnostiquait le labo, mais à l'âge du sang. Quelqu'un nous mène en bateau depuis le début. Et c'est quelqu'un qui peut se procurer du sang. Voilà.

Son ton redevint menaçant, tranché :

— Maintenant, faites gaffe. Je me suis excusée, mais je ne laisserai rien passer. Si vous déconnez, au risque de foutre ma carrière en l'air, je préviens la presse que vous bloquez une enquête parce que vous voulez ramasser les lauriers. On est bien d'accord ?

— Pas de menace, détective Gordon. Vous n'êtes pas en position de les proférer. Mais c'est d'accord. Je veux savoir ce qui se passe et j'ai besoin de vous.

Lionel conduisit lentement jusqu'à Logan Airport. Ils se taisaient, chacun plongé dans ses pensées. Soudain Cagney demanda, parce que c'était son rôle et sa fonction de veiller sur le mental de ses agents :

— Elle vous plaît ?

Sans raison, Glover freina.

— Oui. Plus même. C'était si évident que cela ?

— Assez.

— Elle a été très inamicale avec moi. Vous croyez qu'elle a ce... Enfin, ce truc, vous savez, ce truc noir et blanc ?

— Je ne la connais pas, Lionel. Mais je ne le crois pas. Elle vous déteste parce qu'à ses yeux, vous êtes un renégat qui a abandonné sa famille. Je ne pense pas que cela ait à voir avec une expression génétique, plus ou moins marquée, de la mélanine.

— C'est bien.

— Non. Pour des femmes comme elles, c'est beaucoup plus grave.

— Elle me plaît vraiment. Enfin, c'est con à dire, c'est plus... enfin c'est plus important que cela. Ça ne m'était jamais arrivé, ce genre de truc. Vous savez, coup de foudre, machin et les violons en prime. On dit que ça se produit surtout lorsque l'on se trouve en période de stress, quelque chose à voir avec l'adrénaline, si je me souviens bien.

— De toute façon, même si tout ce qui nous construisait était hormonal et génétique, cela ne changerait rien au problème. La traduction est toujours émotionnelle. Haut les cœurs, Glover. Ce n'est pas gagné.

Il y eut un silence. Glover bafouilla :

— Et, euh... Mrs Parker-Simmons, elle... enfin, elle est raciste ?

— Non, vraiment pas. Elle n'aime personne en dehors de sa fille et peut-être, plus loin, de moi, c'est différent.

— Ah... Bon, ben, là, je crois qu'on y est. Cette question-là, il faut que je vous la pose depuis le début. C'est le moment, n'est-ce pas ? Qu'est-ce que je suis au juste dans votre unité ? Votre bon nègre, celui qu'on met en vitrine pour prouver que l'on est politiquement correct ? Que l'on est conscient qu'une bonne partie de la population américaine achetante et votante est noire ?

— Vous me mésestimez, Glover, et vous commettez une erreur. Je me fous que vous soyez un homme ou une femme, petit, grand, gros ou maigre, noir ou blanc. En revanche, je ne tolérerai pas que vous soyez inintelligent parce que je me bats pour la survie de notre département. Désolé de vous blesser, mais vos sentiments, vos angoisses n'ont d'intérêt que s'ils interfèrent avec votre travail, donc nos résultats. Sans cela, très franchement, ils m'indiffèrent.

— Ça me va, c'est clair.

Il rit, frappa le volant de ses paumes et repartit :

— Et puis, on deviendra peut-être les meilleurs copains du monde ?

— Sans doute, répondit Cagney, et sa sincérité l'étonna.

De grosses gouttes de neige fondue tombaient lourdement sur le pare-brise, s'écrasant sous les essuie-glace. Le chauffage de leur voiture de location se réglait mal et ils avaient eu le choix entre geler ou recevoir des bourrasques d'air bouillant, mal orientées, en plein visage. Cagney avait envie de rentrer, d'être un peu seul, de parler à Gloria.

Il n'y avait rien à manger chez lui parce qu'il avait traîné ses provisions à l'autre bout du pays et qu'il était rentré directement de l'aéroport à la base lundi matin, puis de la base à chez lui, puis de chez lui à la base. Avec un peu de chance, il lui resterait bien un paquet de nouilles chinoises lyophilisées, à moins que la cantine du restaurant Jefferson n'ait pas été totalement pillée.

— Que pensez-vous de cette histoire de sang, monsieur ? Vous croyez que Gordon a raison ?

— Merci de me le remettre en tête, Glover. J'évitais. (Il soupira ; la chaleur de l'habitacle devenait intolérable.) Si elle a raison, et cela ne m'étonnerait pas, nous sommes vraiment dans la merde. Ces empreintes étaient notre bouée de sauvetage. Cela prouve aussi que

Gloria avait raison. Nous sommes passés sur certains détails, parce que ces tests nous rassuraient, et que nous avions l'impression que nous pouvions négliger le reste. Cela signifie qu'il va falloir tout reprendre à zéro, comme des fourmis.

— Merde.

— En substance, oui. Nous pensions tous pouvoir rapidement boucler cette affaire. Nous nous sommes plantés et nous aurions sans doute persisté un moment sans la lucidité de Gordon. C'est une bonne. Si son sale caractère ne la fait pas virer avant, elle ira loin.

— Je trouve aussi, ouais. Enfin... bien sûr.

— Vous savez, Glover, c'est bon d'être fier des gens que l'on aime.

— Ouais, enfin, on n'en est pas là, quand même.

— Vous avez raison, l'avenir tranchera.

— J'adore ce genre de phrases. Elles ne veulent rien dire, mais rassurent tout le monde.

— Elles sont faites pour ça.

Il y eut un court silence. Glover conduisait au pas depuis l'entrée de Callahan Tunnel qui part de l'Interstate 93 pour rejoindre Logan Airport. Des files de voitures se suivaient, comme des animaux repérant une trace élusive.

— Pour un spécialiste de psychologie comportementale et de criminologie, ça doit faire bizarre de vivre avec une mathématicienne.

Encore ce mot usurpé : « Vivre. » Mais Cagney ne le corrigea pas, parce qu'il l'aimait.

— Ça décoiffe un peu, oui. Vous voyez, je crois que les mathématiciens sont des gens à part, comme tous ceux qui pratiquent ce que l'on appelle les « sciences dures ». Ils ont une aptitude à englober l'ensemble des choses qui laisse pantois. Les biochimistes, les généticiens, et autres sont très différents. La chose qu'ils servent est réelle, bien délimitée, même si elle est encore incompréhensible. La vie et ses mécanismes, en d'autres termes. Elle les tient, parfois les retient. La pensée des gens comme Gloria est complètement libre.

Il faut qu'elle le soit si elle veut comprendre. C'est sans doute pour cela que Gloria est fascinée par la philosophie, la musique, tout. Plus elle éponge de connaissances un peu partout, plus elle apprend à son esprit comment comprendre. Il ne s'agit pas de comprendre une chose en particulier, il faut être capable de tout digérer. Je ne suis pas sûr d'être clair.

— Si, je vois. Comme une éponge. Elle absorbe tout, la psycho, les gens, la philosophie, les maths, et même les résultats de base-ball parce que tout peut servir si on sait l'assimiler, le transformer, l'utiliser.

— C'est exactement ça. Gloria est une éponge. Mon bébé sera métissé éponge.

Ils se mirent à rire parce qu'ils étaient fatigués, que la voiture n'avançait pas et que n'importe quelle idiotie était la bienvenue.

Fredericksburgh, Virginie
24 novembre

Il était presque minuit.

Glover et lui étaient rapidement passés à la base, en dépit de conditions météorologiques qui se détérioraient de minute en minute. Ringwood était rentré chez lui et ils n'avaient pas tardé à l'imiter. La neige tombait à gros flocons incertains lorsqu'ils s'étaient séparés sur le parking.

Il était presque minuit.

Cagney avait avalé un bol de nouilles chinoises pas assez cuites qui craquaient sous ses molaires. Il était fatigué.

Gloria avait laissé un message. Il avait aimé son ton étonné, agacé de ne pas le trouver chez lui.

Il abandonna le reste des pitoyables nouilles qui nageaient dans une sorte de bouillon clair mais trop odorant, saturé d'additifs en tous genres, et s'installa avec un verre de whisky sur le canapé.

Elle répondit à la deuxième sonnerie :

— Je commençais à me demander où tu étais.

— À Boston.

— Comment les choses se sont-elles passées avec Mrs Owens ? À quoi ressemble-t-elle ?

— Extrêmement jolie. Non, belle, vraiment belle. Intelligente. Rien à voir avec la gentille petite femme un peu gnangnan que j'imaginais. Elle réfute l'hypothèse d'un mari suspect. Par contre, elle était très angoissée à l'idée qu'il puisse être la prochaine victime. Je ne crois pas qu'elle sache grand-chose. Owens n'est pas le genre d'homme à se répandre sur la femme adulée.

— Ses hormones lui montent à la tête ?

— Non, c'est un homme d'une autre génération. On l'a persuadé toute sa vie qu'il était là pour être fort, diriger, gagner de l'argent, protéger et il le fait.

— Au moins, lui protège. Tant d'autres ne se souviennent que des deux premiers verbes. Et puis, si cela convient à sa femme, c'est le principal. Quoi d'autre ?

— Je t'aime, tu me manques terriblement, j'ai l'impression de ne pas t'avoir touchée depuis des mois, j'ai envie de toi. À part cela, j'ai du nouveau concernant l'enquête, dans le genre catastrophique.

Sa voix, soudain nerveuse :

— Quoi ?

Qu'elle ne relève que sa dernière phrase n'étonna pas Cagney. Cela ne l'attrista, ni ne l'offusqua parce qu'il savait à son souffle qu'elle avait entendu le reste, mais qu'elle n'en parlerait pas.

— Le sang que l'on a retrouvé est un leurre. Je crois que j'avais évité d'y penser. C'est une toute jeune flic du Boston PD qui a mis les pieds dedans.

— Explique.

— Selon elle, le tueur s'est procuré du sang quelque part et l'a tartiné sur les lieux du crime pour nous planter. Il se trouve que ce sang portait une particularité génétique. J'ignore s'il s'agit d'une coïncidence ou si c'est voulu. Enfin, bref, en d'autres termes, nous sommes dans la panade.

— Mais pas du tout ! Ça, c'est une information ! Enfin, du travaillable. Elle est bonne, cette flic. Je suis sûre que cela va lever beaucoup d'incohérences. Je suis ravie.

Il n'insista pas. Leurs intelligences fonctionnaient selon des circuits différents. Celle de Gloria était pour lui une source d'émerveillement et d'admiration, d'angoisse aussi. Il faudrait un jour qu'il lui demande si elle avait été amoureuse de cette intelligence si semblable à la sienne.

Pas maintenant.

Mais avant qu'il le sache suffisamment pour la retenir, la phrase fusa :

— Tu as été amoureuse de Barzan ?

— Bien sûr, d'une certaine façon, pas celle qu'il attendait. Je voulais être lui. Je voulais faire l'amour à son cerveau, toujours, être à l'intérieur, me nourrir de lui. Il n'a pas compris. Enfin si, parce que Hugues comprend toujours tout. Disons que cela ne le satisfaisait plus.

Il s'installa un silence, assez long. Elle reprit, triste, agacée :

— Qu'est-ce que tu crois ? Que j'étais frigide à ce point ? Je l'étais sexuellement. Même pas : je ne voulais pas, c'est tout. Mais j'ai toujours été capable d'aimer parce que j'aimais Clare. J'ai aimé Hugues, Sam, à ma façon. Vous mélangez toujours tout. Je veux dire, les hommes. Le sexe, l'amour, la dévotion, la reconnaissance. Cela n'a rien à voir, les femmes le savent. Bien sûr, l'idéal est de tout réunir, mais les choses peuvent exister séparément.

— Je sais. Je suis pareil au fond. Je me suis toujours dit que ce n'était pas grave, que tu ne les avais pas vraiment aimés puisque tu n'avais pas couché avec eux. C'est con, je le sais.

— Oui, c'est con. Je les ai aimés, je les aime toujours. Tu vois, avant toi, j'ai détesté le seul homme avec lequel j'ai couché, à un point que tu n'imagineras jamais. Je l'ai tué. Bonsoir James, je suis fatiguée.

Elle raccrocha. Il ne rappela pas, c'était inutile. Mais il avait sa réponse et elle ne lui plaisait pas. Il s'en voulait d'être jaloux du passé de Gloria, d'éprouver une telle animosité pour des hommes qui lui avaient permis de survivre.

Il termina son verre, lentement. Il n'avait jamais été jaloux de la vie de Gloria, auparavant. Cela aussi venait avec elle, et il faudrait apprendre à le contenir.

Base militaire de Quantico, Virginie,
San Francisco, Californie
25 novembre

Cette matinée n'avait été qu'une succession d'exaspérations mineures, d'emmerdements diffus.

Harper avait téléphoné, comme si la solution de l'enquête était un dû personnel et devait obéir à ses impératifs administratifs. Cagney avait louvoyé avec toute la diplomatie dont il pouvait faire preuve. Cela ne servait à rien d'affronter Harper, d'abord parce qu'il était détenteur du pouvoir, ensuite parce que tout glissait sur lui sans l'atteindre, sauf peut-être les caprices de sa femme.

Cagney avait renversé son fond de café sur ses dossiers, d'un involontaire coup de coude. Il neigeait à gros flocons têtus. La route avait été une vraie galère. Bref, la tasse.

Histoire de maximiser sa mauvaise humeur, il appela Charles Owens à son bureau. Après les formalités d'usage qui n'avaient de politesses que le nom, Cagney attaqua :

— Mr Owens, avez-vous réfléchi ?

— À quoi ?

— Nous avons des raisons de penser que votre vie est menacée et que vous savez pourquoi. Nous pouvons vous aider.

— Je suis un grand garçon, Mr Cagney.

— Bien, c'est votre choix. Dans ce cas, nous vous conseillerions de prendre quelques vacances pour un temps, sans prévenir où vous allez.

— Vous croyez vraiment qu'on va me descendre ?

— C'est une possibilité non négligeable.

— Ça ne me fait pas peur. Je sais me défendre. Je ne suis pas une lope.

— Vous avez tort. Bronsky et Dale n'étaient pas non plus des enfants de chœur. Écoutez, nous ne savons pas précisément comment les meurtriers s'y prennent, mais ils sont rusés. Votre éloignement, pendant quelques jours, nous faciliterait la tâche.

— C'est hors de question. Je suis débordé de boulot et je ne vais pas pisser dans mon froc.

— Et Mrs Owens ? Y pensez-vous ? Il n'est pas exclu qu'elle se fasse descendre, elle aussi, si les meurtriers ont mal planifié leur coup.

Cela n'était pas très fin, mais Cagney était certain que cela marcherait. Il y eut un silence, puis :

— Qu'est-ce que vous racontez ?

— Mrs Dale et Barr ont été épargnées parce qu'elles n'étaient pas présentes. Ces dames avaient, comment dire, des vies parallèles. Elles sortaient beaucoup. Ce n'est pas le cas de votre femme.

— Vous voulez me flanquer la trouille, c'est ça ?

— Oui, pour votre bien et celui de votre femme.

— Quand allez-vous les coincer ?

— Bientôt, on se rapproche, ce qui explique que j'ai besoin de temps sans avoir un nouveau meurtre sur les bras.

— D'accord. Combien de temps ?

— Quelques jours. Des petites vacances, quoi. Je suis certain que votre femme sera ravie. Où partez-vous ?

— J'ai un bungalow, à une trentaine de kilomètres de Portland, Maine. Je pêche, dans le coin.

— Quand pouvez-vous vous y rendre ?

— Pas avant demain soir. Il faut que je prévienne Laura et que je transfère les dossiers urgents à mon fils. (Il se tut quelques instants, puis :) Vous croyez qu'ils pourraient l'égorger comme les autres ? Laura ?

Cagney mentit avec toute la conviction qu'il avait apprise :

— Oui, cela ne fait aucun doute. Ce n'est pas ce qu'ils veulent, mais ça, vous le savez, puisque vous connaissez leurs motivations. Simplement, ils ne veulent pas de témoin. Selon moi, c'est la seule raison pour laquelle ils ont descendu Ritter. Il se trouvait au mauvais endroit au mauvais moment. Vous ne voulez toujours pas parler ?

— Non, je n'ai rien à dire.

— Et votre femme ?

— Justement. Je ne vous crois qu'à moitié, vous savez. Mais je vais partir, parce que je ne veux prendre aucun risque lorsque Laura est concernée. Mon fils a les coordonnées du bungalow. Faites votre boulot, maintenant. Bonsoir.

Owens raccrocha avant que Cagney puisse insister.

Ringwood passa la tête par l'entrebâillement. Sa mine hilare énerva Cagney :

— Quoi ? Vous venez de gagner au bingo ?

— Non, faudrait peut-être que je joue. J'ai les renseignements pour Mrs Parker-Simmons. Je ne vois pas très bien à quoi ils peuvent servir, mais bon, je fais dans ma caisse.

Cagney oublia son exaspération :

— Je vous ignorais si bien apprivoisé.

— Si, si, je gratte même après. Alors, Cindy Robertson avait une fille qui s'est suicidée. Les flics du San Francisco PD rapportent la présence de spermes différents sur les sous-vêtements de la jeune fille. Ils évoquent la possibilité d'une partouze qui aurait mal fini. La gamine avait quinze ans. Elle était autiste. Elle s'est jetée par la fenêtre.

— On dit défenestrée.

— Non, défenestrée, c'est gentil. On dirait qu'on va poser des doubles vitrages. Mais se jeter par la fenêtre implique une bonne dose de désespoir. C'était quelques mois avant le double assassinat du couple Hewitt.

— Vous marquez un point, Richard. Une jeune femme autiste, engagée dans des rapports sexuels avec plusieurs partenaires ? Ça vient de sortir ?

— Oui, ça paraît assez incompatible avec sa pathologie. Cindy Robertson a disparu de la circulation peu après la mort des Hewitt. C'était elle, l'alibi des enfants du couple. Elle est restée le temps qu'il fallait pour les interrogatoires et après, plus rien. Sa mère, Mrs Robertson, était employée de maison chez eux. C'est elle qui a découvert les corps. Les deux femmes vivaient ensemble. Il semble, d'après les témoignages recueillis par la police, que Cindy arrondissait ses fins de mois avec quelques passes. Les Hewitt avaient aussi un jardinier qui venait entretenir leur parc toutes les semaines et un homme de peine qui effectuait les gros travaux de restauration, une fois par mois. Le SFPD les a cuisinés, rien de ce côté.

— Je vous remercie, Richard, laissez-moi tout ça.

— Vous allez lui faxer ? Non, parce que c'est un peu des gribouillages. Je préférerais recopier.

Cagney réfléchit quelques instants et décida soudain. Il eut envie de rire. Lui, si discipliné, qui ne prenait qu'une semaine de vacances par an, et encore. Lui, si obéissant des lois, des usages, avait envie de fronder. Comme s'il s'agissait d'une folle excentricité, il annonça :

— Demain, je prends ma journée. Vous avez mon CD, au fait ?

— Non, je suis désolé. Il sera prêt demain soir. Je vous rendrai aussi vos disques.

Cagney grimaça de déception :

— Ah merde ! Bon, tant pis, ce sera pour la prochaine fois. Vous me direz combien je dois à votre ami pour l'enregistrement.

— Rien, c'est un bon copain. Il me doit bien ça, il gagne toujours au Scrabble contre moi.

— Merci, Ringwood.

Cagney était ravi, même si cette histoire de CD lui gâchait un peu son plaisir.

Il allait appeler Gloria, lui dire qu'il prenait le premier avion, que les semaines étaient trop longues. Elle ne voulait plus venir en Virginie. Elle détestait ce froid, cette boue mêlée de neige sale. Et puis, il y avait sa maison, cette tanière qui lui assurait qu'elle n'avait rien à craindre. Il avait besoin de la voir.

Il avait eu l'idée du CD parce qu'il avait envie de lui faire un cadeau. Mais elle n'aimait ni les bijoux, ni les parfums et lui jetterait probablement un manteau de fourrure à la figure. Gloria n'aimait rien qui la distingue, l'affiche. James Irwin Cagney avait toujours eu de l'argent. Sa famille était riche. Il n'en avait jamais rien fait parce que le luxe lui était indifférent. Mais il voulait arriver chez elle avec un cadeau, quelque chose qui demeure, pas des fleurs. La musique. C'était la seule chose qu'elle aimât totalement.

Il composa son numéro. La voix essoufflée lui répondit :

— Tu n'es plus fâchée ?

— Je n'étais pas fâchée.

— Qu'est-ce que tu fais ?

Elle rit.

— Mais je travaille, voyons.

— Sur quoi ? C'est pour nous ?

— Non, et cela ne te regarde pas. C'est un contrat, confidentiel.

— Avec qui ?

— Si on te le demande...

— D'accord, j'arrête. Je peux venir ?

— Oui, avec plaisir.

— Vraiment ?

— James !

— Okay, okay. J'arrive. Je saute dans le premier avion.

— Je vais préparer à manger en attendant.

— Oh, mon Dieu ! Tu sais que je dois rentrer demain soir. Je ne peux pas me permettre d'être malade.

Elle rit à nouveau et raccrocha sur un « goujat » de gorge qui le fit frissonner.

Une multitude de petits plats thaïlandais, dans de jolies assiettes colorées, étaient posés sur la table basse du salon. Une bouteille de champagne rafraîchissait dans un seau. Gloria avait éclairé la pièce de bougies odorantes qui diffusaient une odeur de magnolia. Le concerto pour violoncelle de Boccherini enveloppait doucement la pièce.

Il enleva son manteau trempé de pluie et sourit.

— C'est une scène de séduction.

— Oui, avoue que rien n'y manque : champagne, bougies, musique et lumières tamisées. Il est joli mon kimono, non ?

— Très joli, j'aime bien cette couleur vert jade. J'aime beaucoup que tu portes des kimonos, ça s'ouvre facilement. Avec moi seulement, n'est-ce pas ?

Elle rit en secouant ses cheveux blonds qui glissaient sur ses épaules.

— Avec le jardinier aussi. J'ai des ristournes.

Il l'attrapa par les cheveux, à pleine main. Il adorait cette sensation, cette soie vivante, fraîche, douce.

— Attention, je suis jaloux. Je découvre, alors je ne sais pas encore très bien m'y prendre.

— Bécasse. Viens, j'ai faim.

Ils s'installèrent à genoux sous la table. Il n'avait qu'une envie : elle, maintenant. Ce désir qu'il allait tenir durant tout le repas lui procurait une sorte de plaisir, comme un manque dont on sait qu'il sera comblé.

— J'ignorais que tu étais experte en cuisine thaïlandaise.

— Qu'il est drôle, je pouffe ! Je sais à peine faire une omelette, mais tu reconnaîtras que j'ai un goût fou pour la présentation.

— Tout à fait. Je t'aime.

— Alors raconte-moi.

— Quoi ?

— Eh bien, l'enquête, voyons ! Tu as des choses pour moi ?

— Oui, demain, ça va ?

— Oui.

— Pourquoi cette affaire t'intéresse-t-elle tant ? Tu n'as pas de contrat avec le Bureau, sur ce coup.

— Non, je ne sais pas. *Ad honores*, comme disait Hugues !

Les épices des minuscules brochettes de poulet lui montaient aux joues. Ses yeux brillaient. Elle n'avait bu qu'un verre de champagne et il avait fini le reste. Il attendait.

Elle se leva et poussa la table, s'agenouilla au-dessus de lui et s'assit sur son ventre. Ses lèvres, sa langue dans sa bouche étaient brûlantes de cette épice, quel était son nom déjà ? Rien à foutre ! Elle tira sa chemise de son pantalon en s'énervant, et soupira enfin en collant sa bouche sur sa poitrine.

Il ne bougea pas. C'était un jeu nouveau pour lui. Elle écarta les pans de son kimono, dévoilant son sexe blond. Elle poussa Cagney sur la moquette et baissa la fermeture Éclair de sa braguette, prenant doucement son sexe dans sa main pour le conduire où elle voulait. Elle murmura, mais il ne comprit pas ce qu'elle disait, il était déjà très loin.

Il se réveilla vers trois heures du matin. Elle dormait à moitié nue, collée contre lui. Il avait l'air grotesque avec son pantalon qui ne lui couvrait qu'un mollet, sa chemise à moitié déchirée, sa cravate qui pendait sur son torse nu. Un fou rire le secoua, qui la réveilla.

— Qu'est-ce qui se passe, mais qu'est-ce qu'on fait là ?

— Tu m'as violé.

Cinglante soudain, elle siffla :

— Ne prononce jamais ce mot. Tu ne sais pas. (Elle se calma d'un coup et se serra contre lui.) Je t'ai fait l'amour partout et tu étais largement consentant. Oh, j'ai mal aux cuisses, ça va être terrible demain.

— On est demain. On monte, chérie ?

— Oui, mais on dort.

— Tant pis. Comme tu veux.

San Francisco, Californie
26 novembre

Oh, bordel, qu'il se sentait bien ! Il était moulu, courbatu. Il avait mal partout. Ce genre de plaisanteries n'était plus de son âge, à ceci près qu'elles sont de tous les âges.

Il se leva et passa rapidement dans la salle de bains. Une douleur vague lui électrisait l'épaule. La trace des dents de Gloria, une mordeuse. Il allait avoir un bleu et cela le fit rire.

Il prépara le petit déjeuner et le monta dans la chambre. Il lui caressa les seins pour la réveiller. Elle tenta de repousser sa main et grogna : « Non, non, dormir ! » Lorsqu'elle ouvrit enfin les yeux, il songea que toute sa vie, il aurait envie de regarder ce regard bleu, que le sommeil empêchait durant quelques secondes de se focaliser, comme un regard de myope. Elle se redressa dans le lit en grommelant :

— Oh, mon Dieu, j'ai l'impression d'avoir été passée à tabac ! Quelle heure est-il ?

— Neuf heures passées.

— Oh, mince ! Il faut que je me dépêche. Où est ton dossier ?

— Mais c'est une obsession !

— Juste. Bon, écoute. Je peux travailler deux petites heures avant que nous partions pour Little Bend. Et puis on rentre et je m'y recolle.

— Quel réjouissant programme de vacances.

Plus sèche, elle rétorqua :

— Mais je n'ai jamais promis une journée de vacances. Ce truc m'agace. Il m'échappe et je déteste les échecs. Je veux savoir, je veux comprendre et je vais y arriver.

Cagney sourit. Il était inutile d'insister, du reste, il savait qu'elle avait déjà rejoint son cerveau et qu'elle s'impatientait : elle voulait reprendre contact avec cette machine prodigieuse qui permettait à son intelligence d'aller plus vite, plus loin. D'être libre.

Après une douche rapide, Gloria passa un tailleur en laine sombre et s'installa devant son gros ordinateur. Ainsi, elle était prête et n'aurait pas à s'interrompre avant de partir rejoindre Clare.

Et elle plongea dans son cerveau « sans à priori ni mièvreries ». Le monde extérieur disparut, les sons s'estompèrent jusqu'à ne plus produire qu'un vague bruit de fond rassurant, elle oublia tout ce qui n'était pas la communion entre ses neurones et les touches du clavier. Elle avait lu des récits de toxicomanes et il lui semblait que l'univers de sensations pures dans lequel elle évoluait dans ces moments-là devait ressembler au leur. Du reste, lorsqu'elle éteignait l'appareil, elle mettait un temps avant de récupérer la réalité où elle l'avait abandonnée. Quelques désagréables minutes lui étaient nécessaires pour se souvenir de ce qu'elle avait fait, et de ce qui l'entourait. Une descente pénible, comme un arrachement.

Sui generis, l'essence de la chose. Elle murmura ces mots fétiches qui, des années auparavant, avaient ouvert devant elle un univers entier. Des années de terreur dont le souvenir s'estompait vaguement, parce qu'elle avait enfin décidé de s'en défaire.

Parce qu'il fallait entamer la résolution de cette énigme d'une façon ou d'une autre, Gloria adopta un ordre chronologique, sachant qu'elle devrait sans doute l'abandonner. Les Hewitt devenaient A et A', Bronsky B, Dale C, Ritter C', Barr D et Owens devenait le E hypothétique. Les tueurs étaient l'inconnue : X et X', puisque selon le FBI, ils étaient deux. Le travail de débroussaillage qu'elle avait déjà effectué lui avait appris une chose fondamentale. Les données du problème n'étaient pas quantitatives. Par exemple, ce n'était pas parce que B habitait à tant de kilomètres de C qu'il avait été tué. En d'autres termes, les valeurs chiffrées, qu'il s'agisse de kilomètres, d'années ou de dates n'avaient aucun intérêt. Le problème était d'ordre qualitatif, non chiffrable. C'était parce que C était C qu'on l'avait abattu.

Le deuxième obstacle consistait à déterminer si ces meurtres était liés entre eux. Bien sûr, leur lien premier était les tueurs. Mais cela n'impliquait rien d'autre. S'ils avaient affaire à un serial killer, par exemple, les meurtres ne seraient liés par aucun autre fait, parce que l'identité des victimes n'avait aucune importance pour le tueur. Il les choisissait en fonction de ses rites, pas en fonction de qui elles étaient. Au contraire, dans le cas d'une vengeance ou d'un règlement de comptes, les meurtres seraient liés. Les victimes avaient été assassinées parce qu'elles partageaient toutes un certain passé avec le tueur ou le commanditaire, quel que fût ce passé. Elles étaient donc liées. S'ils se trouvaient en face d'une exécution sous contrat, la solution du problème pouvait faire appel aux deux cas de figure. Les meurtres étaient indépendants, le tueur menant à bien une série de contrats qu'une ou plusieurs personnes lui avaient confiés. Les meurtres étaient liés et faisaient l'objet d'un seul arrangement. Ce pouvait être le cas si tous ces hommes avaient été témoins d'un même événement.

Gloria opta pour l'hypothèse d'une liaison et sélectionna un test approprié sur son ordinateur. Elle ordonna toutes les données en choisissant A ct A' — les Hewitt — comme origine du problème. Quelques minutes plus tard, le message redouté s'afficha sur l'écran :

INSUFFISANCE DE DONNÉES

RECOMMENCEZ

Merde ! Les points représentant les différents meurtres se répartissaient comme des électrons libres au-dessus de l'axe des abscisses. Une distribution aléatoire, rien à voir avec ce nuage bien compact de points qu'elle espérait.

Elle fit un véritable bond sur son fauteuil. James souriait, à moins d'un mètre d'elle.

— On y va ? Nous allons être en retard. Ça fait trois fois que je t'appelle.

— Mince, je sauvegarde et je suis prête.

Le déjeuner avec Clare fut paisible, presque heureux. Clare était fascinée par cet homme plus grand qu'elle, qui savait jouer, qui parlait comme elle comprenait, lent, grave, qui la serrait contre lui. Ils avaient cherché des trèfles à quatre feuilles dans l'herbe autour de la volière, au bout du parc de Little Bend. Clare s'énervait. Elle n'en trouvait pas. Elle avait compris qu'ils étaient vitaux, parce qu'ils apportaient la chance et le bonheur. Ces deux notions si abstraites et élusives se confondaient pour elle en un mot : « Confort. » Avoir chaud, à manger, être aimée, s'amuser. Il fallait donc impérativement en trouver et ils lui échappaient. Gloria se tendait. Clare ne supportait pas la frustration, elle ne la comprenait pas. Quel jeu idiot ! Soudain, James avait crié :

— Regarde, regarde ! Là, il t'attend. Le trèfle est là, il t'attend.

Clare s'était précipitée, folle de joie, de convoitise.

— Doucement, doucement, avait murmuré James en retenant la main avide, qui voulait arracher l'herbe, retourner la terre.

— Oh, beau, beau...

Elle s'était tournée vers Gloria et lui avait tendu son trésor pour qu'elle l'embrasse.

— Bravo, ma chérie. Ma caille a trouvé le trèfle, oh, qu'il est beau ! Il faut le faire sécher, pour le garder. Ma caille va sécher le trèfle et comme ça elle le gardera toujours.

Dans la voiture qui les ramenait à la tanière de Diamond Heights, Gloria ordonna :

— Avoue !

Cagney prit un air candide et s'étonna :

— Quoi donc ?

— Le trèfle, voyons !

— Je l'ai trouvé en descendant de voiture. Il était dans ma poche. Futé, non ?

— Je t'aime.

Il se tut. Il n'y avait rien d'autre à dire. C'était ce qu'il voulait entendre. Il posa juste sa main sur le genou mince, dont il sentait la rotule, à fleur de peau. Il n'osait pas lui poser la question, mais s'inquiétait : pourquoi son ventre était-il si plat ?

— Pourquoi, enfin, ça me gêne mais... Je veux dire, tu n'as pas de ventre.

Elle contempla son profil et faillit s'étrangler de rire :

— Je suis enceinte de deux mois, à peine. C'est de la taille d'une orange. Ça ne se verra pas avant plusieurs semaines, d'autant que je ne suis pas très enveloppée. Tu n'as jamais vu de femmes enceintes ?

— Si, mais j'ai toujours eu l'impression que ça poussait du jour au lendemain.

— Non, ça ne se passe pas comme ça. On parle d'autre chose ?

— Pourquoi ? C'est la chose la plus naturelle et la plus bouleversante qui soit.

Elle tourna la tête vers la vitre.

— Trente-cinq milliards de femmes ont porté des enfants depuis que l'Homme existe.

— Je m'en fous. C'est le premier qui vienne de moi, alors c'est précieux. Ce sera bien sûr le plus beau bébé du monde, et je compte bien être complètement gâteux et grotesque. Ça fait partie du plaisir et je n'ai pas l'intention de rater ça.

— Je préférerais que l'on remette cette conversation à plus tard.

— Si tu veux, ce n'est pas grave.

Elle se précipita dans son bureau, à peine eut-elle déposé son manteau. Aimer Gloria, c'était comprendre pourquoi. Elle ne consulterait pas les magazines de puériculture, elle n'apprendrait pas à faire des petits plats, elle serait toujours accessible à la suite d'une série de difficultés. S'il était si amoureux d'elle, si Morris et Barzan l'avait tant aimée, c'était précisément parce qu'elle était *autre*. L'homme veut toujours apprivoiser, réformer ce qu'il aime passionnément, précisément parce que cet objet de fascination est différent. Ne pas céder à cette tentation, parce qu'elle était décevante et inepte.

Descendre.

Descendre dans sa tête.

Mon Dieu qu'elle aurait aimé que Hugues fût à ses côtés !

Reprendre.

Ne pas se laisser gagner par l'agacement ou le découragement.

Les choses sont ce qu'elles sont, l'intelligence de l'Homme consiste à les décrypter, à les maîtriser pour les utiliser.

Qui était le A ? Qui était l'origine du problème, puisque les Hewitt s'étaient disqualifiés ? Elle tenta toutes les combinaisons : Dale, Ritter, Bronsky, Barr, et même Owens. Merde, triple merde !

Plonger dans son cerveau « sans à priori ni mièvreries ».

Je ne sais rien.

Tout m'est inconnu.

Je découvre. Les équations sont mon fil, elles sont immuables.

Ab uno disce omnes. D'un seul, les apprendre tous.

Recommencer.

Non, elle n'avait pas besoin d'alcool. C'était juste une facilité. Rien ne crée rien, ni les drogues, ni le sexe, ni l'alcool. Tout est déjà là. Il suffit d'être assez brave pour descendre dedans.

Les minutes ou les heures passèrent.

Rien à foutre.

Et cette insaisissable mais incomparable émotion : son cerveau était le plus fort ! Les Hewitt n'avaient rien à voir dans cette série de meurtres. Il restait à expliquer la permanence de l'arme, mais ce n'était pas son affaire. Il n'y avait ni A ni A'. L'ensemble des meurtres liés entre eux commençait à Bronsky et finirait à Owens. Elle possédait assez d'éléments pour lancer une sification de données. Un test lourd, très prédictif si on sait le manier. Les valeurs étant qualitatives, elles impliquaient une classification hiérarchique ascendante. Le test allait dégager des groupes de similitudes, dire quel élément appartenait à quel groupe, quel autre n'en faisait pas partie. Sa représentation était graphique. Une large artère apparaîtrait sur l'écran, unissant entre eux les points de même famille. Bien sûr, le gros handicap de ce test était l'empirisme. Si les données que Gloria fournissait étaient insuffisantes, il trouverait quand même des groupes d'agrégation, faux. Mais, pour une fois, elle avait plein de données, même si elle ne savait pas au juste comment les ordonner parfaitement.

Elle lança le test.

Et le dendogramme apparut, comme une grosse veine centrale, hirsute de petits capillaires qui se nourrissaient d'elle sans lui appartenir tout à fait.

Le résultat la plaqua dans son fauteuil. Merde, quelque part, il ne la surprenait pas. Et elle comprit tout. Et ce souvenir qu'elle arrivait à repousser l'étouffa à nouveau, lui bouchant la gorge de sanglots.

Il la giflait lorsqu'il avait envie, non pas d'elle, mais d'un trou gratuit et sain. Il tirait ses cheveux jusqu'à ce que sa tête rejoigne ses omoplates. Il avait bu, il puait l'alcool. Il la giflait, à grandes claques efficaces, jusqu'à ce qu'elle arrête de crier. Et il la couchait. Il écartait ses genoux serrés. Il entrait, frémissait, éjaculait et enfin, elle pouvait aller se coucher. Jusqu'à la prochaine fois.

Gloria ferma le fichier. Elle demeura là pendant une période de temps qu'elle aurait été incapable de déterminer. Qui était le deuxième tueur ? Cela aussi, elle le trouverait.

— Tu as quelque chose ?

Elle sursauta et éteignit l'ordinateur précipitamment.

— Non, vos données sont trop disparates. Je n'en tire rien.

Quelque chose, une tonalité mécanique dans la voix de Gloria, surprit Cagney :

— Mais tu étais presque certaine qu'il existait un personnage récurrent ?

Elle hésita et répondit, agacée :

— Oui, mais je n'en sais pas plus. Je ne suis pas extralucide. Je suis simplement mathématicienne. Désolée, mais avec ce que vous me fournissez, je ne peux pas avancer.

Cagney la détailla. Elle avait le regard fixé sur l'écran et évitait le contact de ses yeux. Elle martyrisait un crayon de papier entre ses doigts. Un doute, fugace, lui vint.

— C'est vraiment tout ?

— ...

— Gloria, quelque chose ne va pas ?

— Si, si. Je te dis que je n'ai rien, n'insiste pas. On boit le thé ?

— Si tu veux.

— Je le prépare.

Elle passa devant lui, sans jamais croiser son regard.

Cagney était convaincu qu'elle savait. Il ne faisait qu'y penser depuis son départ de l'aéroport international de San Francisco. Merde ! Pourquoi mentait-elle ? Elle n'avait pas l'habitude de mentir et dissimulait mal la vérité. Elle connaissait les tueurs, où du moins possédait-elle suffisamment d'éléments pour leur permettre de les identifier.

Base militaire de Quantico, Virginie
27 novembre

Cagney se demandait encore s'il avait eu raison de faire part de ses doutes à Ringwood. Il ne pouvait pas garder cela pour lui, pas lorsqu'il était de retour à la base, dans leur cocon à tous. Et puis, c'était une sorte d'exorcisme, parce qu'il craignait des conséquences fâcheuses pour Gloria. Elle ne comprenait pas. Il s'agissait d'une enquête fédérale et on ne ferait de cadeau à personne. Partager avec Ringwood, c'était un peu comme désamorcer cette minuscule bombe. Ringwood l'avait fixé un moment avant de commenter :

— Merde ! Il faut lui expliquer qu'elle ne peut pas faire cela. C'est trop grave. Enfin, je veux dire, pour elle, pour vous, nous tous, et même pour Owens.

Richard Ringwood et Lionel Glover pénétrèrent dans le bureau de Cagney sans penser à frapper. À leurs visages tendus, à leurs regards qui évitaient de se focaliser sur lui, ce dernier comprit qu'ils avaient quelque chose de grave à lui annoncer.

— Asseyez-vous, messieurs. Quelle tête vous faites !

Glover serra les lèvres en cul-de-poule et son regard plongea vers le coin de moquette délimité par ses pieds.

Ringwood inspira bruyamment et se lança dans une entrée en matière aussi bidon qu'anecdotique :

— Vous partez à San Francisco, monsieur ?

Le ton de Richard était haché, Cagney sut qu'il n'aimerait sans doute pas ce qui allait suivre. Il répondit platement :

— Oui, dans quelques heures. Il y a un problème ?

— Selon vous, Mrs Parker-Simmons sait qui sont les meurtriers et pour quelle raison ils tuent. Si vous avez vu juste, un homme va mourir.

Cette formulation excéda Cagney parce qu'elle faisait peser une culpabilité sur Gloria, une culpabilité méritée, à laquelle il n'arrêtait pas de songer, et dont il ne pourrait pas la protéger. Il en voulut presque à Ringwood d'avoir informé Lionel Glover.

— Je vais tenter de la convaincre de me parler.

— Oui, j'y ai d'abord pensé, mais ça ne marchera pas et vous le savez. Si elle cache quelque chose, c'est qu'elle a d'excellentes raisons de le faire. C'est que son cerveau a fait le tri et s'est prononcé.

Il avait raison, mais Cagney s'accrochait à l'espoir que, peut-être, il parviendrait à supplanter ce cerveau, à trouver des arguments qui le troubleraient.

Ringwood continua, son débit devenant plus rapide comme s'il avait peur de ne pas arriver au bout de ses phrases :

— Il existe un autre moyen, nous en avons discuté avec Lionel.

— Lequel ?

— Un piratage de l'ordinateur de Mrs Parker-Simmons. Après tout, c'est une tactique qu'elle connaît bien.

Cagney secoua la tête, soulagé de l'impossibilité de l'opération.

— Vous n'y arriverez pas, Ringwood. Pas avec Gloria. C'est un hacker occasionnel, mais particulièrement doué. Elle a verrouillé son système et, sans vouloir vous vexer, je doute que vous soyez capable de l'infiltrer.

— Si, il le faut. Une fois dans ma vie, il faut que je gagne contre elle.

— Vous êtes à ce point en compétition ?

— Ce n'est pas de la compétition, c'est un étalonnage personnel. Si je bats Mrs Parker-Simmons, même une seule fois, c'est que je suis bon. Mais... j'ai besoin d'aide.

— De qui ?
— De vous.
— Que voulez-vous dire, Richard ?
— Pendant qu'elle travaille sur le fichier de l'enquête, vous devez ouvrir sa messagerie électronique. Je passerai par là. Nous conviendrons d'un moment précis et vous vous débrouillerez pour me laisser une petite dizaine de minutes.

Cagney se leva de son fauteuil comme un fou. Il cria :

— Mais vous déconnez complètement ! Je refuse de me prêter à ce genre de choses !

Le regard de Ringwood rejoignit celui de Glover et se colla à son tour à la moquette. Un silence s'installa, un de ces silences nerveux où chacun se demande jusqu'où il est prêt à aller trop loin. Glover le rompit parce que après tout, son court passé dans le bunker ne le retenait encore que d'une façon diffuse :

— Monsieur, avec tout le respect que je vous dois, je ne crois pas que vous ayez le choix. Quant à Mrs Parker-Simmons, nous savons tous que son silence équivaut, devant un tribunal, à une complicité de meurtre.

Cagney croisa les bras sur sa poitrine et demanda, glacial :

— C'est une menace, Glover ?
— Je ne me le permettrais pas. Une mise en garde, tout au plus. Si Owens est abattu, vous ne pourrez pas dissimuler qu'elle avait les moyens d'empêcher le meurtre, parce qu'il y aura une enquête extérieure et que vous êtes ce que vous êtes : un flic avant tout. Le Bureau sait que Mrs Parker-Simmons travaille pour nous et je ne crois pas qu'il ignorera très longtemps la nature de vos liens. Elle risque de payer très cher son obstination. (D'une voix soudain très forte, il conclut :) Merde, nous parlons d'un meurtre, de cinq meurtres au moins !

Cagney se laissa tomber dans son fauteuil et regarda les deux hommes durant quelques secondes. Il était parvenu jusque-là à éviter de penser à la conclusion de cette affaire. C'était à la fois infantile et inefficace. Glover avait raison, Ringwood aussi. Que les deux hommes l'aient mis au pied du mur le soulageait presque. Il n'avait plus de choix, plus de mensonges à s'inventer, pas d'alternative. Ou plutôt, si, mais il n'en voulait pas. Il ne tolérait pas l'idée de Gloria accusée, traînée devant ces gens qui lui faisaient peur, publique de la pire façon qu'il soit. Une vague de panique remplaça l'anéantissement. Elle le saurait, il en était sûr, et elle ne lui pardonnerait pas cette trahison, ce viol de son cerveau par machine interposée.

— Cela laissera des traces, n'est-ce pas ?

Merde, il était lâche et pathétique. Il voulait bien faire une saloperie, mais qu'elle l'ignore. Il ajouta :

— De toute façon, je le lui dirai, après. Bon, expliquez-moi précisément ce que je dois faire.

Ringwood s'exécuta, détaillant à nouveau comment il passerait du réseau sur le fichier de travail ouvert. Il conclut :

— Et, pour elle, oui, cela laissera des traces parce que je suis certain qu'elle a installé des sécurités supplémentaires béton. C'est du reste pour cette raison que je ne tenterais même pas le coup si son ordinateur était éteint ou son fichier fermé.

San Francisco, Californie
28 novembre

Il avait dévoré les journaux que lui offraient les hôtesses, dans l'avion qui l'avait amené à San Francisco la veille.

Ils avaient dîné dans un petit restaurant coréen, évitant tous les deux de revenir sur l'enquête. Ils avaient fait l'amour, et Cagney avait accompli un effort gigantesque pour qu'elle ne sente pas qu'il avait peur, qu'il ne voulait pas la perdre.

Il s'était levé très tôt, en dépit de cette fatigue lancinante qu'il trimballait depuis hier. Dans la cuisine, il s'était résigné à réfléchir aux raisons de la décision de Gloria, de son silence.

Pourquoi refusait-elle de divulguer le nom du tueur, ou les paramètres mathématiques permettant de l'identifier ? L'hypothèse la plus classique était qu'elle le connaissait personnellement et l'aimait bien. Bien que Cagney n'eut encore que quelques éléments de la charade Parker-Simmons, cela ne tenait pas debout. Gloria aimait si peu de gens, et à priori rien ne laissait croire qu'elle eut rencontré un des acteurs de cette affaire. La seule possibilité qui fût cohérente avec ce qu'il savait, sentait d'elle, était vertigineuse. Gloria éprouvait une sorte de familiarité, de connivence avec les tueurs. Son cerveau justifiait leurs meurtres. Et Cagney comprit. Restait à apprendre l'identité des deux tueurs.

Il réveilla Gloria vers dix heures avec le plateau du petit déjeuner, sur lequel il avait déposé un fin dossier jaune pâle. Des informations à ajouter à son fichier parce qu'il fallait qu'elle travaille à midi, des renseignements forgés de toutes pièces, vendredi soir avant son départ de la base.

Ringwood et Glover l'attendaient à l'autre bout du pays. Une partie à quatre mains, dont elle ignorait l'existence et les règles, allait se jouer. Lorsqu'elle les apprendrait, que Ringwood parvienne ou non à forcer le système de Gloria, il serait trop tard, trop tard pour tout.

Ne pas penser à cet enfant, ne pas penser à tout à l'heure. Continuer parce qu'il n'y avait rien d'autre à faire.

Gloria désigna le dossier de l'index.

— Qu'est-ce que c'est ?

— Des trucs, des bribes, tout ce que Ringwood a pu ramasser en espérant t'aider à débloquer tes tests.

Elle ouvrit le dossier et parcourut les quelques feuillets. Cagney l'observa. Elle ne lisait pas vraiment, ne cherchait rien de particulier : il le savait au calme de ce beau front bombé et lisse. Lorsqu'elle se concentrait, Gloria fronçait les sourcils et une grande ride longitudinale barrait son front, jusqu'à la racine des cheveux.

Elle ne lisait pas parce qu'elle savait.

Elle connaissait le résultat, les tueurs. Elle jouait la comédie, plutôt mal, parce qu'elle les protégeait, voulait leur permettre de continuer à tuer. Il fallait qu'elle continue à la jouer, jusqu'au bout, qu'elle ouvre ce putain de fichier et prétende travailler.

Elle referma le dossier et demanda :

— Où déjeune-t-on ? On ira ensuite rendre visite à Clare. Elle parle sans arrêt de toi.

— Ici, si tu veux. Je nous prépare quelque chose de bon pendant que tu travailles.

— Ça marche !

Il s'étonna que cette duplicité lui fût si aisée mais il lui en voulait de souhaiter, d'une certaine façon, un assassinat.

Elle se doucha et passa l'un de ses magnifiques kimonos en grosse soie brute. Ce matin, elle l'avait choisi couleur lie-de-vin. Il la faisait paraître encore plus pâle, encore plus menue. L'idée que ce corps frêle et fragile soit en train de fabriquer son enfant, celui dont il avait finalement toujours regretté l'absence, l'émouvait à un point qu'elle ne comprendrait sans doute jamais. Quelle insupportable ironie ! Au moment où il obtenait enfin ce qu'il avait toujours voulu, ce qu'il s'était résolu à ne jamais avoir, il programmait son propre échec. Qu'en avait-il à foutre d'Owens après tout ? Qu'en avait-il à foutre de ces mecs ? Cagney savait pour quelle raison quelqu'un les avait égorgés, même s'il ignorait encore les détails de l'affaire, et le nom des coupables. Rien n'excuse, ni ne justifie un meurtre, sauf la légitime défense, mais certains meurtres sont plus inacceptables et gerbants que d'autres. Ceux-là ne rentraient pas dans la catégorie de plus en plus vaste des meurtres subjectifs, ceux qui n'existent que pour faire plaisir au meurtrier, le faire bander au propre ou au figuré.

— Tu as l'air perdu dans tes pensées.

— Oui. Bon, je vais jouer les fées du logis.

— Je passe dans mon bureau.

Cagney regarda sa montre :

— Mince, presque onze heures. Il faut que je m'y mette.

Mais, ce n'était qu'une façon d'aborder le problème, c'était rejoindre la démarche du cerveau de Gloria. Elle pouvait se le permettre, pas lui. Depuis trente ans, il avait accepté les règles d'un jeu social, accepté que tout homme mérite jugement et que nul ne se substitue à la loi. Renier cela, c'était renier la plus grande partie de sa vie, ce qui l'avait toujours tenu, soutenu.

Il redescendit le plateau à la cuisine.

Si elle n'ouvrait pas le bon fichier de travail, parviendrait-il à le faire ? Ses connaissances embryonnaires en informatique lui permettraient-elles d'aider Ringwood, d'aider Gloria, au bout du compte ?

Dans le congélateur, il trouva des gambas qu'il passa sous l'eau chaude avant de les décapiter parce que Gloria ne mangerait jamais quelque chose ayant une tête, et sortit de belles tomates du bas du réfrigérateur.

Cagney regardait sa montre toutes les cinq minutes, et une étrange sensation de vide lui faisait crisper les mâchoires.

À midi moins le quart, il éplucha des kiwis, des oranges et deux bananes et les découpa en cubes qu'il broya dans le mixer avec un peu d'eau. Il servit deux grands verres de pulpe de fruits et appela du bas de l'escalier :

— Chère madame, j'ai quelque chose pour vous, venez.

Elle apparut en haut des marches :

— Je travaille.

— Oui, mais une pause ne te fera pas de mal. Tu viens me faire un bisou ?

Elle descendit lentement et il lui tendit son verre, la poussant gentiment vers la cuisine. Il la souleva et l'installa sur une des paillasses en teck. Il embrassa le petit triangle de peau douce que les deux pans croisés du kimono dégageaient à la base de son cou.

— Attends, j'ai quelque chose pour toi, une surprise. Je reviens.

— C'est quoi ?

— Une surprise, tu n'as pas le droit de venir ou de regarder.

Elle rit.

Cagney monta les marches quatre à quatre : le souffle lui venait par saccades douloureuses. Il fonça dans le bureau de Gloria, contourna la lourde plaque en érable et regarda l'écran allumé. C'était le bon fichier, les noms des victimes s'alignaient les uns sous les autres. Un avertissement barrait la surface légèrement bombée : « Êtes-vous sûr de vouloir supprimer ? » Était-elle restée presque une heure devant cette mise en garde, ou venait-elle d'effectuer un ordre de suppression ? Il annula et ouvrit la messagerie. Il avait déjà décidé de ne rien tenter pour la refermer. Elle trouverait les modifications dès qu'elle se réinstallerait devant son ordinateur. C'était mieux ainsi.

Il ressortit du bureau et tira de la poche arrière de son jean le CD qu'il avait préparé.

Elle n'avait pas bougé et buvait son cocktail de fruits.

— Voilà, c'est inestimable. Je crois bien que tu seras la seule à posséder un enregistrement laser des meilleurs concerts de Solomon. Chopin bien sûr. Solomon à l'apogée de son art, entre 1930 et 1945. Je crois que c'est une des plus belles interprétations de la *Nocturne n° 2* que je connaisse.

— Ils l'ont sortie en laser ?

— Non, je ne pense pas. Je l'ai fait graver, avec l'aide de Ringwood et d'un de ses copains qui est ingénieur du son dans un studio d'enregistrement.

Elle gloussa et demanda d'un ton faussement choqué :

— Quoi, tu fais des versions pirates ? Mais c'est très mal et parfaitement illégal.

— Oui, mais c'est pour la dame aimée. (Soudain très sérieux, il ajouta :) Je ferais n'importe quoi pour toi, Gloria, même si tu ne le comprends pas ou que tu ne veux pas le croire.

Il se plaqua contre elle, entre ses jambes, et la serra.

— Bon allez, on mange, les gambas sont prêtes dans deux minutes.

— Ah, c'est cela qui sent si fort. Je vais peut-être remonter éteindre mon ordinateur.

— Ça peut attendre, mais pas mes gambas.

Ils s'installèrent aux deux extrémités de la table de la cuisine et Cagney servit le plat coloré de paprika.

— Des gambas sans tête !

— Elles naissent comme ça.

Ils discutèrent de musique, de leur visite à Clare, de ce garçon brun et muet qu'elle regardait comme s'il meublait une partie de sa vie et auquel Gloria voulait parler. Il la fit rire en lui demandant comment se portaient la mère et l'enfant. Pour la première fois, elle évoqua les mois à venir, la nécessité de trouver quelqu'un pour s'occuper du bébé lorsqu'elle sortirait de la maternité. Une peine terrible, aiguë, suffoqua Cagney. Une morsure, les ravages d'une plaie qui s'étendait de seconde en seconde.

Environs de Portland, Maine
28 novembre

Charles Owens soupira. Cette balade lui avait détendu les nerfs, vidé la tête. L'air vif et abrasif de la plage avait saoulé Laura qui somnolait sur le siège passager. Charles voyait sa tête dodeliner, pencher vers l'avant, puis elle se réveillait, se redressait et lui souriait, pour repartir aussitôt dans un sommeil haché.

Ils avaient marché plus d'une heure, foulant le sable glacial de la baie déserte de Portland. Des mouettes, assommées de froid, rasaient l'écume jaunâtre des vagues et aboyaient leur cri âcre. Charles aimait l'étain bleuté de cette mer d'hiver. Il tenait Laura serrée contre lui, parce qu'elle frissonnait en dépit de son épais chandail en mohair et de son ciré jaune. Un petit chien hirsute les avait suivis un moment, tournant parfois la tête vers sa maîtresse emmitouflée. Lorsqu'il avait jugé la distance trop grande, il était reparti vers elle en jappant.

Charles respirait cet air froid et salé à pleins poumons, comme s'il pouvait le laver de tout. Cela faisait quelque temps qu'il avait admis que cette série de meurtres avait pour origine cet *accident* vieux de dix ans. Mais qui ? Qui savait, en dehors d'eux ? Rien n'efface rien. Le passé ne se perd pas, il prend d'autres voies qui tôt ou tard croisent à nouveau le présent.

Ce mec du FBI, ce Cagney, savait cela aussi, même si les détails de la vie de Charles lui manquaient pour comprendre. Mais Charles Owens avait enterré ce souvenir si profondément, qu'il n'avait pas le courage de retourner fouiller dans cette nuit, il y a dix ans. Un monstrueux concours de circonstances, une lamentable connerie qui avait mal fini, sans que l'on sache au juste pourquoi. Les choses qui dérapent.

Depuis longtemps, Charles Owens ne craignait plus grand-chose. Mais une panique sournoise, tenace, lui faisait perdre le contrôle : la panique de perdre Laura, de son désamour. Il fallait qu'il se reprenne parce que de toute façon, il devait rester seul avec cette vieille nuit. Laura ne saurait jamais.

— Chérie, nous sommes arrivés.

— Hum... Oh, j'ai dormi tout le long du chemin. L'air marin m'épuise. Chouette, l'heure du goûter ! Je meurs de faim, pas toi ?

— Si.

— Lucinda nous a peut-être préparé une surprise.

Charles avait insisté pour que Lucinda les accompagne, d'abord pour faire plaisir à Laura et puis parce que, dans ce bungalow assez isolé, il détestait laisser sa femme seule lorsqu'il partait pour ses grandes promenades solitaires en forêt.

Lucinda les attendait, en haut des marches en rondins qui conduisaient à la grande baie vitrée du salon.

Charles aimait ce bungalow. Il l'avait acheté quelques mois après le décès de Barbara, sa première femme, parce qu'il avait envie que la vie lui foute un peu la paix. Il avait envie de ce silence parfois si dense qu'il en devenait troublant. Charles y voyait une sorte de symbole. Ce silence lui permettait de se rapprocher du nouveau monde de Barbara, pour l'aider à s'y accoutumer. Il l'avait accompagné durant plusieurs semaines, cloîtré dans cette solitude, dans ce vide dont il ne savait quoi faire, jusqu'à ce qu'un matin, les sons se réinstallent. Le choc du bec d'un pivert, le frôlement d'un cerf derrière les grands conifères, l'essoufflement du vent. Il était rentré.

Lucinda les précéda au salon :

— Vous avez les joues roses comme des gamins, tous les deux. Je vous ai préparé un cake aux épices et un bon bol de chocolat à la cannelle pour Mr Charles.

Ils s'installèrent autour de la table ronde. Laura souffla sur sa tasse de thé bouillant et mordit à pleines dents dans le gros morceau de gâteau que venait de déposer Lucinda devant elle.

Charles n'avait pas faim. Il avait un peu mal au cœur et trouva le chocolat trop sucré. Mais il ne voulait pas vexer Lucinda, ni alarmer sa femme. Subitement, il eut très chaud et un vertige le saisit. La tête inclinée sur le côté, Laura le contemplait. Il sentait son corps mollir et partir vers l'avant. Les objets perdaient de leur netteté, leurs contours se diluaient.

— Monsieur Charles ?

Il eut un mal fou à émerger de cette chape de fatigue qui lui écrasait les épaules. Merde, il s'était endormi sur la table.

— Qu'est-ce... Merde, je ne me sens pas bien.

— Vous devriez vous allonger, Mr Charles, c'est la fatigue et le stress. Comme un malaise.

Lucinda l'aida à traverser le salon qui s'étirait en longueur et ouvrit la porte de la chambre. Où était Laura ?

Elle se tenait au milieu de la pièce, les jambes appuyées contre le lit. Elle ressemblait à une petite fille, avec ses bras derrière le dos, et cette courte nuisette rose et blanc, à l'ourlet bordé d'une mince dentelle. Il était soulagé qu'elle ait envie de lui, qu'elle se soit déshabillée en l'attendant, mais il ne pouvait pas. Trop crevé. Putain de malaise qui ne passait pas ! Il s'entendit demander d'une voix pâteuse :

— C'est nouveau ?

— Non, c'est très vieux. Onze ans. Tu ne t'en souviens pas, Charles ?

La voix de Laura était bizarre.

— Non, je... Attends, je vais m'asseoir.

Il s'affala sur le lit, mais Laura le secoua brutalement :

— Réveille-toi ! Ce n'est pas tout à fait la même. La vraie était pleine de sang. Et de sperme. Tu ne t'en souviens vraiment pas ?

Elle lui donna un coup de pied dans la cheville, et il se redressa avec difficulté. Il ne l'avait jamais vue dans cet état. La haine, la rage, la défiguraient et elle pleurait.

— Mais Laura...

— Oui, c'est ça. C'était son prénom. Cette nuit-là à San Francisco, lorsque vous avez défoncé ma porte. Il y avait une jeune fille terrorisée dans l'appartement. Toute seule. Elle n'était pas normale. Vous l'avez violée. Tous les quatre. Elle a voulu s'enfuir, elle a plongé par la fenêtre. Laura, ma fille.

Le passé ne se perd jamais. Il recroise toujours la route du présent.

Il entendit la détonation, mais mit quelques instants à comprendre qu'elle ne faisait que précéder la douleur qui lui explosait dans le sternum.

Et Lucinda était pâle comme un spectre. Il ne la reconnut pas, mais il eut l'impression qu'elle ne l'avait jamais quitté. Elle repoussa le front d'Owens et il sentit quelque chose de glacé et de dur contre sa trachée.

San Francisco, Californie
28 novembre

Cagney avait envie de dire à Gloria de remonter, d'en finir. Ringwood avait eu plus d'une heure à sa disposition. La sonnerie du téléphone le fit sursauter.

Gloria décrocha et l'appela du salon :

— C'est pour toi. Ringwood. Je monte me changer.

— Nous avons le fichier, monsieur. Mais c'est trop tard. Elles l'ont abattu.

— Quoi ?

— Owens s'est fait descendre, comme les autres. Elles l'ont abattu d'une balle mais l'ont fini au couteau, comme les autres. Elles l'avaient drogué avant. Avec un bol de chocolat à la cannelle.

— Mais qui, *elles* ?

— Laura Owens et sa mère, Belle Robertson.

— Le viol ?

— Oui, il s'agissait d'un viol. La gamine, la fille de Laura-Cindy Robertson. Elle est morte pendant. Elle s'est jetée par la fenêtre. Vous savez, les autistes supportent très difficilement qu'on les approche et qu'on les touche.

— Oh, merde ! Et dire que c'est moi qui lui ai conseillé de s'éloigner. Merde, merde, merde !

— Je vous envoie le dossier des flics de Portland ?

— Non, je vais rentrer ce soir. Je pense que je n'en ai plus pour longtemps ici. Vous serez à la base ?

— On n'a pas vraiment le choix. Ils vont transférer la mère et la fille à Boston. C'est Laura Owens qui a prévenu les flics. Lorsqu'ils sont arrivés au bungalow, ils les ont trouvées en train de boire le thé au salon. Le corps d'Owens était dans la chambre.

— À tout à l'heure, Ringwood.

Gloria était debout devant l'ordinateur, toujours vêtue de son kimono lie-de-vin, les poings crispés, le regard dur.

Une rage folle le fit trembler. Il cria :

— Tu leur as permis de descendre Owens ! Tu sais comment il est mort, tu veux que je te raconte ?

— Ah, elles l'ont tué alors ?

Elle s'installa devant l'appareil et déclara d'une voix paisible :

— Je peux déléter, vous avez une copie.

Soudain, elle se redressa et hurla, haineuse :

— Elles le méritaient ! Laura a payé, avant. Elle a couché des années avec le violeur et le meurtrier de sa fille, rien que pour ça.

— Tu n'avais pas le droit. Il s'agit de la vie d'un homme, et il devait être jugé.

— Sans blague ? Qu'est-ce qu'il aurait pris pour ce que son avocat aurait fait passer pour le suicide d'une autiste ? Pour un *semi-viol*, dix ans plus tôt. Une bande de mecs saouls qui reviennent dans l'appartement de la pute qu'ils ont sauté la veille, ça attire la sympathie, n'est-ce pas ?

— Comment l'as-tu appris ? Tu as appelé Laura Owens ?

— Je n'en avais pas besoin. Il suffisait d'étudier les témoignages et d'ordonner les inconnues de la bonne façon. Tout le reste devenait logique. (Elle le fixa, puis ajouta d'une voix étrange, ailleurs :) Ceux qui tuent les anges méritent de mourir. Ils auraient pu tuer Clare, de la même façon. D'ailleurs, l'un d'entre eux l'avait déjà tuée avant qu'elle naisse. Va-t'en, tu m'ennuies. Tu ne comprendras jamais. Imagine, tu es là, tu es faible et lui est le plus fort. Il te méprise, tu es un autre trou. Il t'insulte, il te méprise, même s'il ne te dit rien. Il te cogne parfois. Ce n'est pas lui qui enlèvera son pantalon, ce ne serait pas drôle. Il va te forcer à le faire, il va te forcer à lui sucer la queue parce qu'il est le plus fort et qu'il faut que tu le saches ! Tu as peur qu'il te tue, tu es serrée, sèche mais il te prendra quand même parce que ce qui le fait jouir, ce n'est pas de te pénétrer, c'est ta trouille et son pouvoir. Ça te gêne, ce que je te dis, je le vois. Tu penses que tu n'es pas comme eux, que tu n'as rien à voir avec eux. C'est vrai. Mais vois-tu, nous toutes, on transporte cette peur en nous, même quand ça ne s'est jamais produit. Va-t'en.

— Gloria, à ton tour de comprendre...

Elle l'interrompit d'un ton glacial, ce ton dont il avait redouté le retour :

— Cela ne m'intéresse pas. Toutes vos subtiles digressions sur le droit et son application m'indiffèrent. Laura Owens avait raison et nous partageons toutes les deux cette raison, sans doute parce que nos vies et nos filles sont jumelles, d'une certaine façon.

— Gloria, il faut que tu abandonnes ce raisonnement. Il est faux. La vengeance ne résout rien, elle ne permet pas de continuer à vivre, c'est un leurre. Elle n'est même pas antalgique.

À son regard qui était entré à l'intérieur d'elle-même, qui ne voulait plus le capter, Cagney sentit qu'il était inutile d'insister. Plus tard. Lorsqu'il saurait par où la rejoindre.

Massachusetts
Novembre

Partout où l'on veut montrer son pouvoir, saccager, pourrir la vie des hommes, on viole les femmes. Partout.

Mais personne ne viole jamais, n'est-ce pas ? Il n'y a que des cuites qui expliquent tout, de mauvaises fréquentations, un passage à vide, un ordre, une guerre, n'est-ce pas ? Où alors, il y a une salope de petite allumeuse en chemise de nuit trop courte. Mais elle était chez elle, elle allait se coucher, le monde était une bulle pour elle, elle était la bulle.

Vous êtes entrés de force pour sauter sa mère.

La bulle a rejoint le vide, de l'autre côté de la fenêtre. Le vide partout, parce que dehors c'est aussi dedans.

Salle des interrogatoires, Boston PD, Massachusetts 30 novembre

Laura Owens était déjà installée de l'autre côté de la table métallique, scellée dans le mur. Elle poussait du doigt un petit cendrier en aluminium rouge et Cagney la revit quelques jours plus tôt — une éternité — amassant des fragments de porcelaine dans un coin du plateau.

Ces deux nuits de détention, l'absence de maquillage, de bijoux et de jolis vêtements n'avaient rien abîmé de son exceptionnelle beauté. Elle avait tiré ses cheveux en queue-de-cheval et portait la combinaison bleu marine réglementaire. Elle paraissait encore plus jeune dans cette sorte de bleu de travail qui ne parvenait pas à masquer les lignes douces de sa silhouette.

— Bonjour, Mrs Owens. Je branche la caméra vidéo et le magnétophone. Vous connaissez vos droits, vous savez que vous pouvez vous taire, demander l'aide d'un avocat et que tout ce que vous me direz pourra être utilisé contre vous.

Elle lui sourit et répondit gentiment :

— Oh, je sais tout cela. Bonjour, Mr Cagney, j'étais sûre que nous nous reverrions. Lorsque vous êtes venus me rendre visite, j'ai compris qu'il fallait que je solde mon compte, rapidement. C'est fait.

Cette phrase soulagea Cagney. Elle lui permettrait de défendre Gloria s'ils en venaient là.

— Mrs Owens, reconnaissez-vous avoir assassiné, vous et votre mère, Bernie Bronsky, Rand Dale, Carl Ritter, Thomas Barr et Charles Owens, votre mari ?

— Oui. Ils avaient tué ma fille, ils devaient payer, c'est fait. Je n'ai qu'un regret, la mort de Carl Ritter. Nous ne savions pas qu'il serait chez Dale. Même s'il semble que ce ne soit pas une grosse perte pour l'humanité, c'était injuste. Il n'avait rien à voir dans cette histoire.

— Mrs Laura Owens, reconnaissez-vous avoir tué, vous et votre mère, Mr et Mrs Hewitt, alors que vous vous nommiez Cindy Robertson ?

Elle le regarda, étonnée :

— Absolument pas. Nous n'avons rien à voir là-dedans.

— Vous mentez.

Elle le regarda, surprise :

— Cela n'aurait pas beaucoup d'utilité. Je viens de reconnaître cinq meurtres. Croyez-vous que deux de plus changeraient grand-chose face aux jurés ?

Cagney ne l'avait provoquée que pour s'assurer qu'elle disait la vérité.

— Qui les a abattus, je veux parler de Mr et Mrs Hewitt ? Venice et Stephen, les enfants ?

— Je l'ignore, Mr Cagney.

Cette fois, elle mentait. Il songea à lui proposer un marché, mais sentit qu'elle ne l'accepterait pas. Avouer, payer, être emprisonnée participait aussi de sa vengeance, et elle ne se déroberait pas parce que durant onze ans, elle n'avait vécu que pour cela.

— Comment vous êtes-vous procuré l'arme qui a tué les Hewitt ?

— Ma mère l'a trouvée à côté des corps. Elle s'occupait de leur maison, vous savez ? Elle l'a dissimulée.

— Pourquoi ? C'était après la mort de votre fille ?

Elle rectifia, mauvaise :

— Non, le meurtre de ma fille, c'était un meurtre même si personne ne l'a poussée. (Elle se calma d'un coup et poursuivit.) Non, c'était quelques mois avant l'assassinat des Hewitt et j'ignore pourquoi ma mère a pris cette arme.

— Donc, elle n'a pas subtilisé l'arme sachant qu'elle allait s'en servir. C'est important. Peut-être, alors, voulait-elle protéger les meurtriers ? Elle y a réussi.

— Je ne sais pas. Il faudra lui demander.

— Je n'y manquerai pas. Que s'est-il passé au juste, Mrs Owens ?

— Quand ? Dans le bungalow ou avant ?

— Tout.

— Tout ? Mon Dieu, nous allons y passer la nuit.

— J'ai tout mon temps, nous avons plein de cassettes d'avance et je ferai monter un repas.

— C'est gentil. Ce sera mon dernier repas en compagnie civilisée avant longtemps, ou peut-être jamais.

— La peine de mort n'existe pas dans l'État du Massachusetts.

— Je sais. J'étais très jeune lorsque j'ai accouché de Laura. Oui, j'ai pris son prénom, un porte-bonheur, en quelque sorte. Le garçon n'avait pas trop envie de cette paternité précoce. Je ne l'ai jamais revu. Ce n'était pas très grave. Nous avions l'habitude de nous débrouiller seules. Mon père avait quitté la maison lorsque j'avais quatre ans, pour disparaître dans la nature. Lorsque ma mère et moi nous sommes aperçues que quelque chose n'allait pas chez Laura, j'étais déjà infirmière. Je travaillais dans un hôpital de San Francisco. C'est là, dans le service de pédiatrie, qu'ils ont diagnostiqué l'autisme. Savez-vous ce que c'est que vivre avec un enfant autiste ? C'est une peine constante, parce que tous les jours vous espérez un mieux, un geste, quelque chose. Parce que vous cherchez les raisons, mais qu'elles sont introuvables. À l'époque, la doctrine dominante expliquait que l'autisme était le résultat d'une relation à la mère qui ne s'établissait pas. Vous deveniez du même coup une coupable, une mauvaise mère, une salope. Oh, bien sûr, ce n'était pas dit clairement mais qui, de l'enfant ou de la mère, peut être responsable d'un rapport maternel inexistant ?

— C'est génétique, non ?

— Oui, il y a une anomalie sur un des chromosomes. (Elle soupira, lui sourit et poursuivit :) Savez-vous, Mr Cagney, combien coûte un enfant autiste dans ce pays ?

Il s'en doutait : c'était une des raisons du mercantilisme de Gloria. Finalement, elle avait raison, elles se ressemblaient, sauf que l'époustouflante intelligence de Gloria lui avait procuré d'autres moyens de défense. Laura Owens poursuivit de sa belle voix grave :

— Très cher, vraiment très cher, à moins de le placer dans un hospice charitable. Ils font ce qu'ils peuvent avec leur carence de moyens. Je ne voulais pas de cela pour ma fille. Mon salaire d'infirmière aurait suffi pour que deux personnes peu exigeantes survivent, mais pas une enfant autiste. Et puis, pour être parfaitement sincère, j'en avais assez que nous vivions comme des rats. J'ai rencontré les Hewitt. Ils m'ont engagée. La paye était meilleure.

— Et vous couchiez avec le couple, n'est-ce pas ?

— Qui vous a dit ça ?

— Mrs Binasky, Helena Binasky.

— Ah, je m'en souviens : Elle était revêche mais gentille. Je crois qu'elle n'était pas très heureuse. Oui, c'est exact. Je n'avais pas vraiment le choix. C'est faux, j'aurais pu partir. Mais ils avaient des amis qui géraient un centre privé, pour des enfants comme Laura. Un centre haut de gamme, très onéreux. Ils s'occupaient de ma fille contre une somme raisonnable pour faire plaisir aux Hewitt. Ils étaient souvent invités pour les soirées échangistes qu'organisaient mes patrons chez eux. Moi aussi, du reste. (Elle réfléchit quelques instants, avant de poursuivre de la même voix douce.) Vous savez, ce sont les toutes premières fois qui comptent, lorsqu'on pense que son corps est un privilège, une marque d'amour. Après, lorsque vous parvenez à vous convaincre que c'est un instrument de travail comme les autres, c'est plus simple, même si c'est un mensonge.

La surprise avait cloué Cagney sur sa chaise. Il demanda, sans vouloir y croire :

— Ce centre, c'était Little Bend ?

— Oui. Vous connaissez ?

— Il n'y en a pas beaucoup dans le pays.

— Les gérants se sont d'ailleurs fait remercier quelques mois après la mort des Hewitt, à cause des rumeurs.

Gloria ne saurait jamais cela. Elle ne saurait jamais à quel point sa vie et celle de Laura s'étaient mêlées. Il ne fallait pas qu'elle perçoive davantage la trace de cette femme dans ses propres pas.

— Continuez, Mrs Owens.

Elle regardait le petit cendrier, le poussant toujours. Elle était repartie faire un tour dans cette vie qui l'avait trahie dès le début.

— Je prenais ma fille tous les week-ends. Je crois qu'au fond, je voulais me convaincre que je ne cherchais pas à m'en débarrasser, que je n'étais pas une mauvaise mère. Vous ne pouvez pas savoir. J'avais si peur de trouver en moi une faille, un manque qui explique son calvaire. Je crois que je n'aurais pas pu y survivre. Après les Hewitt et les copains des Hewitt, j'ai continué. À lever des clients, je veux dire.

— Votre mère était au courant ?

— Mais qu'est-ce que vous croyez, Mr Cagney ? Pensez-vous que les femmes comme nous, sans beaucoup d'éducation, sans famille, sans mari, avec un enfant à problème, ont énormément d'opportunités, excepté vendre leurs fesses ?

— Non, poursuivez, je vous prie.

— Je chassais dans les boîtes correctes, les restaurants, et dans les hôtels où se tiennent les congrès ou les conventions. C'est une clientèle d'hommes en goguette, qui veulent prendre du bon temps, pendant que bobonne est à la maison. Ils ont l'alibi du travail et des soirées très arrosées. Dans l'ensemble, c'étaient plutôt des hommes gentils. On apprend vite à reconnaître un tordu sexuel, et à ce moment-là, il faut partir et vite. J'ai rencontré ces quatre hommes dans le restaurant de l'hôtel qui hébergeait leur congrès. Ils étaient pas mal imbibés et voulaient une... *partie fine*. Ils payaient bien. Je ne restais jamais dans les hôtels, parce qu'il faut dédommager grassement quelqu'un, qu'on risque une descente de flics. Je faisais cela chez moi. Ma mère s'enfermait dans la chambre de Laura, au fond. C'était sécurisant. Nous avions fait installer un téléphone pour qu'elle puisse appeler les flics au cas où les choses dégénèrent. C'était un vendredi.

Elle leva la tête et ferma les yeux. Elle lissa ses tempes du plat de sa main. Un geste de Gloria.

— Ils restaient en ville jusqu'au dimanche matin. La partie de jambes en l'air a duré presque toute la nuit. Ils ont payé, ils sont partis.

Cagney vit ses épaules trembler, elle posa ses mains sur ses paupières et secoua la tête :

— Mon Dieu, je n'ai jamais pensé qu'ils reviendraient le lendemain soir. Complètement saouls.

Elle retira ses mains et il vit les larmes glisser de ses yeux fermés.

— Souhaitez-vous un verre d'eau, Mrs Owens ?

— Appelez-moi Laura Robertson, ou simplement Laura, s'il vous plaît. C'est joli, Laura, vous ne trouvez pas ? C'est doux. Non, je préférerais un whisky, tassé.

— Je n'ai pas le droit.

Mais il se leva, coupa la caméra et le magnétophone et décrocha le combiné fixé contre le chambranle de la porte.

— Montez un double whisky en salle d'interrogatoire, s'il vous plaît. (Regardant Laura, il précisa :) Je n'ai pas le droit de vous fournir d'alcool parce que votre avocat prétendrait que j'ai obtenu des aveux de vous, sous influence. Il faudra donc préciser qu'il s'agit de thé glacé.

— Ce sera notre secret, promis.

Un jeune homme en uniforme déposa devant Cagney un gobelet en plastique blanc rempli aux trois quarts et sortit. Cagney rebrancha les appareils. Laura Robertson but une petite gorgée et déclara :

— Merci pour ce thé glacé, Mr Cagney, j'avais très soif. Où en étions-nous ?

— Les quatre hommes sont revenus, le samedi soir.

— Oui, je dînais avec une vague copine. De temps en temps, ça fait du bien de se dire que l'on va passer une soirée tranquille, aller au cinéma et puis se coucher, sans plus. J'étais contente. Lorsque je suis rentrée, vers une heure du matin, la police était là. Laura s'était défenestrée. Ils m'ont dit qu'elle était morte sur le coup, mais c'est ce que l'on dit toujours à une mère, n'est-ce pas ? Ils ont conclu au suicide à la suite d'une partie de jambes en l'air qui avait mal tourné, même lorsqu'ils ont eu connaissance de sa pathologie. Bien sûr, la porte de l'appartement avait été forcée. Ils n'ont pas compris pourquoi, mais ils ont laissé tomber assez vite.

— Laura, comment savez-vous qu'il s'agissait des mêmes hommes que ceux avec lesquels, la veille, vous aviez passé la nuit ?

— Ma mère était sortie en catastrophe pour acheter de la litière. Nous avions un chat à l'époque. Deux rues plus bas, il y avait une sorte de petit supermarché ouvert 24 heures sur 24. Elle les a vus sortir de l'immeuble en courant. Il y avait un attroupement autour d'une voiture. Elle s'est approchée et c'est là qu'elle a découvert le corps de Laura, brisé sur le capot.

Elle vida la moitié du verre et le regarda.

— Que voulez-vous savoir d'autre, Mr Cagney ?

— Vous êtes fatiguée ?

— Ça va. Je vais avoir beaucoup de temps pour me reposer. Je me sens tellement mieux, maintenant. Je ne devrais sans doute pas dire cela, mais ça n'a plus d'importance. Mes voisines de cellule sont plutôt gentilles avec moi. J'avais un peu peur. On m'avait parlé de choses terribles dans les prisons de femmes. Elles existent, mais pour l'instant je jouis du privilège que les taulardes accordent à la mère meurtrie qui a vengé son bébé. Ce sont des mots, des images que toutes les femmes partagent.

— Pourquoi n'avoir pas prévenu les policiers que vous connaissiez les violeurs ?

— Ma mère a attendu qu'ils soient partis avant de m'en parler. Nous en avons discuté toute la nuit, mais elle avait raison.

— C'est votre mère qui vous a dissuadé d'identifier ces hommes ?

— Oui. Ses arguments étaient justes. Cela n'aurait servi à rien, qu'à traîner Laura dans la boue. Souvenez-vous, Mr Cagney, de ce qu'étaient les procès pour viol, il y a dix ans. J'étais une prostituée notoire. Dans l'immeuble, tout le monde savait que je *recevais*, avec ma mère dans l'appartement. Vous voyez le tableau. De là à penser que ma fille de quinze ans me donnait un coup de main, il existait un pas qu'ils auraient vite franchi, autisme ou pas. Ces hommes auraient dit que j'avais couché avec eux quatre la nuit précédente, et s'ils avaient prétendu que je les avais invités pour le lendemain, tout le monde les aurait crus. Vous rappelez-vous ce procès, à peu près à la même époque ? Un homme s'est introduit de force dans un appartement et a violé une jeune fille qui allait se coucher. Elle portait une nuisette. Il a été acquitté sous le prétexte qu'elle l'avait allumé avec sa chemise de nuit trop courte. C'était elle la coupable. J'ai, nous avons, décidé d'éviter que l'on salisse ma Laura. De toute façon, rien ne pressait, elle était morte et nous avons fait, ma mère et moi, notre choix cette nuit-là.

— Cela servait à quoi, Laura, cette vengeance ?

— Je ne sais pas très bien. Je veux être franche avec vous, parce que, d'une certaine façon, je vous aime bien et que vous êtes mon dernier témoin. Je pense que j'avais envie que justice soit faite. De façon exemplaire. Cela ne servira pas à d'autres jeunes filles, je le sais. Mais, au moins, pour celle-là, ils ne s'en sont pas tirés. C'était aussi une façon de légitimer ma survie. Après. J'avais une vie de merde, j'étais une pute, on avait tué ma fille. En toute logique, je pense que j'aurais dû mourir. Je n'ai pas voulu. Je n'ai pas voulu rejoindre le rang des victimes qui n'obtiendront jamais réparation, avant qu'ils aient payé pour leur faute.

— Comment les avez-vous retrouvés ?

— Par Bronsky. Ça n'a pas été facile. Nous avons déménagé dans l'Est, quelques mois après le meurtre des Hewitt. J'ai vu une publicité locale à la télé, dans un hôtel du New Jersey. Un client de passage que je rejoignais. Ce violeur de Bronsky prétendait qu'il était le meilleur vendeur de voitures de l'État. Je l'ai reconnu instantanément.

— Vous aviez déjà décidé de le tuer ?

Elle esquissa un sourire triste :

— Oui, je sais que je vais vous faire plaisir : la préméditation était là, dès le début. Une vieille préméditation, lourde, de celles qui vous accompagnent partout, dans vos rêves, lorsque vous vous brossez les dents, lorsque vous faites l'amour. Vous êtes content ?

— Pas vraiment, non. Continuez.

— Voilà, vous savez tout. Je l'ai tué en montant avec lui. Il aimait les prostituées.

— Pourquoi ne pas l'avoir abattu d'une balle ?

— Mais parce qu'il fallait qu'il sache pourquoi il mourait, comme les autres ! Il fallait qu'ils se souviennent de Laura. Il était complètement dans le cirage, mais il s'est souvenu. Je ne crois pas qu'il ait souffert.

Du ton de la dame qui demande des nouvelles du temps, elle précisa :

— Savez-vous que l'on a trouvé trois spermes différents sur les cuisses et dans le vagin de Laura ? Elle a eu le temps de voir venir. Cela fait onze ans que je me demande sans cesse ce qu'elle a compris, ce qu'elle a pensé. Elle avait des bleus partout. Elle a sans doute tenté de s'enfuir. Laura ne supportait pas qu'on la touche, c'était sa bulle. Je suis remontée jusqu'à Owens grâce au répertoire de Bronsky. Je me suis fait épouser. Ça m'a donné le temps de retrouver les deux autres.

— Et le sang ?

— Vous ne saviez pas ? Je m'occupe d'une association qui se consacre aux gens atteints de maladies génétiques. Ça n'existait pas du temps de ma fille. On se débrouillait seuls, mal. C'était un jeune homme charmant, mort dans un accident de la route. Nous avons des contacts avec des chercheurs qui ont besoin de sang pour étudier les déterminants génétiques. J'ai pris une poche, cela ne pouvait plus lui faire de mal.

— Pourquoi avoir tué Owens en dernier ?

— Parce que c'était le plus fort et le plus intelligent. Il n'avait aucune excuse. Il devait avoir peur avant.

— L'avez-vous aimé ? Enfin, une tendresse, je ne sais pas ?

Son regard changea. Elle ne comprenait pas :

— Vous plaisantez ?

— Enfin, vous avez eu une vie de couple durant des années.

— Non. *Il* a eu une vie de couple. Mais vous êtes comme les autres ? Quoi ? Parce qu'on fait l'amour avec un homme, avec une technique née d'une longue habitude, vous croyez qu'on éprouve un sentiment pour lui ? Oui, dans le cas de ce porc, la haine. La haine est un moteur d'une puissance que vous n'imaginez pas.

Elle termina son verre et conclut :

— Voilà, je m'arrête là. Je suis contente parce que j'ai confié, avant mon départ pour Portland, Mister Mong à la femme pour laquelle ma mère travaille. Cynthia MacComb. Elle est seule, pas très heureuse. Elle a peur, peur d'être lâchée pour une femme plus jeune, peur de ne plus être de taille à se battre. Mister Mong la rassurera, comme moi. Il l'aimera. Ce petit chien est d'une tendresse et d'une vaillance incroyables.

Elle se tourna vers la caméra, lui offrant son visage parfait.

— Ce sont mes derniers mots. Je ne parlerai plus à personne, sauf à mon avocat. Vous avez un enregistrement de mes confessions. Je n'ai rien à ajouter.

— Laura ? Est-ce vous qui avez entraîné votre mère dans cette série de meurtres ?

Elle secoua la tête, l'index posé sur sa bouche souriante, et il sut qu'elle ne dirait plus rien.

Il coupa le magnétophone et appela le planton pour la faire raccompagner dans sa cellule.

Arrivée sur le pas de la porte, elle se tourna vers lui. Il la rejoignit. Elle posa sa tête contre son cou et murmura à son oreille :

— Pardon. Pardon, mais je ne regrette rien.

C'était la dernière fois que Cagney voyait Laura Robertson, mais il savait déjà qu'il emporterait son souvenir partout avec lui.

Il resta là après son départ, debout dans cette salle aveugle, les bras ballants. La tête vide durant une bonne dizaine de minutes.

Il ne voulait pas adopter la logique de Laura, ni celle de Gloria, même s'il finissait par lui concéder une réalité.

Il y avait des absences dans les confessions de Laura, des choses presque inadéquates. Pourquoi en avoir tant voulu à Owens ? Pourquoi l'avoir distingué dans cette haine ? Pour lui faire, en plus, payer les quatre années de vie commune ?

La sonnerie aigrelette du téléphone mural le surprit.

— Je vous remercie. Non, pas encore. J'ai besoin d'un verre. Je descends vous rejoindre. C'est gentil.

Il traversa lentement le grand couloir et appela l'ascenseur. Il était fatigué, et la perspective d'emprunter le grand escalier en chêne sombre, même pour deux étages, lui coupait les jambes.

Da Costa et Gordon attendaient, unis dans leur mutisme et leur compagnonnage. Quel beau mot « compagnon », celui ou celle qui partage le pain avec vous.

Un gobelet de plastique était posé sur le bureau. Du whisky dont l'odeur trahissait une médiocre qualité. Rien à foutre, c'était l'alcool que Cagney cherchait.

— C'était dur ? demanda Gordon sans lever les yeux.

— En quelque sorte, oui. C'est toujours plus simple lorsqu'on a une franche ordure en face de soi.

Bob Da Costa ajouta :

— Cela ne devrait pas s'arranger, monsieur.

— Merci de me remonter le moral. Comment cela ?

— Nous avons croisé Belle Robertson. C'est Belle Dove, la femme qui s'occupait de la maison de Rand Dale. À mon avis, elle s'était placée chez lui pour connaître ses habitudes.

— Et savoir à quel moment le buter.

— C'est ça.

— Alors pourquoi sont-elles « tombées » sur Ritter, pourquoi y avait-il ces bougies que Mrs Dove mettait en place lorsque son patron recevait ? Belle Dove était au courant. Pourquoi Laura prétend-elle qu'elle ne s'attendait pas à la présence de l'associé de Dale ?

— Je ne sais pas.

Cagney avala son verre d'un trait :

— Bon, j'y vais. Faites-la monter dans cinq minutes.

— Je crois que c'est une coriace, précisa Gordon... Mais, je ne sais pas, enfin, je crois que...

Cagney comprit et la coupa. Il prononça la phrase qu'il lui devait, même si, dans ce cas, il n'y croyait pas :

— Quel que soit le suspect, détective Gordon, aussi attendrissant soit-il, ne vous permettez pas la moindre affection, parce qu'alors, c'est contre vous qu'il vous faudra lutter.

Cagney la détailla lorsqu'elle entra. Elle tenait quelque chose plaqué contre elle, ce qui étonna Cagney. On enlève tout aux prisonnières.

Il la connaissait. C'était une femme élégante, élancée, comme sa fille. Elle avait dû être très belle. La nature, dans une dernière faveur, lui avait conservé un visage fin, dessiné par des beaux méplats.

— Bonjour, madame. Je branche la caméra vidéo et le magnétophone. Vous connaissez vos droits, n'est-ce pas ? Vous avez le droit de rester silencieuse, d'exiger la présence d'un avocat. Tout ce que vous me direz pourra être utilisé contre vous. Bonjour, Lucinda.

Elle sourit :

— Ah, vous m'avez reconnue. Je n'en attendais pas moins de vous. Appelez-moi Belle, je vous en prie, c'est mon prénom. Dove est mon nom de jeune fille. Il fallait dissimuler mon accent du Sud sous un autre. Je suis de Caroline du Sud. Ah, avant tout, ceci est pour vous. C'est une preuve. Une sorte de journal intime. Il vous servira. On m'a permis de vous l'amener. C'est gentil.

Cagney le feuilleta rapidement et tomba sur ces lignes qui l'avaient tant intrigué :

Échappe de la bulle.
Entraîne la bulle.
La bulle est une idée.
C'est un nom, comme un songe.
Une lumière qui explose, qui attire,
mais qui fait mal.
Les bouches ouvertes ne mordent pas.
Elles rient.
L'énigme du visage qui est dans la bulle
mais qui parfois se renverse.
Elle se renverse.
Elle tombe mais elle ne le sait pas.
Car la bulle, douce et molle, est une forteresse.

— C'était vous ?

— Oui.

— Reconnaissez-vous avoir tué, vous et votre fille, Bernie Bronsky, Rand Dale, Carl Ritter, Thomas Barr et Charles Owens ?

— Oui, mais j'ai des remarques à faire, plus tard.

— Saviez-vous que Carl Ritter serait présent ce soir-là ? Il y avait des bougies anti-tabac et vous avez déclaré à deux policiers que Mr Dale vous avait avertie d'une visite de son associé.

— J'ai menti. Il ne m'a rien dit. La présence de Carl Ritter était une mauvaise surprise, mais il était trop tard pour reculer. J'ai placé les bougies après, pour faire croire que Belle Dove était au courant.

— Reconnaissez-vous avoir tué Mrs et Mr Hewitt, en Californie ?

— Non, jamais.

— Savez-vous qui les a tués ?

— Oui, mais je ne vous le dirai pas.

— Reconnaissez-vous avoir subtilisé l'arme de ce double crime ?

— Oui.

— Pourquoi ?

— Je ne sais pas. Un réflexe.

— Vous mentez. Vous l'avez dérobé à la justice parce que vous vouliez protéger les meurtriers.

— C'est exact. Mais je n'en dirai pas plus, inutile d'insister. Cette histoire ne me concerne pas. La seule chose que j'ajouterai, c'est que je détestais les Hewitt. C'étaient des gens sales. Ils se servaient de leur fortune, de leur pouvoir pour assouvir leurs fantasmes. Ils avaient mis au point une sorte d'esclavage sexuel. Ça me dégoûte. Je n'ai aucun jugement moral sur le sexe, tant qu'il se produit entre adultes consentants. Ce n'était pas le cas, ils faisaient chanter les gens. Leur mort, bien que je n'y aie pris aucune part, ne m'a pas fâchée. Ce chapitre est clos.

— Vous pourriez négocier des confidences.

— Cela ne m'intéresse pas, du moins pas à titre personnel.

Il comprit qu'elle ne céderait pas.

— Votre fille m'a raconté les faits. Voulez-vous les confirmer ?

— Non, c'est une perte de temps. Cindy dit toujours la vérité, à ceci près qu'elle ne la connaît pas.

— Pourriez-vous préciser ?

— Je ne suis là que pour cela, monsieur. Je suis en train d'écrire le dernier chapitre de mon histoire. J'ai bien peur de ne pas avoir le temps de le transcrire sur mon cahier et je voulais que vous soyez mon témoin.

— Votre fille m'a déjà dit ça.

— Oui, mais Cindy ne sait pas. Moi, si.

Elle se tourna vers la caméra et déclara :

— J'affirme solennellement que ma fille, Cindy Robertson, n'a été qu'une complice dans cette série de meurtres. J'en suis l'instigatrice. Je lui ai menti toutes ces années pour qu'elle m'aide, sans le savoir, à effacer ma faute.

Se tournant à nouveau vers Cagney, elle ajouta, les larmes aux yeux :

— Le problème, c'est que c'était inutile. Je suis toujours aussi coupable. Laura est morte à cause de moi. Rien ne change rien.

— Vous voulez dire qu'il n'y a pas eu viol ?

— Oh si ! Tout cela est vrai. Ils sont entrés de force. Ils étaient saouls. Ils sont tombés sur Laura parce qu'ils étaient dépités que Cindy ne soit pas là. Mais la vérité, c'est que *j'étais dans l'appartement*. Je me suis précipitée dans la chambre du fond et je me suis enfermée. J'étais terrorisée. J'ai entendu les hurlements de Laura, ses phrases incohérentes, les rires de ces hommes. Ça a duré presque une demi-heure. Je me disais qu'ils allaient partir, que peut-être ils ne lui feraient rien, après tout, ils n'avaient pas été violents avec Cindy, la veille. Je ne sais plus ce que je me disais. Et puis, il y a eu un bruit, et le silence. Je suis sortie de la chambre. Ils étaient partis. Laura n'était plus là, non plus. J'ai regardé par la fenêtre et il a levé la tête. Charles Owens. Il a vu qu'il y avait quelqu'un d'autre dans l'appartement. Il m'a vue. C'était le seul à savoir que j'étais là, que j'aurais pu faire quelque chose, sortir, hurler, les en empêcher. J'avais tellement peur, mon Dieu, j'avais si peur !

Cagney lui tendit un mouchoir en papier. Elle le regarda, surprise. Elle n'avait pas conscience qu'elle sanglotait.

— Le regard de cet homme m'a suivi toutes ces années, il me suivra toute ma vie. (Elle s'interrompit, toussota pour reprendre son souffle et poursuivit.) J'ai menti à Cindy. Je ne voulais pas que l'on parle aux policiers, parce que Charles Owens aurait révélé que quelqu'un était présent dans l'appartement. Parce qu'*il m'a vue,* même si le store me cachait à moitié. Cindy aurait compris que c'était moi. Elle ne me l'aurait pas pardonné. Cindy a toujours été brave. Moi pas, je suis une rien du tout. Je lui ai menti toute sa vie. Mais elle m'a crue. Pour son père, pour Laura, pour tout. Son père m'a quittée, parce que je ne voulais pas d'autre enfant. J'avais tellement souffert pour la mettre au monde. Je refusais le sexe. J'ai dit à Laura qu'il avait trouvé une autre femme plus jeune : c'était faux. Je l'ai convaincue qu'Owens était le pire de tous. Cela aussi était faux. Mais il savait ma faute. Je vais payer très cher. Ma fille, la seule qui m'ait vraiment aimée, va me détester. C'est juste, je le mérite. Au bout de toutes ces années, je reconnais que la mort de Charles Owens était une vengeance personnelle, même s'ils devaient tous être punis pour la mort de Laura. J'insiste donc sur le fait que je suis coupable, sans circonstances atténuantes et que ma fille n'a été qu'un instrument inconscient. Voilà, je répondrai à toutes vos questions, je suis prête.

Cagney resta sans voix. Tant d'amour, tant de haine, tant de peur... Il se leva, coupa la caméra et le magnétophone.

— Belle, il faut protéger Cindy, n'est-ce pas ?

— Oui. Absolument. Dites ce qu'il faut que je fasse. Je le ferai. C'est ma fille, mon bébé, je l'aime. Elle ne m'a jamais déçue. Je ne peux pas en dire autant de moi.

— Il nous faut le nom des meurtriers des Hewitt. C'est la meilleure façon de prouver votre bonne foi et de commencer les négociations. Attention, Cindy ira en prison, c'est évident. Mais on peut substantiellement alléger sa peine en déclarant qu'elle était une simple complice, trompée par sa mère.

— Ça me va. C'est moi qui les ai égorgés. Cindy déteste la violence, enfin, ce genre de violence. Elle se servait de l'arme à feu, moi du couteau. C'est moins pire, n'est-ce pas ?

— Nous verrons comment présenter les choses. Qui a tué les Hewitt ?

— Plus tard. Je sais. Je veux une proposition qui épargne ma fille. Je veux qu'elle soit officielle. Après, je vous dirai tout.

— Oh, Belle, Belle.

Il posa sa main sur la joue de la femme assise. Elle la pressa contre son visage et pleura en murmurant :

— Ça fait tellement longtemps que j'ai envie de laisser aller ces larmes contre un homme. Nous n'étions pas de taille, n'est-ce pas ?

Il ne répondit rien, parce qu'il se sentait vidé de toute son énergie.

Belle Dove se leva et murmura :

— Ne me lâchez pas. Non. Ne lâchez pas Cindy. Elle mérite le meilleur. Elle ne l'a jamais eu. Tout ce qu'elle a fait, ces hommes, tout, c'était pour nous.

Cagney appela la Californie. Il était défait, épuisé. Rien ne s'était passé comme il l'avait imaginé. Gloria répondit à la deuxième sonnerie et se tut lorsqu'elle reconnut sa voix.

— Je ne vais pas très bien, Gloria.

— Tu les as vues ?

— Oui, j'ai parlé avec elles deux.

— Tu as compris ?

— Oui, mais je n'ai pas admis. Je ne peux pas. Ce n'est pas grave. Je t'aime tellement... Toi et ce bébé, vous êtes la chose la plus importante dans ma vie. Je peux venir ?

Un silence, le vide à cinq mille kilomètres.

— Tu vas les aider ?

— Dans la mesure des possibilités légales, oui, je ferai le maximum.

— Viens. Je t'attends. J'ai faim. J'ai... besoin de te toucher.

— Je t'aime.

Elizabeth-Ann Gordon prit le combiné. Bob lui avait annoncé un appel personnel. Elle reconnut tout de suite la voix. Les petits cheveux de sa nuque se hérissèrent, mais elle ne savait pas trop pourquoi. Il était beau, intelligent, mais elle lui en voulait parce que c'était son devoir.

— Je me demandais si... on pourrait dîner un soir, tous les deux. Écoutez, je sais que...

— Vous ne savez rien, agent Lionel Glover. Jeter le discrédit sur le Boston PD, c'est jeter le discrédit sur moi. C'est clair ?

— Très clair. Je n'ai jamais jeté le discrédit sur le Boston PD. Ce sont eux qui m'ont appris ce qu'était un flic. J'avais simplement envie d'autre chose, je ne renie rien. Je peux m'expliquer, si vous me laissez le temps de parler. Écoutez, il faudrait que je vous raconte certaines choses, pour que vous compreniez.

Il entendit son soupir. Il était tétanisé. C'était la première fois que cela lui arrivait avec une fille, non, une femme.

— Bon, d'accord. C'est vous qui payez. Si on s'engueule, vous ne l'aurez pas volé et c'est votre problème. Ça marche ?

— Ça marche.

— Vendredi soir, 19 heures, ça va ?

— Ça va. C'est parfait.

Lorsqu'elle raccrocha, Da Costa pouffait, sa chair sautant par à-coups.

— Qu'est-ce que t'as, Bob ?

— Oh, rien, ma puce ! Mais tu sais parler aux hommes toi, tout en tendresse et en subtilité.

— Rigolo, va ! Bob, j'aurais besoin qu'on en discute.

— Quand tu veux, mariole. Je suis toujours là pour toi, n'oublie pas.

Il tendit les bras, épais comme deux troncs, et elle s'enfouit dans leur arc.

Composition réalisée par P.P.C.

IMPRIMÉ EN FRANCE PAR BRODARD ET TAUPIN
La Flèche (Sarthe).
N° d'imprimeur : 1510 – Dépôt légal Édit. 1215-04/2000
Librairie Générale Française - 43, quai de Grenelle - 75015 Paris.
ISBN : 2 - 253 - 17129 - 8

31/7129/5